CB034832

ANTOLOGIA DO FOLCLORE BRASILEIRO

Vol. 1

LUÍS DA CÂMARA CASCUDO

ANTOLOGIA DO FOLCLORE BRASILEIRO

Vol. 1

9ª Edição, Global Editora, São Paulo 2003
2ª Reimpressão, 2020

Jefferson L. Alves - diretor editorial
Flávio Samuel - gerente de produção
Dulce S. Seabra - gerente editorial
Daliana Cascudo Roberti Leite - estabelecimento do texto e revisão final
Cacilda Guerra, Célia Regina do N. Camargo, Maria José L. C. Negreiros e Rita de Cássia M. Lopes - revisão
Marcelo Azevedo - capa
Antonio Silvio Lopes - editoração eletrônica

Obra atualizada conforme o
NOVO ACORDO ORTOGRÁFICO DA LÍNGUA PORTUGUESA.

DADOS INTERNACIONAIS DE CATALOGAÇÃO NA PUBLICAÇÃO (CIP)
(CÂMARA BRASILEIRA DO LIVRO, SP, BRASIL)

Cascudo, Luís da Câmara, 1898-1986.
Antologia do folclore brasileiro, volume 1 / Luís da Câmara Cascudo. – 9. ed. – São Paulo : Global, 2003.

Vários autores.
Bibliografia
ISBN 978-85-260-0689-8

1. Folclore – Brasil – Coletânea I. Título.

02-2952 CDD–398.0981

Índices para catálogo sistemático:

1. Antologia : Folclore brasileiro 398.0981
2. Folclore brasileiro : Antologia 398.0981

global editora e distribuidora ltda.
Rua Pirapitingui, 111 — Liberdade
CEP 01508-020 — São Paulo — SP
Tel.: (11) 3277-7999
e-mail: global@globaleditora.com.br

globaleditora.com.br /globaleditora
blog.globaleditora.com.br /globaleditora
/globaleditora /globaleditora
/globaleditora

Nº de Catálogo: **2137**

Sobre a reedição de Antologia do Folclore Brasileiro

A reedição da obra de Câmara Cascudo tem sido um privilégio e um grande desafio para a equipe da Global Editora. A começar pelo nome do autor. Com a anuência da família, foram acrescidos os acentos em Luís e em Câmara, por razões de normatização bibliográfica. Foi feita também a atualização ortográfica, conforme o Novo Acordo Ortográfico da Língua Portuguesa; no entanto, existem muitos termos utilizados no nosso idioma que ainda não foram corroborados pelos grandes dicionários de língua portuguesa nem pelo Volp (Vocabulário Ortográfico da Língua Portuguesa) – nestes casos, mantivemos a grafia utilizada por Câmara Cascudo.

O autor usava forma peculiar de registrar fontes. Como não seria adequado utilizar critérios mais recentes de referenciação, optamos por respeitar a forma da última edição em vida do autor. Nas notas foram corrigidos apenas erros de digitação, já que não existem originais da obra.

Mas, acima de detalhes de edição, nossa alegria é compartilhar essas "conversas" cheias de erudição e sabor.

Os editores

SUMÁRIO

SÉCULOS XIX E XX
Viajantes estrangeiros

SÉCULOS XIX E XX
Os estudiosos brasileiros

Aos cantadores e violeiros analfabetos e geniais,
às velhas amas contadeiras de estórias maravilhosas
fontes perpétuas da literatura oral do Brasil, ofereço,
dedico e consagro este livro que jamais hão de ler...

A segunda edição da ANTOLOGIA DO FOLCLORE BRASILEIRO ampliou os seus quadros nas três secções divisoras. Hartt, Spruce e Herbert H. Smith tiveram os trechos em primeira versão. Não me foi possível consultar o "Die Mythen und Legenden der Sudamerikanischen Urvölker", (Berlim, 1905) para escolher uma página sobre as nossas lendas e suas relações continentais e europeias. Assim, Paul Ehrenreich continua ausente desta ANTOLOGIA sem que seja pelas razões sugeridas por um amável leitor. Noutras fontes do mesmo Ehrenreich não pude eleger documentário indispensável. O mesmo direi de Charles Waterton, cujas "Wanderings in South America" deixam a desejar novidades na espécie. O duelo com a jiboia e a travessia do rio cavalgando o jacaré foram andanças no Essequibo. Há apenas curtas impressões da cidade do Recife e arredores. Waterton viajou para Caiena por mar e não cita outro ponto brasileiro na sua Second Journey. Foram as "faltas" mais sensíveis apontadas.

A inclusão de páginas literárias, como as de Simões Lopes Neto ou Afonso Arinos, explica-se por constituírem registo folclórico de indiscutível valor.

Agradeço o registo amável e por vezes carinhoso que a ANTOLOGIA mereceu. Sua finalidade cumpriu-se fielmente. Os documentários do barão de Studart, Vale Cabral, Alberto Faria, Alcides Bezerra, João Alfredo de Freitas, ainda hoje de acesso difícil, tiveram divulgação e aproveitamento notórios. Confio que as fontes agora reunidas fiquem no mesmo nível de utilidade. Duas opiniões tranquilizaram-me. Vinham de espíritos de uma independência e autoridades sérias, Mário de Andrade e Stith Thompson. O primeiro viu a ANTOLOGIA no original e escrevia para mim no carnaval de 1944: "Estive outro dia na Livraria Martins e ele me mos-

trou as provas de sua Antologia Folclórica. Vai sair um livrão nos dois sentidos. Estive compulsando o seu trabalho. Franqueza: é excelente. Quanta gente agora vai bancar o "científico" citando as fontes através do canal que você lhes abriu!... Vai ser uma inundação e gozaremos com os afogados..."

Stith Thompson, em longo artigo (JAFL, July-September, 1948, afirmava: This anthology brings together no much inaccessible material that is should be in every library of folklore and ethnology. *Disseram semelhantemente Wilhelm Giese, da Universidade de Hamburgo, Corso, de Nápoles, Garcia de Diego, de Madrid.*

A presença de tantos registos fixando cenas da vida indígena merece uma explicação. Creio na existência de um folclore indígena e de um folclore negro, cafre ou hotentote, repudiado pelos folcloristas clássicos. É essencial guardar essas observações de naturalistas estrangeiros para que sirvam de ponto de referência num confronto ou pesquisa de origem de costumes, permanentes ou emergentes, no processo humano dos folk-ways. *O ato do indígena terá variantes entre os mestiços da população nacional ou constituirá, por si só, motivo de irradiação da tribo ou família para outras áreas de influência. E mesmo a existência da ação humana já determina a credencial para a fixação folclórica. Na geografia desses elementos haverá, necessariamente, a obrigatoriedade da inclusão do Brasil onde o tema estava presente.*

Como todos esses elementos foram vistos no Brasil, pertencem à normalidade do homem brasileiro, branco, negro, mestiço ou indígena. Não lhes podia negar hospedagem nessa ANTOLOGIA pau-brasil.

Luís da Câmara Cascudo

PREFÁCIO

Don Marcelino Menéndez Y Pelayo ensinava: "Nunca la obra aislada de un poeta, por grande que él sea, nos puede dar la noción total de cultura estética de su siglo, como nos dá un vasto cancioneiro, donde hay lugar para lo mediano y aún para lo malo. Toda historia literaria, racionalmente compuesta, supone o debe suponer una antologia previa, donde ha reunido el historiador una serie de pruebas y documentos de sua narración y de sus juicios."

Aplico ao FOLCLORE esse raciocínio, reunindo no mesmo tomo as páginas expressivas de cronistas coloniais, de naturalistas estrangeiros, de estudiosos nacionais. Não consiste o FOLCLORE na obediência ao pinturesco, ao sertanejismo anedótico, ao amadorismo do caricatural e do cômico, numa caçada monótona ao pseudotípico, industrializando o popular. É uma ciência da psicologia coletiva, com seus processos de pesquisa, seus métodos de classificação, sua finalidade em psiquiatria, educação, história, sociologia, antropologia, administração, política e religião.

Tentei apresentar os aspectos mais vivos do Povo brasileiro através de quatro séculos, uma observação a cada um dos elementos étnicos formadores.

Para essa galeria, foram chamados os Mortos, os precursores, os curiosos, os veteranos do FOLCLORE. Passam eles com suas intuições, suas explicações, aposentadas ou consagradas no Tempo, até atitudes claras, opiniões nítidas, indicando rumos, escolas, doutrinas, discutindo, cotejando, proclamando a melhor interpretação.

Esta ANTOLOGIA lembra os primeiros passos dentro da floresta das lendas, dos mitos, das superstições, das cantigas brasileiras. É um resumo do heroísmo inicial para uma atividade sempre nova, com seus fanáticos e céticos.

Não tive intenção de confundir Antropologia com FOLCLORE. Já em 1891, Andrew Lang se dizia embaraçado para distinguir. Franz Boas é mestre comum de antropologistas e folcloristas. De minha parte, piso nas pegadas de Marinus: Il ne faut pas s'inquiéter de savoir où commence, où s'arrete le folk-lore. Ce serait perdre son temps, puiqu'on ne sait pas ce qui le caractérise.

Hernandez-Pacheco encontrou na caverna de Paloma, nas Astúrias, na parte correspondente ao superior madaleniense, um fragmento da costela de um animal pequeno, trabalhado pela mão do homem. Limpando-o, reconheceu um silvo, um instrumento musical, destinado às alegrias interiores da Música ou a atrair pássaros. É o mais antigo instrumento musical do Mundo. Fizeram-no soar. Depois de doze mil anos de silêncio, a humilde e doce sonoridade se elevou, na pobreza de um desenho melódico, impressionante e recordadora.

Desejo que essas vozes apagadas, em anos e séculos, na morte, ressoem novamente, evocando a vida que as envolvia no passado.

Conceição-565.
Cidade do Natal.
Agosto de 1943.
Setembro de 1956.
377, av. Junqueira Aires.

Luís da Câmara Cascudo

NOTA DA TERCEIRA EDIÇÃO

Nesta terceira edição a ANTOLOGIA DO FOLCLORE BRASILEIRO amplia seus quadros de informação, fixando outros aspectos da cultura coletiva. Cem autores colaboram com cento e noventa e cinco fontes documentais, atendendo aos mais diversos ângulos de nossa demologia, não apenas literatura oral mas no plano etnográfico. A presença indígena explica-se pela necessidade do confronto com tradições populares que dela teriam nascido ou recebido inspiração e reforço assimilativo.

Como o critério dessa edição ainda é o da autoria, não foram incluídas as páginas preciosas de DIÁLOGOS DAS GRANDEZAS DO BRASIL, terminados em 1618, das cartas jesuíticas, do arquivo inestimável resultante das denunciações e confissões quando da primeira Visitação do Santo Ofício na Bahia e Pernambuco (1591-95), testemunho das primeiras e poderosas superstições europeias aclimatadas no Brasil e outras com forte matiz ameríndio. E ainda não aparecem alguns holandeses, Piso, Baers, Richshoffer, panfletos e correspondência oficial onde há muito que respingar e recordar para a contemporaneidade. Poderíamos dizer o mesmo com as próprias Cartas Régias nos dois primeiros séculos.

O espaço não permitiu maiores achegas de Saint-Hilaire, Spix e von Martius, Pohl, Gardner, Spruce, Hartt, Herbert H. Smith, e dos romances guardadores do Brasil sentimental do séc. XIX, José de Alencar, Bernardo Guimarães, Joaquim Manuel de Macedo, Manuel Antonio de Almeida, Franklin Távora, os estudos amazônicos de José Veríssimo, registos do padre Lopes Gama, "o carapuceiro", Melo Morais Filho, Sílvio Romero, João Ribeiro. E dezenas de autores do sul, centro e norte, digníssimos de citação e lembrança. E todos mortos.

Resisti heroicamente à tentação da nota bibliográfica mas, nos limites do possível, indico o DICIONÁRIO DO FOLCLORE BRASILEIRO que tentou atualizar os assuntos aqui registados.

Editor e autor não têm outro melhor interesse além da valorização da cultura popular brasileira pela divulgação de suas fontes impressas.

Luís da Câmara Cascudo

SÉCULOS XVI-XVII-XVIII

Cronistas

GASPAR DE CARVAJAL

Frei Gaspar de Carvajal, frade dominicano, nasceu em Trujillo. Estremadura, Espanha, em 1504, já sendo em 1538 Vigário Provincial em Lima no Peru. Acompanhou Gonçalo Pizarro que pretendia vir de Quito à foz do rio Amazonas. Seguindo Francisco de Orellana, o frade ilustre veio pelo Coca, Napo, Marañon, de oeste a leste, vindo sair no Atlântico em 24 de agosto de 1542, com dois anos e oito meses de viagem. Frei Gaspar voltou ao Peru, dirigindo conventos de sua Ordem em Lima e Cuzco, vigário-geral em Tucumã, no território da Argentina. Faleceu em 1584, tendo sido em 1557, eleito Provincial no Peru. Sua "RELACION DEL NUEVO DESCUBRIMIENTO DEL FAMOSO RIO GRANDE QUE DESCUBRIÓ POR MUY GRAN VENTURA EL CAPITAN FRANCISCO ORELLANA DESDE SUA NASCIMIENTO HASTA SUBIR À LA MAR" foi divulgado em 1894, Sevilha, por José Toribio Medina, *"Descubrimiento del Rio de las Amazonas"*.

Bibliografia:

DESCOBRIMENTO DO RIO AMAZONAS — Gaspar de Carvajal, Alonso de Rojas e Cristobal de Acuña, tradução e nota de C. de Melo-Leitão, col. Brasiliana, vol. 203, São Paulo, 1941.

Os trechos estão às pp. 58-61.

Frei Gaspar de Carvajal é o primeiro depoimento presencial do encontro das Amazonas em terra brasileira. Cristóvão Colombo aludira à existência delas nas Antilhas, Walter Raleigh nas Guianas, Hernando Ribeiro disse tê-las encontrado no Paraguai. Estão, valentes e nuas, nos mapas da época. Frei Gaspar teve a honra de vê-las e combatê-las.

– De como o frade viu as Amazonas no Brasil.

Quinta-feira *(24 de junho de 1541)* passamos por outros povoados de tamanho médio, mas não cuidamos de parar ali. Todos eles são arraiais de pescadores do interior.

Íamos desta maneira caminhando e procurando um lugar aprazível para folgar e celebrar a festa do bem-aventurado São João Batista, precursor de Cristo, e foi servido Deus que, dobrando uma ponta víssemos alvejando muitas e grandes aldeias ribeirinhas. Aqui demos de chofre na boa terra e senhoria das Amazonas.

Estavam estes povos já avisados e sabiam da nossa ida, e por isso nos vieram receber no caminho por água, mas não com boa intenção. Chegando perto como o Capitão *(Francisco de Orellana)* os quisesse trazer à paz, começando a falar-lhes e a chamá-los, riram-se eles e faziam burla de nós; aproximavam-se e diziam que andássemos, pois ali abaixo nos esperavam, para prender-nos a todos e levar-nos às Amazonas.

O Capitão, ofendido com a soberba dos índios, mandou que atirassem neles com as balestras e arcabuzes, para que pensassem e soubessem que tínhamos com que os ofender. Com o dano que lhes causamos, voltaram para a aldeia a dar notícia do que tinham visto. Não deixamos de caminhar e aproximar-nos das aldeias e, antes que chegássemos, a uma distância de mais de meia légua, havia pela linha d'água, aqui e ali, muitos esquadrões de índios, e como íamos andando, eles se juntavam, acercando-se das suas povoações. Havia no meio desta aldeia uma multidão fazendo um bom esquadrão e o capitão deu ordem que os bergantins encalhassem onde estava aquela gente, para buscar comida.

E assim foi que, quando começávamos a chegar à terra, principiaram os índios a defender a sua aldeia e a flechar-nos, e como a gente era muita, parecia que choviam flechas. Mas os nossos arcabuzeiros e balestreiros não estavam ciosos, porque não faziam senão atirar e, embora matassem muitos, não o sentiam, porque, com todo o dano que lhes fazíamos, andavam uns pelejando e outros bailando. Aqui estivemos por um triz para perder-nos todos, porque como havia tantas flechas, os nossos companheiros porfiavam por defender-se delas, sem poder remar. Foi isto causa de que nos fizessem tanto mal que antes que saltássemos em terra já tinham ferido a cinco dos nossos, dos quais eu fui um deles, levando uma flecha na ilharga, que me chegou ao vazio, e se não fossem os hábitos, ali teria ficado. Vendo o perigo em que estávamos, começou o Capitão a animar e a apressar os dos remos para que encalhassem, e os nossos companheiros se lançaram à água que lhes dava pelos peitos. Travou-se aqui mui grande e perigosa batalha, porque os índios andavam misturados com os nossos espanhóis, que se defendiam tão corajosamente, que era uma coisa maravilhosa de ver-se. Andou-se neste combate mais de uma hora, pois os índios não perdiam ânimo, antes parecia que o redobravam, embora vissem mortos a muitos dos seus, e passavam por cima deles, e não faziam senão retrair-se e tornar a atacar.

Quero que saibam qual o motivo de se defenderem os índios de tal maneira. Hão de saber que eles são súditos tributários das Amazonas, e conhecida a nossa vinda, foram pedir-lhes socorro e vieram dez ou doze. A estas nós as vimos, que andavam combatendo diante de todos os índios como capitães e lutavam tão corajosamente que os índios não ousavam mostrar as espáduas, ao que fugia diante de nós, matavam a pauladas. Eis a razão por que os índios tanto se defendiam.

Estas mulheres são muito alvas e altas, com o cabelo muito comprido, entrançado e enrolado, na cabeça. São muito membrudas e andam nuas em pelo, tapadas as suas vergonhas, com os seus arcos e flechas nas mãos, fazendo tanta guerra como dez índios. E em verdade houve uma destas mulheres que meteu um palmo de flecha por um dos bergantins, e as outras um pouco menos, de modo que os nossos bergantins pareciam porcos-espinhos.

Voltando ao nosso propósito e combate, foi Nosso Senhor servido dar força e coragem aos nossos companheiros, que mataram sete ou oito destas Amazonas, razão pela qual os índios afrouxaram e foram vencidos e desbaratados com farto dano de suas pessoas. Como viesse de outras aldeias muita gente de socorro e haviam de voltar, pois já se começavam a chamar, mandou o Capitão que a toda a pressa embarcasse a gente, pois não queria pôr em risco a vida de todos. E assim embarcaram, não sem soçobra, porque já os índios começavam a lutar, e vinha por água imensa frota de canoas. Assim sendo, nos fizemos ao largo e deixamos a terra.

HANS STADEN

Hans Staden nasceu em Homberg, Hesse, ignorando-se quando e onde faleceu. Viajou duas vezes para o Brasil, como artilheiro em naus espanholas. Em 1548, tomando parte na libertação do cerco de Iguassu, e em 1549, com dom Diego de Senabria, com quem naufragou em Santa Catarina e em Itanhaém, refugiando-se em São Vicente onde ficou servindo num fortim de Sant-Amaro, diante de Bertioga. Indo caçar, Staden foi aprisionado pelos Tupinambás, condenado à morte e a servir de alimento numa refeição guerreira. Viveu dez meses e meio entre os selvagens, sendo resgatado por um navio francês em 1554, voltando à sua pátria. Em 1557 publicou em Marpurgo, Hesse, a narrativa de suas aventuras dramáticas, descrições da vida indígena, com ilustrações em xilogravuras. O livro alcançou, até o presente, cerca de vinte e sete edições, em alemão, latim, inglês, francês, flamengo e três em português, a de Alencar Araripe em 1892, o resumo de Monteiro Lobato (1925, 1926, 1927) e:

Bibliografia:

VIAGEM AO BRASIL — versão do texto de Marpurgo, de 1557, por Alberto Lofgren, revista e anotada por Teodoro Sampaio. Edição da Academia Brasileira de Letras, Rio de Janeiro, 1930, com a reprodução das ilustrações.

Os trechos citados estão às pp. 67, 78, 145-146 e 159.

— A COMIDA CHEGOU, A COMIDA PULANDO.

Ao chegarmos perto das suas moradas, vimos que era uma aldeia com sete casas e se chamava UBATIBA. Entramos numa praia que vai beirando o mar e ali perto estavam as suas mulheres, uma plantação de raízes, a que chamam mandioca. Na mesma plantação havia muitas mulheres, que arrancavam raízes, e fui obrigado então a gritar-lhes na sua língua: *Ayú ichebe enê remiurama,* isto é, "Eu, vossa comida, cheguei".

Nas outras cabanas, continuaram suas zombarias comigo e o filho do rei atou-me as pernas em três lugares, obrigando-me a pular com os pés juntos. Riam-se disso e diziam: — *Aí vem a nossa comida pulando.*

– Como fabricam as bebidas com que se embriagam e como celebram essas bebedeiras.

As mulheres é que fazem também as bebidas. Tomam as raízes da mandioca, que deitam a ferver em grandes potes, e quando bem fervidas, tiram-nas e passam para outras vasilhas ou potes, onde deixam esfriar um pouco. Então as moças assentam-se ao pé a mastigarem as raízes, e o que fica mastigado é posto numa vasilha à parte.

Uma vez mastigadas todas essas raízes fervidas, tornam a pôr a massa mascada nos potes, que então enchem d'água e misturam muito bem, deixando tudo a ferver de novo.

Há então umas vasilhas especiais, que estão enterradas até o meio e que eles empregam, como nós os tonéis para o vinho ou a cerveja. Aí despejam tudo e tampam bem; começa a bebida a fermentar e torna-se forte. Assim fica durante dois dias, depois do que, bebem e ficam bêbedos. É densa e deve ser nutritiva.

Cada cabana faz sua própria bebida. E quando uma aldeia inteira quer fazer festas, o que de ordinário acontece uma vez por mês, reúnem-se todos primeiro em uma cabana, e aí bebem até acabar com a bebida toda; passam depois para outra cabana e assim por diante até que tenham bebido tudo em todas elas.

Quando bebem assentam-se ao redor dos potes, alguns sobre achas de lenha e outros no chão. As mulheres dão-lhes a bebida por ordem. Alguns ficam de pé, cantam e dançam ao redor dos potes. E no lugar onde estão bebendo, vertem também a sua água.

O beber dura a noite inteira; às vezes, também dançam por entre fogueiras e, quando ficam bêbedos, gritam, tocam trombetas e fazem um barulho formidável. Raro ficam zangados uns com os outros. São também muito liberais, e o que lhes sobra em comida repartem com outros.

– Qual é o seu armamento para a guerra.

(lança-chamas e gases asfixiantes)

Têm eles os seus arcos, e as pontas das flechas são de ossos que aguçam e amarram; também fazem-se de dentes do peixe a que chamam Tubarão e que apanham no mar. Usam também algodão, que misturam com cera, amarram nas flechas e acendem; são essas as suas flechas-fogo. Fazem também escudos de cascas de árvores e de couros de animais ferozes. Enterram também espinhos, como aqui as armadilhas de tesoura.

Ouvi também deles, mas não vi, que, quando querem expulsam os seus inimigos das cabanas fortificadas, empregando a pimenta que cresce no país, desta forma: fazem grandes fogueiras e, quando o vento sopra, põem-lhe grande porção de pimenta, cuja fumaça, atingindo as cabanas, os obriga a fugirem e eu o creio. Estava uma vez com os portugueses numa localidade da terra de Pernambuco chamada, a que já me referi, e aí aconteceu-nos de ficar num rio com o barco em seco, porque a maré baixara. Vieram muitos selvagens para nos atacar; mas como não o puderam amontoaram, então, muita lenha e galhos secos entre o navio e a margem para nos obrigar a sair, por efeito da fumaça da pimenta, mas não lograram pegar fogo na lenha.

Ver Erland Nordenskiöld, "Palisades and Noxious Gases among the South-American Indians", YMER, H. 3, 330-243, Stockolm, 1918.

"Paliçadas e gases asfixiantes entre os indígenas da América do Sul", tradução do prof. Protásio de Melo, introdução e notas do Prof. Luís da Câmara Cascudo, Biblioteca do Exército, Coleção Taunay, Rio de Janeiro, 1961.

PADRE NÓBREGA

Manuel da Nóbrega nasceu em Portugal a 18 de outubro de 1517 e faleceu no Rio de Janeiro a 18 de outubro de 1570. Veio para o Brasil em março de 1549. Grande missionário, constituiu elemento decisivo para a consolidação do domínio português nas imensas regiões.

Bibliografia:

CARTAS DO BRASIL, 1549-1560. Edição da Academia Brasileira de Letras. Rio de Janeiro, 1931.

O fragmento transcrito faz parte da INFORMAÇÃO DAS TERRAS DO BRASIL, de 1549, pp. 99-100 do volume citado.

O cabaço, *Crescência cujete*, Lin. era, no caso em espécie, utilizado para o *maracá*. Ensina Teodoro Sampaio, O TUPI NA GEOGRAFIA NACIONAL. 3ª ed., Bahia, 1928, sobre MARACÁ: corr. de *marã-acã*, a cabeça de fingimento ou de ficção: instrumento usado pelos feiticeiros (*pajés*), feito de um cabaço do tamanho da cabeça humana com orelha, cabelos, olhos, narinas e boca, estribado numa flecha como sobre pescoço. No *maracá*, faziam fumo, dentro, com folhas secas de tabaco, queimadas, e desse fumo, que saía pelos olhos, boca e narinas da figura, se enebriavam os tais feiticeiros e ficavam como que tomados do vinho; nesse estado faziam visagens e cerimônias, predíziam o futuro e em tudo que afirmavam criam os outros índios, como se fossem revelações de algum profeta. (Simão de Vasconcelos, *Crônica da Companhia de Jesus*, Liv. II, p. C). Depois da conquista, o nome *maracá* ficou servindo para denominar o chocalho.

– A CERIMÔNIA DO MARACÁ.

Esta gentilidade nenhuma cousa adora, nem conhece a Deus; somente aos trovões chama TUPANE, que é como quem diz “cousa divina”. E assim nós não temos outro vocábulo mais conveniente para os trazer ao conhecimento de Deus, que chamar-lhe PAI TUPANE.

Somente entre eles se fazem uma cerimônia da maneira seguinte: De certos em certos anos vêm uns feiticeiros de mui longes terras, fingindo trazer santidade e ao tempo de sua vinda lhes mandam limpar os caminhos e vão recebê-los com danças e festas, segundo seu costume; e antes que cheguem ao lugar andam as mulheres de duas em duas pelas casas, dizendo publicamente as faltas que fizeram a seus maridos umas às outras, e pedindo perdão delas. Em chegando o feiticeiro com muita festa ao lugar, entra em uma casa escura e põe uma cabaça, que traz em figura humana, em parte mais conveniente para seus enganos e mudando sua própria voz em a de menino junto da cabaça, lhes diz que não curem de trabalhar, nem vão à roça, que o mantimento por si crescerá, e que nunca lhes faltará que comer, e que por si virá à casa, e que as enxadas irão cavar e as flechas irão ao mato por caça para seu senhor e que hão de matar muitos dos seus contrários, e cativarão muitos para seus comeres e promete-lhes larga vida, e que as velhas se hão de tornar moças, e as filhas que as deem a quem quiserem e outras cousas semelhantes lhes diz e promete, com que os engana, de maneira que creem haver dentro da cabaça alguma cousa santa e divina, que lhes diz aquelas cousas, as quais creem. Acabando de falar o feiticeiro, começam a tremer, principalmente as mulheres, com grandes tremores em seu corpo, que parecem demoninhadas (como decerto o são), deitando-se em terra, e escumando pelas bocas, e nisto lhes persuade o feiticeiro que então lhes entra a santidade; e a quem isto faz tem-lho a mal. Depois lhe oferecem muitas cousas e em as enfermidades dos Gentios usam também esses feiticeiros de muitos enganos e feitiçarias. Estas são os mores contrários que cá temos e fazem crer algumas vezes aos doentes que nós outros lhe metemos em corpo facas, tesouras e cousas semelhantes e que com isto os matamos. Em suas guerras aconselham-se com eles, além dos agouros que têm de certas aves.

ANCHIETA

José de Anchieta nasceu em S. Cristóvão de Laguna, Tenerife, a 19 de março de 1534 e faleceu em Reritiba, hoje Anchieta, no Estado do Espírito Santo, a 9 de junho de 1597. Veio para o Brasil em julho de 1553 de onde nunca mais saiu. Impressionante figura de apóstolo, pregador, etnógrafo, cronista, gramático, teve ação desmarcada na sociedade que amanhecia. Com o seu irmão de hábito, Manuel da Nóbrega, prestou relevantíssimos serviços.

Bibliografia:

CARTAS, Informações, Fragmentos Históricos e Sermões — 1554-1594. Edição da Academia Brasileira de Letras, Rio de Janeiro, 1933. O fragmento transcrito está às pp. 128-129.

ARTE DE GRAMÁTICA DA LÍNGUA MAIS USADA NA COSTA DO BRASIL, foi reimpressa em 1933, sob a direção do dr. Rodolfo Garcia. Imprensa Nacional, Rio de Janeiro, com uma *explicação* anônima que é do mentor da reimpressão.

— ESPECTROS NOTURNOS E DEMÔNIOS SELVAGENS.

Acrescentarei agora poucas palavras acerca dos espectros noturnos ou antes demônios com que costumam os índios aterrar-se.

É cousa sabida e pela boca de todos corre que há certos demônios, a que os Brasis chamam CURUPIRA, que acometem aos índios muitas vezes no mato, dão-lhes de açoites, machucam-o e matam-os. São testemunhas disto os nossos Irmãos, que viram algumas vezes os mortos por eles. Por isso, costumam os índios deixar em certo caminho, que por ásperas brenhas vai ter ao interior das terras, no cume da mais alta montanha, quando por cá passam, penas de aves, abanadores, flechas e outras cousas semelhantes, como uma espécie de oblação, rogando fervorosamente aos CURUPIRAS que não lhes façam mal.

Há também nos rios outros fantasmas, a que chamam IGPUPIARA, isto é, que moram n'água, que matam do mesmo aos índios. Não longe de nós há um rio habitado por Cristãos, e que os índios atravessavam outrora em pequenas canoas, que fazem de um só tronco ou de cortiça, onde eram muitos afogados por eles, antes que os Cristãos para lá fossem.

Há também outros, máxime nas praias, que vivem a maior parte do tempo junto do mar e dos rios, e são chamados BAETATÁS, que quer dizer *cousa de fogo*, e que é o mesmo como se dissesse o *que é todo fogo*. Não se vê outra cousa senão um facho cintilante correndo daqui para ali; acomete rapidamente nos índios e mata-os, como os CURUPIRAS; o que seja isto, ainda não se sabe com certeza.

Há também outros, espectros do mesmo modo pavorosos, que não só assaltam os índios, como lhes causam dano; o que não admira, quando por estes e outros meios semelhantes, que longo fora enumerar, quer o demônio tornar-se formidável a estes Brasis, que não conhecem a Deus, e exercer contra eles tão cruel tirania.

Escrito em São Vicente, que é a última povoação dos Portugueses na Índia Brasileira voltada para o sul, no ano do Senhor 1560, no fim do mês de maio. O mínimo da Companhia de Jesus: JOSÉ DE ANCHIETA.

THEVET

André Thevet nasceu em Angoulême, França, no ano de 1502 e faleceu em Paris a 23 de novembro de 1590 ou 1592. Fez-se frade franciscano, viajou o Oriente e, de novembro de 1555 a janeiro de 1556, esteve no Rio de Janeiro, com Nicolau Durand de Villegaignon, fundador da França Antártica. Foi feito Historiógrafo e Cosmógrafo do Rei, Guarda das Curiosidades Reais, abade de Masdion, em Saint-tonge. Publicou em 1557, em Paris, sua narrativa de viagem ao Novo Mundo. Em 1575, uma "Cosmographie Universelle" onde, pela primeira vez, imprimia-se o idioma tupi, *oraison dominicale en sauvage, a salutation angelique* e o *Simbole des Apostres* (vol.-II, Livre XXI, p. 925), além de informação variada sobre homens e cousas americanas.

Bibliografia:

LES SINGULARITEZ DE LA FRANCE ANTARTIQUE — Notas e comentários de Paul Gaffarel. Paris, 1878.

Os trechos traduzidos estão às pp. 182 e 194.

A Brasiliana n. 229, S. Paulo, 1944, publicou "Singularidade da França Antartica", prefácio, tradução e notas do prof. Estêvão Pinto.

– Origem da tempestade.

Têm uma outra opinião idiota: estando sobre água, seja do mar ou dos rios, indo contra seus inimigos, se forem surpreendidos por uma tempestade ou furacão, como tantas vezes ocorre, creem que a origem é a alma de seus parentes e amigos, por que, não sabem, e para apaziguar a tormenta, sacodem qualquer cousa n'água, à maneira de presente, julgando por este meio pacificar as tempestades.

– Jejum na construção naval.

Os navios que empregam para a água são pequenas almadias ou barquinhas feitas de cascas de árvores, sem prego nem cavilha, longas de cinco ou seis braças, e com três pés de largura. Deveis saber que eles não as desejam maciças, julgando não poder fazê-las navegar à vontade, para escapar ou perseguir seus inimigos. Têm uma superstição louca para despojarem as árvores dessas cascas. No dia em que eles despem as árvores de suas cascas, o que fazem da raiz até a copa, não bebem e não comem, acreditando, segundo dizem, que doutra forma lhes sucederá uma desgraça sobre as águas.

JEAN DE LÉRY

Jean de Léry nasceu em La Margelle, Côrte D'Or, França, e faleceu em Berne, na Suíça, 1534-1611. Veio para o Rio de Janeiro em 1557, regressando à França no ano seguinte, malquistado com o almirante Nicolau Durand de Villegaignon, fundador da França Antártica. Terminou seus estudos teológicos, foi ministro calvinista. Em 1578 publicou seu livro sobre o Brasil, várias vezes reimpresso e traduzido em diversas línguas.

Bibliografia:

HISTOIRE D'UN VOYAGE FAICT EN LA TERRE DU BRESIL AUTREMENT DITE AMERIQUE, etc.
– A la Rochelle. Antoine Chuppin, MDLXXVIII.

VIAGEM À TERRA DO BRASIL — tradução de Sérgio Milliet. Livraria Martins. São Paulo, 1941.

Os trechos transcritos estão às pp. 214-215, 193-195.

MUSSACÁ, mboçaká, amigo. CAUINNAGENS, de *cauinar*, *caouiner*, beber *cauin*, nome genético para as bebidas fermentadas dos indígenas da raça tupi.

– Saudação Lagrimosa.

São as seguintes as cerimônias que os tupinambás observam ao receber seus amigos. Apenas chega o viajante à casa do MUSSACÁ, a quem escolheu para hospedeiro, senta-se numa rede e permanece algum tempo sem dizer palavra. É costume escolher o visitante um amigo em cada aldeia e para a sua casa deve dirigir-se sob pena de descontentá-lo. Em seguida, reúnem-se as mulheres em torno da rede e acocoradas no chão põem as mãos nos olhos e pranteiam as boas-vindas ao hóspede dizendo mil coisas em seu louvor, como por exemplo: "Tiveste tanto trabalho em vir ver-nos. És bom. És valente." – Se o estrangeiro é francês e europeu acrescentam: "Trouxeste coisas muito bonitas que não temos em nossa terra". Para responder deve o recém-chegado mostrar-se choroso também; se não quer fazê-lo de verdade, deve pelo menos fingi-lo com profundos suspiros como me foi dado observar de alguns de nossa nação que com muito jeito imitavam a lamúria dessas mulheres.

Terminada a primeira saudação festiva das mulheres americanas, o MUSSACÁ, que durante todo esse tempo permaneceu sossegado num canto da casa a fazer flechas, dirá sem parecer avistar-nos (costume bem diverso dos nossos, cheios de mesuras, abraços, beijos e apertos de mão): "*Erêjubê*, isto é, vieste, como estás, que desejas, etc.". A isto se responderá de acordo com o colóquio formulado em língua brasílica e que se encontra no capítulo XX.

– Dança de guerra dos Tupinambás.

Ao falar das danças por ocasião das *cauinagens* prometi descrever também suas outras espécies de danças. Unidos uns aos outros, mas de mãos soltas e fixos no lugar, formam roda, curvados para a frente e movendo apenas a perna e o pé direito; cada qual com a mão direita na cintura e o braço e a mão esquerda pendente, suspendem um tanto o corpo e assim cantam e dançam. Como eram numerosos, formavam três rodas no meio das quais se mantinham três ou quatro caraíbas ricamente adornados de plumas, cocares, máscaras e braceletes de diversas cores, cada qual com um maracá em cada mão. E faziam ressoar essas espécies de guizos feitos de certo fruto maior do que um ovo de avestruz. Só poderia dar uma ideia exata desses caraíbas, comparando-os aos frades pedintes que enganam a nossa pobre gente e andam de lugar em lugar com relicários de Santo Antônio e de São Bernardo ou outros objetos de idolatria. Os caraíbas não se mantinham sempre no mesmo lugar como os outros assistentes; avançavam saltando ou recuavam do mesmo modo e pude observar que, de quando em quando, tomavam uma vara de madeira de quatro a cinco pés de comprimento em cuja extremidade ardia um chumaço de *petum* e voltavam-na acesa para todos os lados, soprando a fumaça contra os selvagens e dizendo: "Para que vençais os vossos inimigos recebei o espírito da força." E repetiam-na por várias vezes os astuciosos caraíbas.

Essas cerimônias duravam cerca de duas horas e durante esse tempo os quinhentos ou seiscentos selvagens não cessaram de dançar e cantar de um modo tão harmonioso que ninguém diria não conhecerem música. Se, como disse, no início dessa algazarra, me assustei, já agora me mantinha absorto em coro, ouvindo os acordes dessa imensa multidão e sobretudo a cadência e o estribilho repetido a cada copla: *Hê, he ayre, heyrá, heyrayre, heyre, uêh*. E ainda hoje quando recordo essa cena sinto palpitar o coração e parece-me a estar ouvindo.

Para terminar, bateram com o pé direito no chão com mais força e depois de cuspirem para a frente, unanimemente, pronunciaram duas ou três vezes com voz rouca: *Hé, hyá, hyá, hyá.*

Como ainda não entendia bem a língua dos selvagens pedi ao intérprete que me esclarecesse sobre o sentido das frases pronunciadas. Disse-me ele que haviam insistido em lamentar seus antepassados mortos e em celebrar-lhes a valentia; consolavam-se entretanto na esperança de ir ter com eles, depois da morte, para além das altas montanhas, onde todos juntos dançariam e se regozijariam. Haviam em seguida ameaçado os Goitacazes, proclamando, de acordo com os caraíbas, que haveriam de devorá-los, embora esses selvagens sejam tão valentes que nunca os tupinambás os puderam submeter, como já ficou dito. Celebraram ainda em suas canções o fato das águas terem transbordado de tal forma em certa época, que cobriram toda a terra, afogando todos os homens do mundo, à exceção de seus antepassados que se salvaram trepando nas árvores mais altas do país.

GABRIEL SOARES DE SOUSA

Gabriel Soares de Sousa nasceu, provavelmente, em Lisboa, em data ignorada. Em 1569, indo para Monomopata arribou a nau em que viajava à Bahia, onde ficou, tornando-se senhor de um grande engenho de açúcar no rio Jequiriçá. Herdando de seu irmão João Coelho de Sousa o itinerário para umas minas e jazidas no alto sertão, foi à Espanha pleitear os favores do Rei, demorando-se de 1584 a 1590 quando regressou à cidade do Salvador. Auxiliado pela Coroa, tentou descobrir as jazidas, numa longa e penosa jornada, falecendo em fins de 1591. Está sepultado no Mosteiro de São Bento, na capital baiana, sob a lápide onde se lê: *Aqui jaz um pecador*. Seus 17 anos de estada na Bahia forneceram material para o livro mais completo de informação que possuímos no século XVI, sobre história, geografia, fauna, flora, economia, etnografia, etc. Há três edições brasileiras.

Bibliografia:

TRATADO DESCRITIVO DO BRASIL EM 1587 — comentários de Francisco Adolfo de Varnhagem. Terceira edição. Col. Brasiliana, vol. 117. São Paulo, 1938.

Transcrevemos o capítulo CLXII, pp. 382-383, segunda parte, título 17.

– QUE TRATA DAS SAUDADES DOS TUPINAMBÁS, E COMO CHORAM E CANTAM.

Costumam os Tupinambás que vindo qualquer deles de fora, em entrando pela porta, se vai logo deitar na sua rede, ao qual se vai logo uma velha ou velhas, e põem-se em cócoras diante dele a chorá-lo em altas vozes; em o qual pranto lhe dizem as saudades que dele tinham, com sua ausência, os trabalhos que uns e outros passaram: a que os machos lhes respondem chorando em altas vozes, e sem pronunciarem nada, até que se enfadam, e mandam às velhas que se calem, ao que estas obedecem; e se o chorado vem de longe, o vêm chorar desta maneira todas as fêmeas mulheres daquela casa e as parentas que vivem nas outras, e como acabam de chorar, lhe dão as boas-vindas, e trazem-lhe de comer, em um alguidar, peixe, carne e farinha, tudo posto no chão, o que ele assim deitado come; e como acaba de comer lhe vêm dar as boas-vindas todos os da aldeia um a um, e lhe perguntam como lhe foi pelas partes por onde andou; e quando algum principal vem de fora, ainda que seja da sua roça, o vêm chorar todas as mulheres de sua casa, uma a uma, ou duas em duas, e lhe trazem presentes para comer, fazendo-lhe as cerimônias acima ditas.

Quando morre algum índio, a mulher, mãe e parentes, o choram com um tom mui lastimoso, o que fazem muitos dias; em o qual choro dizem muitas lástimas, e magoam a quem as entende bem; mas os machos não choram, nem se costuma entre eles chorar por ninguém que lhes morra.

Os Tupinambás se prezam de grandes músicos, e ao seu modo, cantam com sofrível tom, os quais têm boas vozes; mas todos cantam por um tom, e os músicos fazem motes de improviso, e suas voltas, que acabam no consoante do mote; um só diz a cantiga e os outros respondem com o fim do mote, os quais cantam e bailam justamente em uma roda, em a qual um tange um tamboril, em que não dobra as pancadas; outros trazem um maracá na mão, que é um cabaço, com umas pedrinhas dentro, com seu cabo, por onde pegam; e nos bailos não fazem mais mudanças, nem mais continências que bater no chão com um só pé ao som do tamboril; e assim andam todos juntos à roda, e entram pelas casas uns dos outros; onde tem prestes vinho, com que os convidar; e às vezes andam um par de moças cantando entre eles, entre as quais há também mui grandes músicas, e por isso mui estimadas.

Entre este gentio são os músicos mui estimados, e por onde quer que vão, são bem agasalhados, e muitos atravessam já o sertão por entre os seus contrários, sem lhe fazerem mal.

Com o título "NOTÍCIAS DO BRASIL" publicou a Livraria Martins Editora, São Paulo, (s.d. 1945), em dois tomos, uma edição eruditamente comentada pelo Prof. Pirajá da Silva. Fixa este a vida de Gabriel Soares de Sousa entre 1540 e 1592.

FERNÃO CARDIM

Fernão Cardim nasceu em Portugal, 1548, e faleceu na então aldeia do Espírito Santo, Abrantes na Bahia, a 27 de janeiro de 1625. Padre da Companhia de Jesus, veio para o Brasil em 1583, exercendo dignidades e cargos de ensino e reitoria nos colégios jesuíticos. Seus escritos: "Do Clima e Terra do Brasil", "Do princípio e origem dos índios" e "Missão Jesuítica", (1583-90) são documentos indispensáveis como informação etnográfica e histórica da época.

Bibliografia:

TRATADOS DA TERRA E GENTE DO BRASIL — Introdução e notas de Batista Caetano, Capistrano de Abreu e Rodolfo Garcia. Rio de Janeiro, 1925. Há uma edição nova.

O capítulo transcrito está à p. 175.

– DO TRATAMENTO QUE FAZEM ÀS MULHERES E COMO AS ESCUDEÍRAM.

Costumam estes índios tratar bem às mulheres, nem lhe dão nunca, nem pelejam com elas, tirando em tempo dos vinhos, porque então de ordinário se vingam delas, dando por desculpa depois o vinho que beberam e logo ficam amigos como dantes, e não duram muito os ódios entre eles, sempre andam juntos e quando vão fora a mulher vai detrás e o marido diante para que se acontecer alguma cilada não caia a mulher nela, e tenha tempo para fugir enquanto o marido peleja com o contrário, etc., mas à tornada da roça ou qualquer outra parte vem a mulher diante e o marido detrás, porque, como tenha já tudo seguro, se acontecer algum desastre possa a mulher que vai diante fugir para casa, e o marido ficar com os contrários, ou qualquer cousa. Porém em terra segura ou dentro na povoação sempre a mulher vai diante o marido detrás, porque são ciosos e querem sempre ver a mulher.

ANTHONY KNIVET

Anthony Knivet veio com o corsário inglês Tomaz Cavendish numa esquadrilha, em 1591, para a América do Sul saquear as colônias espanholas, assaltando e roubando a vila de Santos, S. Paulo, em dezembro. Seguiu Cavendish para o Estreito de Magalhães e, de volta, esgotado e doente, Knivet foi abandonado, com outros marinheiros, na baía de Guanabara, onde o encontraram e foi entregue ao governador Salvador Correia de Sá. Até 1601 andou Knivet trabalhando e sofrendo, caçando, pescando, indo em expedições para prender indígenas e escravizá-los, fugindo sempre que podia, sendo recapturado infalivelmente para suportar maiores humilhações. Fugiu mesmo para Angola mas foi reenviado ao seu senhor. Em agosto de 1602, chegou a Lisboa, com Salvador Correia de Sá, adoeceu, empregou-se como intérprete, foi preso por se ter recusado a tornar ao Brasil, e terminou indo para a Inglaterra, ignora-se fugindo ou sendo libertado. Ditou, ou forneceu a narrativa dos dez anos de aventuras brasileiras, tornando-se sua história popular. Não se sabe quando nem onde faleceu. A edição *princeps* na Inglaterra apareceu na coleção de Samuel Purchas (*Hakluytus posthumus or Purchas his Pilgrimes*, etc.), Londres, cinco volumes in-fol, 1625-1626. No IV volume, 1201-12 encontra-se: *"The admirable adventures and strange fortunes of master Antonie Knivet, which went master Thomas Cavendish in his second voyage to the South Sea, 1591.* Em 1707 a narrativa de Knivet foi incluída nas VIAGENS CÉLEBRES de Pieter van der Aa (Leide, 28 volumes) e em 1727 noutra versão holandesa de J. L. Gottfried. Purchas, no V volume fez um outro resumo, §-III, 906-20, *Most ample Relations of the Brazilian Nations and Costumes by master Anthony Knivet.*

Bibliografia:

NARRAÇÃO DA VIAGEM QUE, NOS ANOS DE 1591 E SEGUINTES, FEZ ANTÔNIO KNIVET DA INGLATERRA AO MAR DO SUL, EM COMPANHIA DE THOMAS CAVENDISH — tradução de J. H. Duarte Pereira da versão holandesa de Pieter van der Aa. *In* Revista do Instituto Histórico Geográfico e Etnográfico do Brasil, tomo-XLI, parte primeira, pp. 183-272. Rio de Janeiro, 1878.

I – Os trechos estão às pp. 211, 230 e 199.

II – Peregrinações de Antônio Knivet no Século XVI (estudo crítico para servir de contribuição à história e geografia do país), pelo dr. Teodoro Sampaio. *In* Revista do Instituto Histórico e Geográfico Brasileiro, tomo especial consagrado ao Primeiro Congresso de História Nacional. Parte II, pp. 345-390. Rio de Janeiro, 1915.

III – AVASATÍ é explicado por Teodoro Sampaio, opus cit. nota-19: ABAÇAÍ é um gênio maléfico que perseguia os índios e os tornava, muitas vezes, loucos ou possessos. Na narrativa está AVASATÍ.

– Uma recepção guaianás.

Fui conduzido a uma casa grande, que supus ser do rei deles, a quem chamavam merovichava (*morubixaba*). Tanto que aí cheguei, ataram uma bonita rede entre dois postes e me fizeram sentar nela. Isto feito, apresentaram-se-me não menos de vinte mulheres, algumas das quais repousaram as cabeças sobre os meus ombros, e outras sobre os meus joelhos, e entraram todas a fazer uma tão temerosa algazarra, que fiquei pasmo; entendi, porém, que devera conservar-me quieto até que houvessem acabado. Retiraram-se as mulheres, e entrou um velho, cujo corpo estava pintado de vermelho e negro. Tinha na cara três grandes buracos, um no lábio inferior e outro em cada face; em cada um desses buracos trazia uma pedra verde. Armado de uma maça ou espada de pau, se pôs diante do lugar que eu ocupava, falou com voz firme e forte: bateu nos peitos e coxas, berrando como se houvera perdido o siso. Não fez outra cousa o velho canibal senão gritar e passear de um para outro lado. Depois de todo esse berreiro, bateu-me sobre a cabeça, deu-me as boas-vindas e mandou que me apresentassem a comida que havia em sua casa.

– O poder de Coropio e de Avasatí.

Estavam os nossos mui fatigados e quase mortos à fome. Os índios morriam tomados de medo de um espírito que, diziam eles, os matava, chamado COROPIO (*Curupira*). Muitos queixavam-se de estar possuídos dos espíritos denominados AVASATÍ. Os que se sentiam apossados deste espírito queriam que os atassem de pés e mãos, com as cordas de seus arcos, e os flagelassem com as suas redes. Não sei, porém, que nenhum se restabelecesse com semelhante processo. (Purchas diz que Knivet lhe referira ter ouvido um índio que estava nesse estado, falar com o espírito e ameaçá-lo de fazer-se cristão, se o espírito o perseguisse, e com tal ameaça este o abandonara.)

ÍVO D'EVREUX

Ívo d'Evreux nasceu em Evreux em 1577; em 1595 entrou para a Ordem dos Capuchinhos, sendo escolhido em 1611 (agosto) para dirigir a missão dos Capuchinhos franceses à França Equinocial, fundada no Maranhão, norte do Brasil. Demora-se de 1613 a 1614 voltando para França, falecendo depois de 1629, não tendo visto impressa a sua VOYAGE AU BRÉSIL, edição de 1615; não foi distribuída e apenas um exemplar foi conservado na Biblioteca Imperial de Paris. O Imperador D. Pedro II, do Brasil, obteve uma cópia. Em 1864, Ferdinand Denis publicou-a, sendo traduzida em português pelo dr. César Augusto Marques e publicada no Maranhão, em 1874.

Bibliografia:

VIAGEM AO NORTE DO BRASIL — tradução de César Augusto Marques, introdução e notas de Ferdinand Denis, Rio de Janeiro, 1929.

Os trechos citados estão às pp. 80-81 e 206.

— Explicação da "Araçoaía".

Nos rins usam de uma roda de penas de cauda de ema, presas por dois fios d'algodão, tintos de vermelho, cruzando-se pelos ombros à maneira de suspensórios, de sorte que, ao vê-los emplumados, dir-se-ia que são emas, que só têm penas nestas três partes do corpo.

Na verdade, quando os vejo assim, lembro-me do que antigamente disse Jó no cap. 39, *Pena etruthionis similis est pennis Eroddi et Accipitris:* a pena da ema é igual à da garça real e do gavião; esta passagem é claramente explicada por diversas lições ou versões dos Gregos e dos Romanos, que tinham por costume apresentarem os coronéis aos capitães e soldados penas d'ema para colocarem em seus capacetes e morriões a fim de animá-los à guerra.

Quis saber por intermédio do meu intérprete por que traziam sobre os rins estas penas de ema; responderam-me que seus pais lhes deixaram este costume para ensinar-lhes como deviam proceder na guerra, imitando a ema, pois quando ela se sente mais forte ataca atrevidamente o seu perseguidor, e quando mais fraca abre suas asas, despede o voo e arremessa areia e pedras sobre seus inimigos: assim devemos fazer, acrescentavam eles. Reconheci este costume da ema, vendo uma pequena criada na aldeia de VSAAP, que era perseguida diariamente por todos os rapazinhos do lugar; quando eram só dois ou três, ela os acometia e dando-lhes com o peito, atirava-os por terra, porém quando era maior o número preferia fugir.

– Cantando, para caçar formigas.

Caçam os selvagens somente as formigas grossas como um dedo polegar, para o que abala-se uma aldeia inteira de homens, mulheres, rapazes e raparigas. A primeira vez que vi esta caçada, não sabia o que era, e nem onde ia tão apressada tanta gente, deixando suas casas para correr após as formigas voadoras, as quais agarram e metem-nas numa cabaça, tiram-lhes as asas para fritá-las e comê-las.

Caçam-nas também por outra maneira, e são as raparigas e as mulheres que, sentando-se na boca da caverna, convidam-nas a sair por meio de uma pequena cantoria assim traduzida pelo meu intérprete:

"Vinde, minha amiga, vinde ver a mulher formosa, ela vos dará avelãs." Repetiam isto à medida que iam saindo, e que assim sendo agarradas, tirando-se-lhe as asas e os pés.

Quando eram duas as mulheres, cantavam uma e depois outra, e as formigas que então saíam, eram da cantora.

De fácil encontro nos viajantes e naturalistas do séc. XIX o registo. Eschwege, Bates, Ch. Fred. Hartt, Stradelli, Wallace. Avé-Lallemant, etc. Saint-Hilaire, SEGUNDA VIAGEM AO INTERIOR DO BRASIL, "Espírito Santo", 27-28, S. Paulo, 1936: — "Toda a população do Espírito Santo não se aflige, contudo, com a abundância das grandes formigas. Logo que, munidas de asas, venham a mostrar-se, os negros e as crianças apanham-n'as e comem-n'as; os moradores de Campos, que vivem num estado de rivalidade, continuam com os da Vila da Vitória chamam-n'os de papa-tanajuras, comedores de formigas. Não acontece unicamente na província do Espírito Santo, nutrirem-se de grandes formigas aladas: asseguraram-me que as vendem no mercado de São Paulo, sem o abdômen e fritas; eu mesmo comi um prato delas, preparadas por uma mulher paulista e não lhes achei gosto desagradável." Ver Formiga, Saúva, Tanajura, no DICIONÁRIO DO FOLCLORE BRASILEIRO(*).

(*) Edição atual – 12. ed. São Paulo: Global, 2012. (N.E.)

ABBEVILLE

Frei Claude d'Abbeville, capuchinho, nascera certamente na cidade que lhe deu o nome religioso. Faleceu em Ruão no ano de 1616, com 23 anos de hábito, segundo Ferdinand Denis, ou em 1932, na indicação de Eyriès. Foi, com seu irmão seráfico frei Yves d'Evreux, cronista da França Equinocial nas terras do Maranhão. Veio com o almirante de Rasilly. Ficou em S. Luís do Maranhão e arredores de 29 de julho a 8 de dezembro de 1612. DE LA MISSION DES PERES CAPVCINS EN L'ISLE DE MARAGNAN ET TERRES CIRCONVOISINES, na "Imprimerie de François Hvby", Paris, 1614, ilustrada, teve aceitação excelente e uma outra edição no mesmo ano.

Bibliografia:

"HISTÓRIA DA MISSÃO DOS PADRES CAPUCHINHOS NA ILHA DO MARANHÃO E TERRAS CIRCUNVIZINHAS em que se trata das singularidades admiráveis e dos costumes estranhos dos índios habitantes do país", trad. de Sérgio Milliet, introdução e notas de Rodolfo Garcia. Biblioteca Histórica Brasileira. Livraria Martins Editora, São Paulo, 1945. Há edições anteriores de César Augusto Marques, 1876 e Paulo Prado, 1922.

– Os Tupinambás conheciam os astros e as estrelas.

Poucos entre eles desconhecem a maioria dos astros e estrelas de seu hemisfério; chamam-nos todos por seus nomes próprios, inventados pelos seus antepassados. Ao céu dão o nome de *Eivac*, ao sol *coarací*, à lua de *Jaceí*. Às estrelas chamam de um modo geral *jaceí-tatá*. Entre as que conhecem particularmente há uma que denominam *Simbiare rajeiboare*, isto é, maxilar. Trata-se de uma constelação que tem a forma dos maxilares de um cavalo ou de uma vaca. Anuncia a chuva. Há outra a que chamam *urubu*, a qual, dizem, tem a forma de um coração e aparece no tempo das chuvas. A outra dão o nome de *seichujurá*. É uma constelação de nove estrelas dispostas em forma de grelha e anuncia a chuva. Temos entre nós *a Poussinière* que muito bem conhecem e que denominam *seichu*. Começa a ser vista, em seu hemisfério, em meados de janeiro, e mal a enxergam afirmam que as chuvas vão chegar, como chegam efetivamente pouco depois. Há uma estrela a que chamam *tingaçu* e que é mensageira da precedente, aparecendo no horizonte quase sempre quinze dias antes. A outra, que surge também antes das chuvas, dão o nome de *suanrã*. É uma grande estrela maravilhosamente clara e brilhante. Existe por outro lado uma constelação de várias estrelas que denominam *uènhomuã*, isto é, lagostim; aparece ao terminarem as chuvas.

A certa estrela chamam os índios *januare*, cão. É muito vermelha e acompanha a lua de perto. Dizem, ao verem a lua deitar-se, que a estrela late ao seu encalço como um cão, para devorá-la. Quando a lua permanece muito tempo escondida durante o tempo das chuvas, acontece surgir vermelha como sangue da primeira vez que se mostra. Afirmam então os índios que é por causa da estrela *januare* que a persegue para devorá-la. Todos os homens pegam então seus bastões e voltam-se para a lua batendo no chão com todas as forças e gritando, *eicobé cheramoin goé, goé, goé; eicobé cheramoin goé*, "au, au, au, boa saúde meu avô, au, au, au, boa saúde meu avô". Entrementes as mulheres e as crianças gritam e gemem e rolam por terra batendo com as mãos e a cabeça no chão. Desejando conhecer o motivo dessa loucura e diabólica superstição vim a saber que pensam morrer quando veem a lua assim sanguinolenta após as chuvas. Os homens batem então no chão em sinal de alegria porque vão morrer e encontrar o avô a quem desejam boa saúde, por estas palavras: — *eicobé cheramoin goé, goé, goé; eicobé cheramoin goé, au, au, au, boa saúde, meu avô, boa saúde*. As mulheres, porém, têm medo da morte e por isso gritam, choram e se lamentam.

Conhecem também a estrela da manhã e chamam-na *jaceí-tatá-uaçu, grande estrela*. Dão à estrela vespertina o nome de *pira-paném* e dizem que é quem guia a lua e lhe vai à frente. Conhecem ainda outra estrela que se acha sempre diante do sol e lhe dão o nome de *iapuicã*, "sentada em seu lugar". Com o início das chuvas perdem essa estrela de vista. Conhecem também o Cruzeiro, bela constelação de quatro estrelas muito brilhantes dispostas em cruz. Chamam-na *criçá*, cruz.

Há uma estrela que se levanta depois do sol posto; como é muito vermelha dão-lhe o nome de *jandaí*, derivado de um pássaro assim chamado. Conhecem também uma constelação de sete estrelas que tem a forma de um pássaro e a que chamam *iaçatim*. A outra constelação formada de muitas estrelas parecida com um macaco denominam *caí*. A outra chamam potim, caranguejo, por ter a forma desse animal. *Tuivaé*, homem velho, é como chamam outra constelação formada de muitas estrelas semelhante a um homem velho pegando um cacete. Certa estrela redonda, muito grande e muito luzente, é chamada por eles *conomimanipoere-uare* o que quer dizer: menino que bebe manipol.

Conhecem uma constelação denominada *iandutim*, ou avestruz, branca, formada de estrelas muito grandes e brilhantes, algumas das quais representam um bico; dizem os maranhenses que elas procuram devorar duas outras estrelas que lhes estão juntas e às quais denominam *uirá-upiá*, isto é: os dois ovos. *Eire apuá*, mel redondo, é uma estrela grande, redonda, brilhante e bonita. Há uma constelação com a forma de um cesto comprido a que chamam *panacon*, isto é: cesto comprido. *Jaceí-tatá-uê*, é o nome de uma estrela muito brilhante em louvor da qual fizeram um canto. Há uma constelação a que chamam *tapiti,* lebre; é formada por muitas estrelas à semelhança de uma lebre e por outras em forma de orelhas compridas, em cima da cabeça. *Tucon* é o nome de outra estrela que se assemelha ao fruto do *tucon-ive*, espécie de palmeira. Outra grande estrela brilhante é por eles denominada *tatá-endeí*, isto é: fogo ardente. A uma constelação parecida com uma frigideira redonda dão o nome de *nhaèpucon*.

Conhecem ainda uma estrela a que chamam *caraná-uve* e muitas outras que deixo de mencionar para evitar maior prolixidade; sabem perfeitamente distinguir umas das outras e observar o oriente e o ocidente das que se levantam e das que se deitam no seu horizonte.

É certo que não conhecem a *Epakta*, nem as idades da lua; porém em virtude de longa prática, conhecem a época de seu crescente e minguante, do plenilúnio e da lua nova e muitas outras cousas a ela relativas.

Dão ao eclipse da lua o nome de *jaceí-puiton*, noite da lua. A ela atribuem o fluxo e refluxo do mar e distinguem muito bem as duas marés que se verificam poucos dias depois da lua cheia e da lua nova.

Observam também o giro do sol, a rota que segue entre os dois trópicos, limites que jamais ultrapassam; e sabem que quando o sol vem do Polo Ártico traz-lhes ventos e brisas e que, ao contrário, traz chuvas quando do outro lado em sua ascensão para nós.

Conhecem perfeitamente os anos com doze meses como os nossos e isto pelo conhecimento do curso do sol de um trópico a outro e vice-versa. Conhecem igualmente os meses pela época das chuvas e pela época dos ventos ou, ainda, pelo tempo dos cajus, assim como nós conhecemos os nossos pela época da vindima. Como a estrela *seichu* aparece alguns dias antes das chuvas e desaparece no fim para reaparecer em igual época, reconhecem os índios perfeitamente o interstício ou o tempo decorrido de um ano a outro.

– O mastro da aldeia e a árvore falante.

Tem uma outra superstição: a de fincar à entrada de suas aldeias um madeiro alto com um pedaço de pau atravessado por cima; aí penduram quantidade de pequenos escudos feitos de folhas de palmeira e do tamanho de dois punhos: nesses escudos pintam com preto e vermelho um homem nu. Como lhes perguntássemos o motivo de assim fazerem, disseram-nos que seus pajés o haviam recomendado para afastar os maus ares.

Quando o sr. des Vaux esteve em Ibiapaba viu um pajé que fingia fazer uma árvore falar e todos a entendiam.

HISTÓRIA DA MISSÃO DOS PADRES CAPUCHINHOS. etc. 246-250, 253.

JORGE MARCGRAVE

Jorge Marcgrave nasceu em Liebstadt, na Saxônia, no ano de 1610 e faleceu em S. Paulo de Loanda, África, em 1644. Chegou ao Brasil em 1638, indicado por Joanes de Laet como astrônomo ao conde João Maurício de Nassau, governador do Brasil-Holandês. Permaneceu até o ano de sua morte nos domínios da Companhia Privilegiada das Índias Ocidentais, viajando, estudando, registando a fauna, a flora, os costumes, fazendo observações astronômicas e climatéricas. Foi o mais completo homem de ciência da época, apesar de sua juventude. Sendo indiscutido etnógrafo, deixou ainda a mais completa cartografia do Brasil-Holandês (1643), publicada, separadamente, no livro de Barléu.

Bibliografia:

HISTORIA NATURALIS BRASILIAE, auspicio et beneficio Illustris J. Mauritii Com. Nassau illius, provinciae et maris summi profecti adornata. In qua non tantum plantae et animalia, sed et indigenarum morbi, ingenia et moris describuntur et inconibus supra quingentas illustrantur. Lugdum Batavorum apud Franciscum Hackium et Amstekodam, apud Lud. Elzevirium, 1648.

HISTÓRIA NATURAL DO BRASIL — tradução de mons. dr. José Procópio de Magalhães. São Paulo, Imprensa Oficial do Estado, MCMXLII.

O trecho transcrito está às pp. 278-279, capítulo XI.

— DA RELIGIÃO DOS BRASILEIROS.

Creem pela tradição dos antigos a imortalidade das almas, e as mulheres e fortes varões, os quais trucidaram e comeram muitos dos inimigos, após a morte para os Campos Elísios, os quais julgam ser certos montes, ausentar-se e aí dançar. Os restantes covardes e loucos que nada digno na vida fizeram, acreditam serem atormentados constantemente pelo Diabo, após a morte. Chamam, porém, o Diabo ANHANGÁ IURUPARÍ, CURUPARÍ, TAGUAÍBA, TEMOTÍ, TAUBIMAMA.

Nota. Na nossa História ou Descrição da Índia Ocidental, liv. XV, cap. II, falamos acerca da Religião dos Brasileiros, porquanto, na verdade, acerca de algumas cousas depois fomos melhor instruídos por aqueles que mais tempo passaram entre eles, assim todo aquele assunto colocamos no livro, em segunda edição.

Os brasileiros Bárbaros quase nenhum senso têm de religião, nem conhecem alguma cousa acerca da origem e da criação deste universo, recordam-se obscuramente de alguma cousa fabulosa acerca do dilúvio universal e: a saber, tendo sido todos os mortais afogados pela água, um certo sobrevivesse com sua irmã, de útero prenhe, e desde então a geração de novo recebesse a semente, e sua origem. Nem conheceram algum Deus, nem propriamente adoram alguma cousa, donde não é para se achar no idioma deles um nome que exprima Deus: exceto o forte TUPÃ, no qual assinalam alguma suprema perfeição, donde chamam o Trovão, TUPACUNUNGA, isto é, o estrondo causado pela suprema perfeição, do verbo ACUNUNG, retumbar; o Relâmpago porém, TUPABERABA, isto é, o esplendor da perfeição, do verbo ABERAB, brilhar. Aqueles confessam dever a ele a ciência e os instrumentos da Agricultura, e portanto, reconhecem como alguma divindade. Ignoram igualmente o céu ou os infernos depois desta vida, posto que acreditam sobreviverem as almas após a separação do corpo e às vezes em espíritos são convertidos, e pelos frescos campos e enlaçados deliciosamente em várias árvores, para conduzir as danças perenemente, ali mesmo transportadas. Temem demasiadamente os espíritos maus, os quais chamam CURUPIRA, TEGUAÍ, MACACHERA, IURUPARÍ, MARANGIGOANA; mas com diversas significações: assim CURUPIRA significa divindade dos desígnios: MACACHERA, divindade dos caminhos, guiando os viajantes. Os Potiguares ornam o portador da boa notícia; pelo contrário os tupiguaos e Corios o feiticeiro inimigo da saúde humana. IURUPARÍ e ANHANGA significam simplesmente Diabo. MARANGIGOANA não significa divindade, mas a alma separada do corpo ou outra cousa, anunciando o instante da morte, não obstante conhecido dos próprios Brasileiros, e todavia aquilo certissimamente temem; de modo que atemorizam-se destas cousas, muitas vezes com imaginário vão e súbito terror. Todavia não são venerados por nenhuma cerimônia ou ídolo: algumas vezes, porém, tendo sido madeiras fincadas na terra, e esforçam-se alguns para aplacar os espíritos com pequenas dádivas colocadas junto a eles; mais raramente, porém, estes espíritos visivelmente aparecem entre eles, posto que muitos surjam. Até aqui no nosso livro assim resumido. Continua agora nosso Autor.

Têm seus adivinhos ou sacerdotes os quais chamam PAIÉ ou PAJ, estes consultam acerca das cousas futuras quando partem para a expedição bélica, ou para outro lugar, aqueles predizem deva acontecer alguma cousa a eles mesmos. Estes usam muitas cerimônias. A nação Potiguara tem certo modo de enfeitiçar aqueles aos quais quer mal, a fim de que morram, fazendo uma grande massa, que chamam IEQUIE GUAÇÚ e este modo de enfeitiçar é dito por eles AHAMOMBICOBA.

BARLÉU

Barléu, Gaspar van Baerle, nasceu em Antuérpia, a 12 de fevereiro de 1584 e faleceu em Amsterdã, a 14 de janeiro de 1648. Por motivos de religião, refugiou-se na Bélgica, sendo professor de Lógica na Universidade de Leide. Voltou à Holanda mas foi expulso pelo mesmo motivo, controvérsia calvinista entre os partidários de Arminius e Gomaro. Residiu em Caen, na França, doutorando-se em medicina. Regressou à sua pátria e, em 1631, era professor de filosofia e retórica no "Athenaeum" de Amsterdã onde conviveu com os grandes pensadores, poetas e artistas da Holanda. Publicou versos, mas sua obra capital é a história dos oito anos do governo do conde João Maurício de Nassau no norte do Brasil, onde nunca esteve, mas documentou-se magnificamente. Impossível, sem Barléu, estudar-se o domínio holandês no Brasil.

Bibliografia:

RERUM PER OCTENNIUM IN BRASILIA ET ALIBI NUPER SUB, PRAEFECTURA ILLUSTRISSIMI COMITIS J. MAURITI, NASSOVIAE & COMITIS, NUNC VESALIAE GUBERNATORIS & EQUITATUS FOEDERATORUM BELGGI ORDD. SUB AURIACO DUOTORIS HISTORIA — Amsterdam. M. DC. XLVII (1647).

HISTÓRIA DOS FEITOS RECENTEMENTE PRATICADOS DURANTE OITO ANOS NO BRASIL E NOUTRAS PARTES SOB O GOVERNO DO ILUSTRÍSSIMO JOÃO MAURÍCIO, CONDE DE NASSAU, etc. ORA GOVERNADOR DE WESEL, TENENTE-GENERAL DE CAVALARIA DAS PROVÍNCIAS UNIDAS SOB O PRÍNCIPE DE ORANGE — tradução e anotações de Cláudio Brandão. Edição do Ministério da Educação. Rio de Janeiro. MCMXL (1940).

O trecho publicado está às pp. 150-151.

– Um Peixe-mulher.

Além disso, maravilham mais os Tristões, denominados pelos indígenas IPUPIARAS visto como lembram em alguma cousa o semblante humano, mostrando as fêmeas uma cabeleira comprida e um aspecto mais gracioso. Veem-se a sete ou oito léguas da Bahia-de-Todos-os-Santos, bem como nas proximidades de Porto Seguro. Crê-se que matam os homens, apertando-os com o seu braço, não de propósito, mas por afeto. Os cadáveres lançados à costa ficam mutilados nos olhos, no nariz e nas pontas dos dedos, tornando-se verossímil que fiquem assim com a sucção e mordedura desses monstros.

– A Ursa Maior zangada com os Janduís por causa da raposa.

Em lugar de Deus, adoram os tapuias a Ursa Maior ou o Setentrião, a que nós, pelo seu feitio, chamamos com o povo a Carreta. Quando de manhã, veem essa constelação, alvoroçam-se de alegria e dirigem-se cantos, danças, etc. Creem esses selvagens na imortalidade das almas, isto é, das daqueles que se finaram de morte natural e não de mordedura de serpente, nem de veneno, nem de qualquer violência praticada por inimigo. Fabulam e mentem a respeito da raposa, que suscitou contra eles o ódio do seu deus, a Ursa Maior, e lhes afastou da nação o favor de tão grande nume. Dizem que viveram outrora vida ótima e muito fácil, quando, sem trabalho, encontravam o alimento; que agora é outro o seu modo de vida, a qual tem de ser ganha com labor, em razão da ofensa feita ao Setentrião e da sua cólera.

HISTÓRIA DOS FEITOS, etc., 284-285.

SIMÃO DE VASCONCELOS

Simão de Vasconcelos nasceu na cidade do Porto, Portugal, em 1597, ordenou-se padre da Companhia de Jesus em 1616, na Bahia, sendo professor de teologia, Procurador-Geral da Companhia em Roma e Provincial no Brasil. Faleceu no Rio de Janeiro a 29 de setembro de 1671.

Bibliografia:
CRÔNICA DA COMPANHIA DE JESUS NO ESTADO DO BRASIL E DO QUE OBRARAM SEUS FILHOS NESTA PARTE DO NOVO MUNDO — primeira edição, Lisboa, 1663 — segunda edição. Liv. 1º, cap. 31, pág. 20, Rio de Janeiro, 1864.

— DAS GENTES MONSTRUOSAS.

Diziam que, entre as nações sobreditas, moravam algumas monstruosas. Uma é de anões, de estatura tão pequena, que parecem afronta dos homens, chamados Goiazis.

Outra é de casta de gente, que nasce com os pés às avessas de maneira que quem houver de seguir seu caminho há de andar ao revés do que vão mostrando as pisadas; chamam-se Matuiús.

Outra é de homens gigantes, de 16 palmos de alto, adornados de pedaços de ouro por beiços e narizes, e aos quais todos os outros pagam respeito; têm por nome Curinqueãs.

Finalmente que há outra nação de mulheres, também monstruosas no modo do viver (são as que hoje chamamos Amazonas, e de que tomou o nome o rio) porque são guerreiras, que vivem por si só, sem comércio de homens; vivem entre grandes montanhas; são mulheres de valor conhecido.

ANTONIL

João Antônio Andreoni nasceu em 1650 em Lucca, ingressando na Companhia de Jesus em 1667, vindo para o Brasil de onde não mais saiu. Foi Reitor do Colégio na Bahia e Provincial no Brasil. Faleceu na cidade do Salvador a 13 de março de 1716. Publicou em 1711, Lisboa, com o pseudônimo de André João Antonil o "Cultura e Opulência do Brasil por suas drogas e minas", edição mandada recolher pelo governo. Reeditado em 1837 no Rio de Janeiro. Deve-se ao erudito J. Capistrano de Abreu, em 1886, a identificação do criptônimo.

Bibliografia:

CULTURA E OPULÊNCIA DO BRASIL POR SUAS DROGAS E MINAS, ed. Companhia Melhoramentos de São Paulo, 1923. Com um estudo biobibliográfico de Afonso de E. Taunay, pp. 94, 195-196, 268.

– Os três P.P.P. do escravo.

No Brasil costumam dizer que para o escravo são necessários três P.P.P., a saber, pão, pau e pano.

– Os quatro usos do tabaco.

Os que são demasiadamente afeiçoados ao tabaco, o chamam erva-santa: nem há epíteto de valor que lhe não deem, para defender o excesso digno de repreensão, e de nota. Homens há, que parece não podem viver sem este quinto elemento; cachimbando a qualquer hora em casa, e nos cachimbos; mascando as suas folhas, usando de torcidas, e enchendo os narizes deste pó... O mascá-lo não é tão sadio: porém assim como fumado pela manhã em jejum moderadamente, serve para dessecar a abundância dos humores do estômago... Usam alguns de tocidas dentro dos narizes, para purgar por esta via a cabeça, e para divertir o estilicídio, que vai a cair nas gengivas, e causa dor de dentes; e postas pela manhã, e à noite, não deixam de ser de proveito... Sendo o tabaco em pó o mais usado, é certamente o menos sadio: assim pela demasia, com que se toma, que passa de mezinha a ser vício.

– Para guiar a boiada.

Guiam-se, indo uns adiante cantando, para serem desta sorte seguidos pelo gado; e outros vêm atrás das reses tangendo-as, e tendo cuidado, que não saiam do caminho e se amontoem... Nas passagens d'alguns rios, um dos que guiam a boiada, pondo uma armação de boi na cabeça, e nadando, mostra às reses o vão, por onde hão de passar... ao homem que com seu cavalo guia a boiada, oito mil-réis.

NUNO MARQUES PEREIRA

Nuno Marques Pereira nasceu em 1652, viveu muitos anos no Brasil e faleceu em Lisboa, depois de 1733. Ignora-se se brasileiro ou português. Publicou em 1728 o seu livro, narrativa piedosa, monótona e declamatória, mas preciosa pela informação variada sobre a vida brasileira, sociedade, figuras, mentalidades, festas, superstições, indumentária, alimentação, cultura, etc. dados que boiam nas águas da exaltação devota. O volume obteve, até 1765, cinco edições. A Academia Brasileira de Letras fez imprimir a sexta, a melhor, incluindo a segunda parte inédita, com notas e estudos de Varnhagen, Leit de Vasconcelos, Rodolfo Garcia, Afrânio Peixoto e Pedro Calmon.

Bibliografia:

COMPÊNDIO NARRATIVO DO PEREGRINO DA AMÉRICA — dois volumes. Rio de Janeiro, 1939.

Os trechos citados estão às pp. 123 e 216 do 1º volume, e 45, 111 e 114 do 2º.

– Os Calundus baianos.

Perguntou-me como havia eu passado a noite? Ao que lhe respondi: Bem de agasalho, porém desvelado; porque não pude dormir toda a noite. Aqui acudiu ele logo, perguntando-me que causa tivera? Respondi-lhe que fora procedido do estrondo dos tabaques, pandeiros, canzás, botijas e castanhetas; com tão horrendos alaridos, que se me representou a confusão do Inferno. E para mim, me disse o morador, não há cousa mais sonora, para dormir com sossego... se eu soubera que havíeis de ter este desvelo, mandaria que esta noite não tocassem os pretos seus Calundus.

Agora entra o meu reparo (lhe disse eu). Pois, Senhor, que cousa é Calundus? São uns folguedos, ou adivinhações, (me disse o morador) que dizem esses pretos que costumam fazer nas suas terras, e quando se acham juntos, também usam deles cá, para saberem várias cousas; como as doenças de que procedem, e para adivinharem algumas cousas perdidas; e também para terem ventura em suas caçadas e lavouras; e para outras muitas cousas.

– O Demônio cantando modinha.

Conta o Padre Bento Remígio no seu livro *Prática Moral de Curas e Confessores* (página 9) e no outro livro intitulado *Deus Momo* que, entrando o Demônio em uma mulher rústica, foi um Sacerdote a fazer-lhe os exorcismos dentro de uma igreja, e entrando-lhe a curiosidade, perguntou ao Demônio o que sabia? Respondeu-lhe que era músico. E logo lhe mandou vir uma viola, e de tal maneira a tocou, e com tanta destreza, que parecia ser tocada por um famoso tocador. E dizendo-lhe o Sacerdote que cantasse, repetiu o Demônio uma letra, que se usava naqueles tempos ao humano, e começava: *Esclavo soi, pero cuyo*, etc. E como estava dentro de uma igreja; ou porque Deus lho não permitiu, ou porque até o mesmo Demônio se não atreveu a profanar o sagrado (o que muitos pecadores não reparam fazer) mudou o conceito do verso na forma seguinte:

Esclavo si, pero cuyo,
No puedo negarlo yo;
Pues cuyo soy, me mandò
Que dixesse que era suyo.
Pues al infierno me embio.

– Pedindo os Reis.

... uma noite dos Santos Reis, saíram estes (*homens*) com vários instrumentos pelas portas dos morados de uma vida, cantando para lhes darem os Reis, em prêmio do que uns lhes davam dinheiro, e outros doces, e frutas, etc., e chegaram a uma casa, e começaram a cantar um tono, cuja letra dizia:

Guerra travada se ruge
Entre Florêncio e Floresta.
Acudi cá, minha Dama.
Que ferve a bulha na festa.

Andavam uns mancebos desenfadados, (para não dizer vadios) em seguimento dos músicos, e assim como os ouviram cantar com tal concerto, ou desconcerto, começaram a apedrejá-los; e como os cantores vissem que lhes não podiam fazer resistência, usaram de corridas, e os que os haviam apedrejado lhes foram contando os passos, ou compassos, nas pausas tacitamente.

– Danças e mascaradas nas procissões.

Também digo, e aviso que se deve pôr grande cuidado (os que têm obrigação de o fazer) que se não permitam, nem consintam, que vão encaretados com danças desonestas diante das procissões; e principalmente onde vai o Santíssimo Sacramento, pelo que tenho visto fazer esses caretas de desonestidades tão publicamente; porque não é para crer, o que costumam fazer estes tais vadios, em semelhantes lugares, diante de mulheres honradas e moças donzelas, que estão pelas janelas para verem as procissões, incitando-as, e provocando-as por este meio a muitas lascívias com semelhantes danças e músicas torpes tão publicamente que parece (como é certo) que os mandam o diabo, que vão diante das procissões provocar e incitar aos homens e mulheres, para que não estejam com aquela devida reverência e devoção, que se deve ter a Deus e a seus Santos.

– Proibida a festa de São Gonçalo.

... o Conde de Sabugosa, Vasco Fernandes César de Menezes (1720--35), estando governando a cidade da Bahia, por ver umas festas, que se costumavam fazer pelas ruas públicas em dia de São Gonçalo, de homens brancos, mulheres e meninos e negros com violas, pandeiros e adufes, com vivas e revivas São Gonçalinho, trazendo o santo pelos ares, que mais pareciam abusos e superstições que louvores ao santo, as mandou proibir por um bando, ao som de caixas militares com graves penas contra aqueles que se achassem em semelhantes festas tão desordenadas.

DOMINGOS DE LORETO COUTO

Dom Domingos de Loreto Couto nasceu no Recife, Pernambuco, falecendo na mesma cidade depois de 1757. Professou na Ordem Beneditina, sendo Visitador Geral nesse Bispado. Escreveu um trabalho volumoso, dedicado ao Rei D. José I, pela mão do futuro Marquês de Pombal, contendo multidão de resumos biográficos, históricos, bibliográficos referentes aos pernambucanos.

Bibliografia:

DESAGRAVOS DO BRASIL E GLÓRIAS DE PERNAMBUCO — cópia do manuscrito da Biblioteca Nacional de Lisboa. *Anais da Biblioteca Nacional do Rio de Janeiro*, volumes XXIV e XXV, relativos a 1902 e 1903, publicados ambos em 1904, Rio de Janeiro.

O trecho citado está à p. 53 do 1º volume.

– Principais superstições setecentistas no Brasil.

A superstição pois como culto de algum não verdadeiro Nume se divide em idolatrias, adivinhações, cerimônias mágicas, e vãs observações, como as dos Romanos na consideração do voo das Aves, das entranhas das vítimas e, hoje, na escrupulosa e totalmente irreligiosa fatuidade dos que receiam como prognóstico de alguma desgraça o encontro de um torto pela manhã, o derramar-se o sal na mesa, o quebrar-se um espelho, o cantar do cuco, ou galinha, o chover da boda, o espirrar o morrão da candeia, o uivar do cão, o entrar com o pé esquerdo e outros ridículos agouros.

FREI JABOATÃO

Frei Antônio de Santa Maria Jaboatão nasceu em Santo Amaro de Jaboatão, Pernambuco, em 1695, e faleceu na Bahia a 7 de julho de 1779. Ingressou na Ordem Franciscana em 1717, sendo grande orador, desenhista, definidor, duas vezes Guardião do Convento no Recife e na Paraíba. Publicou em 1761 a "NOVO ORBE SERÁFICO BRASÍLICO, etc.", relação miraculosa dos trabalhos da Ordem no Brasil, com o registo crédulo de milagres e intervenções estupefacientes, refletindo fielmente a mentalidade da época e todas as tendências populares para o maravilhoso e o sobrenatural. Cronista da Província Seráfica, Jaboatão informa muito pormenor indispensável.

Bibliografia:

NOVO ORBE SERÁFICO BRASÍLICO OU CRÔNICA DOS FRADES MENORES DA PROVÍNCIA DO BRASIL — Parte segunda. Inédita. Impressa por ordem do Instituto Histórico e Geográfico Brasileiro. Rio de Janeiro, 1861.

Os trechos citados estão às pp. 483, 485 e 545 do Volume II (1861).

I — Frei João de Deus, que naufragou, era baiano, frade do convento franciscano de Paraguaçu, no recôncavo da Bahia, religioso desde 1655, falecendo a 23 de maio de 1720, com 84 anos de idade. O episódio foi certificado pelo alferes Manuel Antunes de Carvalho, da Cidade do Salvador, que contava 80 anos em 1762.

— SANTO ANTÔNIO E SEU CLAUSTRO.

... assistindo os Holandeses na Povoação (*de Ipujuca, Pernambuco*) não só fizeram do Convento a sua estalagem, mas também estrebaria dos seus cavalos, acomodando-os pelas quadras do claustro em suas manjedouras. Sobre isto foi tradição vulgar, entre Religiosos e Seculares daqueles tempos, passando de uns a outros até o presente, que algumas vezes viram os mesmos hereges a um Frade, que eles não conheciam, nem era dos assistentes na Povoação, o qual com uma vara enxotava os cavalos do claustro pela portaria fora, e os ia levando pela rua abaixo, e postos na estrada que toma para o Recife, os ia fustigando por ela quase uma légua adiante.

– O sinal do Demônio.

No tempo em que os Holandeses ocupavam esta terra de Pernambuco, sucedeu neste Convento de S. Antônio de Pojuca um caso notável, o qual foi que estava nesta freguesia uma moça endemoninhada; dizendo o Demônio que estava nela que não havia sair daquele corpo sem o lançar dele fora um Religioso nosso chamado Fr. Pantalião de S. Catarina, que era morador deste Convento; vieram logo a buscá-lo e pediram ao Guardião, que era Fr. Luiz de S. André, que mandou lá aquele Frade o qual não estava no Convento, que andava ao pedido das esmolas; mas o Guardião lhe mandou recado que de lá fosse àquela diligência e o Religioso, obedecendo, partiu logo; e não podendo chegar naquele dia aonde morava a enferma, tomou agasalho em casa de umas mulheres devotas da Ordem; o que sabendo o senhor da casa, onde assistia ao doente, começou a murmurar do Religioso, que dormira em casa daquelas mulheres; e o Demônio, que estava no corpo da enferma, lhe disse que era um homem mau e malicioso; porque aquele Frade era bom e virtuoso, que oxalá fora ele como era o Frade. Chegando depois o dito Frade pela manhã adonde estava a enferma e, mandando ao Demônio que saísse daquele corpo, saiu logo. Porém daí a algum tempo tornou a entrar na dita moça, dizendo que o tornasse a levar àquele Frade para o lançar dali fora. Levaram a endemoninhada a este nosso Convento e, estando na Igreja, achando-se presentes alguns dos Holandeses que estavam de guarda, começou o Demônio a falar a língua Holandesa pela boca da moça, e a dizer aos Holandeses os pecados que eles tinham cometido cá no Brasil e na sua terra, de que eles ficaram mui admirados, e disseram que sem dúvida alguma aquele era o Diabo. Depois disto veio o Frade à Igreja, e perguntando-lhe por que tornara a entrar naquele corpo?, lhe respondeu que tornara a entrar pelo pouco caso que se fizera daquela obra de Deus, e lhe não pediram sinal para o porem em memória no Altar de Nossa Senhora; o que ouvindo o Religioso disse que pois assim era, saísse logo fora daquele corpo e desse sinal; e logo a moça lançou pela boca um anel de azeviche que se pôs no altar de Nossa Senhora da Conceição em memória deste milagre, e o Demônio saiu fora daquele corpo, e nunca mais tornou a ele, e os Holandeses dali por diante tiveram grande veneração e respeito aos nossos Religiosos.

– O naufrágio de Frei João de Deus.

... afirma o sobredito homem ouvira no mesmo lugar de Paraguaçu, por ser ali cousa praticada, que vindo este Religioso do arrabalde de Nagé à obediência dos Prelados (porque de licença particular nunca saiu fora), em uma canoa com o negro Manuel, a quem chamava o Mandú, escravo do Convento, que ao atravessar do Engenho-da-Ponta para o Convento se virou a canoa com uma refrega do sul, e que o Padre se fora ao fundo, e o preto depois de tornar a compor a canoa se lançou de mergulho a buscar o Padre, e o achara no fundo sentado na areia, com muito sossego, e o seu breviário na mão, e que tendo-o já em cima da canoa, lhe perguntara o que fazia ali sentado, e lhe respondeu, estava esperando, que vazasse a maré para ir para o Engenho-da-Ponta; porque do lugar, em que estavam, que é uma coroa que ali fazem as águas, de maré vazia se vai com pouca, e sobre areias para aquele Engenho, e que o Padre saíra da água enxuto em toda a roupa, e o breviário da mesma sorte sem se molhar.

SÉCULOS XIX E XX
Viajantes estrangeiros

MAWE

• • • • •

John Mawe nasceu em Derbyshire, Inglaterra, no ano de 1764, estudando mineralogia e enriquecendo no comércio das pedras e objetos preciosos. Veio, em 1804, à América do Sul, tomando parte na expedição de Whitelock em Montevidéu (1807), sendo internado. Veio, neste ano, para o Brasil, encontrando todas as facilidades. Visitou o país meridional, de 27 de agosto de 1809 a fevereiro de 1810; realizou uma excursão a Minas Gerais, visitando o Distrito Diamantino. Foi diretor da Fazenda Real de Santa Cruz, examinando várias minas, reais e supostas. Regressando à Inglaterra, faleceu em Londres a 26 de outubro de 1829. Seu livro, TRAVELS IN THE INTERIOR OF BRAZIL, etc., publicado em 1812 (Londres), teve reedições e traduções em alemão, italiano e francês. Há uma versão portuguesa, Lisboa, de 1820, incompleta.

Bibliografia:

VIAGENS AO INTERIOR DO BRASIL, PARTICULARMENTE AOS DISTRITOS DO OURO E DO DIAMANTE, EM 1809-1810 — alguns capítulos da versão francesa de J. B. B. Eyriès, vertidos para o português por Demerval Lessa, *in* "Coletânea de Cientistas Estrangeiros, Assuntos Mineiros". Organizada pelo prof. Rodolfo Jacob. Volume I, Belo Horizonte, Minas Gerais, 1922.
Os trechos transcritos estão à p. 88.

– Prêmio ao escravo que achava um diamante no Tejuco.

Quando um negro tem a felicidade de encontrar um diamante que pesa uma oitava ou 17 quilates e meio, cingem-lhe a cabeça com uma grinalda de flores e levam-no em procissão ao administrador que lhe dá a liberdade e uma indenização ao seu senhor. O negro é também vestido de roupas novas e obtém permissão para trabalhar por conta própria; e o que encontra uma pedra de oito a dez quilates, recebe duas camisas novas, um terno novo completo, um chapéu e uma bela faca. Concedem prêmios proporcionais aos descobridores de pequenos diamantes de pouco valor. Durante minha estada no Tejuco, encontrou-se uma pedra de 16 quilates e meio. Experimentara uma satisfação ao ver o grande desejo manifestado pelos oficiais de que a pedra tivesse bastante peso para ocasionar a libertação do negro. Pareceu que todos partilhavam o pesar dele, quando a pesagem acusou a falta de um quilate.

Se há suspeita de ter um negro engolido um diamante, encerram-no em um lugar seguro, até que o fato possa ser constatado.

JOHN LUCCOCK

John Luccock, negociante inglês, esteve no Brasil, de meados de 1808 a 1818 quando regressou à Inglaterra. De 1808 a 1813 ficou nas províncias do sul, Rio Grande do Sul, Santa Catarina, Paraná, visitando o Uruguai. Ficando no Rio de Janeiro em 1813, viajou pelo interior da província fluminense, indo em 1817 a Minas Gerais. Publicou em 1820, Londres, o "NOTES ON RIO DE JANEIRO, AND THE SOUTHERN PARTS OF BRAZIL, *taken during a residence, of ten years in that country from 1808 to 1818*", com duas versões alemãs. A REVISTA DO INSTITUTO HISTÓRICO BRASILEIRO, tomo XLIII e tomo XLIV, 1808 e 1881, imprimiu uma "A GRAMMAR AND VOCABULARY OF THE TUPI LANGUAGE'. É Luccock um dos mais vivos e originais informantes do Brasil no início do século XIX.

Bibliografia:

NOTAS SOBRE O RIO DE JANEIRO E PARTES MERIDIONAIS DO BRASIL — tradução de Milton da Silva Rodrigues. Biblioteca Histórica Brasileira. Livraria Martins, São Paulo, 1942.

Os trechos citados estão às pp. 20, 31, 73, 129, 149, 161 e 377.

– POR QUE SE COMIA POUCO CARNEIRO.

O carneiro era e continua sendo pouco procurado pelo povo do Brasil; alegam alguns, talvez brincando, que isso não é comida própria de cristão, por isso que foi o Cordeiro Divino que tomou consigo os pecados do mundo. Se esse preconceito age com maior força ainda em relação à cria nova do carneiro, não o sei; o fato é que os nativos do país jamais comem cordeiro.

*"Saint-Hilaire, VIAGEM ÀS NASCENTES DO RIO SÃO FRANCISCO E PELA PROVÍNCIA DE GOYAZ, I, 208, S. Paulo, 1937, informa que o gosto dos europeus pelo carneiro determinou aos agricultores de Minas Gerais nas fazendas próximas a Araxá a criação dos lanígeros, mormente depois da chegada de D. João VI, embora "eles próprios não comem os seus carneiros, e em geral, manifestam repugnância por essa carne." Mas acrescenta em nota (34): — "Um autor inglês supôs que os brasileiros não comiam a carne dos carneiros, porque o cordeiro é um símbolo para os cristãos (*Luccock,

NOTES ON BRAZIL). Nada ouvi dizer que justificasse esta asserção; o que há de certo é que a carne dos carneiros é, nas partes quentes do Brasil, infinitamente menos saborosa do que na Europa." Posso afirmar que a carne do carneiro, ovelha, é de consumo regular no sertão nordestino e nunca existiu a lenda aludida pelo imaginoso Luccock.

– A BANANA, SÍMBOLO CRUCIFORME.

... não há bom católico, neste país, que corte uma banana transversalmente, porque seu miolo apresenta a figura de uma cruz e no entanto não trepidam em assim proceder com a fruta da flor da paixão (*maracajá, passiflora*), discorrendo frequentemente sobre as figuras que essa planta apresenta dos instrumentos da crucificação.

– CANTO DE TRABALHO.

Entre as pessoas de classe mais baixa do Rio, os homens que carregam coisas pelas ruas chamam a atenção dos estrangeiros não só pelo seu número como por algumas particularidades de suas maneiras. Não são propriamente carregadores, pois que raros são aqueles alugados e pagos em seu próprio benefício; regra geral, não passam de escravos mandados à rua, de cesta vazia e longas varas, à cata de serviço por conta de seus senhores. Carregam objetos pesados pendurando-os por meio de um par de correias naqueles paus que colocam nos ombros de dois deles, levando-os em seguida, ao seu destino. No caso de a carga ser pesada demais para um só par, juntam-se quatro, seis e até mais homens, formando um grupo, de que, é geral, o mais inteligente é por eles escolhido para capitanear e dirigir o trabalho. A fim de imprimir ritmo aos seus esforços e, principalmente, uniformidade no passo, esse entoa sempre alguma cantiga africana, curta e simples, ao cabo da qual o grupo todo responde em alto coro. Prosseguem nesse canto enquanto dura o trabalho, parecendo que com isso aliviam a carga e alegram seus ânimos. Tinham por vezes a impressão de que essa gente não era insensível ao prazer decorrente das recordações, assim avivadas, de um lar que haviam perdido e que jamais tornariam a ver. O certo é que as suas canções davam às ruas uma alegria que por outra forma lhes faltaria, pois que o povo em geral parecia muito calado.

– Entrudo em São Pedro do Sul (1809).

Já se observou muitas vezes que uma comunidade se retrata tão bem através dos seus divertimentos como por meio das suas maneiras de pensar e de agir a sério. Pouco depois de nossa chegada, anunciou-se o início da quaresma, cujos três primeiros dias, entre os brasileiros, são sempre consagrados a folias. Por ocasião do *entrudo* conforme lhe chamam, fazem bolas ocas de cera de cores variegadas, mais ou menos do tamanho de uma laranja, enchem-nas d'água e bombardeiam-se mutuamente, até que os combatentes fiquem completamente molhados. Conjeturou-se que esse foi um dos primitivos modos singulares pelo qual os padres impunham a água batismal a pessoas pouco dispostas a recebê-la, assim forçando-as para dentro do Reino dos Céus. Seja como for, uma outra brejeirice havia, muito apreciada nessa ocasião, que dificilmente poderia ser atribuída a raízes religiosas. Embrulha-se farinha de trigo em cartuchos de papel e, de surpresa, quando um pobre negro se encontra distraído, fazem-no todo branco. De tal maneira o povo gosta desses e de outros divertimentos, que dizem todos abertamente: No entrudo ficamos todos bobos.

– Boleando perdizes.

Estava eu a cavalgar ao lado do rapaz, quando uma perdiz levantou voo, poucas jardas à nossa esquerda. No mesmo instante, ele fincou as esporas nos flancos do animal e, volteando as bolas em sua mão direita, saiu a toda a brida, debruçado para a frente. Dera o cavalo uns vinte pinotes, quando ele arremessou as bolas, atingindo o pássaro. Tomei nota do ponto da queda e apressei-me em sua direção, certo de que ele o estava procurando umas poucas jardas aquém do local. Pensamos que ele teimava em sua opinião, mas verificamos que com razão, pois que, ao cabo de muitas pesquisas, se encontrou o pássaro em meio de umas taquaras pisadas de encontro ao chão pelo cavalo. Nós outros, estrangeiros, não nos pudemos furtar à expressão do nosso pasmo ante a prova que dera de destreza e golpe de vista certeiro.

– Exposição fúnebre.

Forneceu-me a morte de um velho Governador a oportunidade de testemunhar uma cerimônia curiosa. Vestiram o defunto com o mesmo uniforme militar de grande gala que o General usara ao comandar uma batalha gloriosamente lembrada por toda a vizinhança. Uma poltrona sustentava o corpo e o povo foi render-lhe homenagem tal como se o fizesse a um governador vivo. Esse hábito não é peculiar a Santa Catarina; pelo Brasil todo costuma-se fazer uma visita de cerimônia ao morto.

– Por que o Príncipe Regente adiou a aclamação.

Aqueles que já observaram a influência que os acontecimentos exercem sobre o caráter e a união nacionais não poderão desprezar o da aclamação do primeiro Rei do Brasil. A cerimônia só se realizou muitos meses depois da morte da Rainha, dando-se para a dilação muitíssimas razões, das quais, muitas, sem dúvida, oriundas de pura fantasia, enquanto outras ao menos com visos de verdade. Disseram que o Rei não desejava ser aclamado enquanto não se tivessem passado doze meses da morte de sua mãe; até que, não somente ela se tivesse ido deste mundo e liquidado com todos os seus negócios sublunares, mas ainda até que o clero declarasse – e somente este o podia saber – ter ela transposto o Purgatório.

Quanto a este ponto, infelizmente, esses divergiam de opinião, pois que declaravam os padres da Capela Real que ela entrara diretamente na glória perfeita, ao passo que os da Candelária sustentavam calorosamente não ser ainda purificada, declarando ao povo, se tal povo ou qualquer outro que igualmente esteja influenciado pela superstição fosse capaz de ser convencido, que aqueles nada entendiam do assunto. Diziam outros que o Rei hesitava em se instalar regularmente em seu cargo até a chegada da Princesa d'Áustria, que tornaria mais belo o festival e mais interessante.

"Saint-Hilaire reprovou a informação, pondo em dúvida a veracidade." "Nunca ouvi falar de tais extravagâncias, e não concebo como haja quem se pudesse divertir em imprimi-las. Aquele a quem o público se deve não era, todavia, desprovido nem de bom senso nem de inteligência; como, porém, era surdo (foi o que me disseram), e não sabia o português, deveria ter menos confiança no que julgava compreender": VIAGEM PELAS PROVÍNCIAS DO RIO DE JANEIRO E MINAS GERAIS, 2º, 218, nota 175, S. Paulo, 1938.

HENRY KOSTER

Henry Koster, filho de pais ingleses, nasceu em Portugal e faleceu em Recife, Pernambuco, possivelmente em 1820. Por motivos de saúde veio para o Brasil em dezembro de 1809, visitando a Inglaterra durante a primavera e regressando a Pernambuco onde se fez senhor de engenho, plantador, relacionado e querido pela população. Chamavam-no Henrique da Costa. Despediu-se de Pernambuco em 1815, publicado no ano seguinte o seu TRAVELS IN BRAZIL, dedicado ao poeta Robert Southey, e que teve repercussão lisonjeira com reedições nos Estados Unidos e versão francesa e alemã. Koster viajou a cavalo pelo interior de Pernambuco ao Ceará. É o melhor e mais autorizado informante estrangeiro sobre o nordeste do Brasil.

Bibliografia:

VIAGENS AO NORDESTE DO BRASIL — tradução e notas de Luís da Câmara Cascudo. Col. Brasiliana. Vol. 221, São Paulo, 1942.

Os trechos citados estão às pp. 353 e 415.

– DANÇAS DE ÍNDIOS, NEGROS E ESCRAVOS NO JAGUARIBE (PERNAMBUCO).

Os índios que estavam em meu serviço solicitavam algumas vezes permissão para dançar ante minha residência e eu consentia, divertindo-me muito.

Acendia-se uma enorme fogueira para que melhor fosse visto o que ia acontecer, e para que a noite fosse mais agradável convidava os meus vizinhos. A dança começava com dois homens andando pela frente e volteando, num círculo que abrangia poucas jardas. Um deles cantava, ou melhor, recitava com voz baixa algum canto em seu idioma, e o outro tocava uma flauta de som agudo, e ambos, em certos intervalos, pulavam sobre um pé e outro, e depois uma mulher se reunia a eles, seguindo todos na marcha, e logo outro homem vinha, e mais outro, até que o grande círculo se formava, ficando o ritmo mais vivo. Tinham anteriormente preparado bebidas, como era o costume, e quando um deles desejava beber, saía da roda e voltava depois de haver bebido. Continuavam dançando quanto tempo a bebida durasse. As mulheres apreciavam aguardente tanto quanto os homens, inspirando-se com ela, e quando a consumação crescia, cantavam novos cânticos e seus movimentos eram mais rápidos.

Os negros livres também dançavam, mas se limitavam a pedir licença e sua festa decorria diante de uma das suas choupanas. As danças lembravam as dos negros africanos. O círculo se fechava, e o tocador de viola sentava-se num dos cantos, e começava uma simples toada, acompanhada por algumas canções favoritas, repetindo o refrão, e frequentemente um dos versos era improvisado e continha alusões obscenas. Um homem ia para o centro da roda e dançava minutos, tomando atitudes lascivas, até que escolhia uma mulher, que avançava, repetindo os meneios não menos indecentes, e esse divertimento durava às vezes até o amanhecer.

Os escravos igualmente pediam permissão para suas danças. Os instrumentos musicais eram extremamente rudes. Um deles é uma espécie de tambor, formado de uma pele de carneiro, estendida sobre um tronco oco de árvore. O outro é um grande arco, com uma corda tendo uma meia quenga de coco no meio, ou uma pequena cabaça, amarrada. Colocam-na contra o abdômen e tocam a corda com o dedo ou com um pedacinho de pau. Quando dois dias santos se sucediam ininterruptamente, os escravos continuavam a algazarra até a madrugada.

– Coroação do Rei de Congo na Ilha de Itamaracá.

No mês de março tem lugar a festa anual de Nossa Senhora do Rosário dirigida pelos negros, e é nessa época em que elegem o Rei de Congo, se a pessoa que exerce essa função faleceu durante o ano, resignou por qualquer motivo ou haja sido deposta pelos seus súditos. Aos negros do Congo permitiram a eleição do Rei e da Rainha entre os indivíduos dessa nação. Os escolhidos para esses cargos exercem uma espécie de falsa jurisdição sobre seus vassalos, da qual muito zombam os brancos, mas é nos dias de festa em que exibem sua superioridade e poder sobre seus companheiros.

Os negros dessa nação mostram muito respeito para com seus soberanos. O homem que desempenhava as funções de Rei em Itamaracá (cada distrito possui um Rei) durante muitos anos estava prestes a abdicar pela sua velhice e o novo chefe devia ser escolhido, e a indicação recaiu sobre outro velho escravo da plantação do Amparo. A Rainha antiga não renunciara, continuando no posto. O negro velho que seria coroado neste dia da festa, veio pela manhã cedo apresentar seus respeitos ao Vigário que lhe disse, em tom jovial: "Perfeitamente, senhor, mas hoje estarei às suas ordens, devendo servir-lhe de Capelão!" Pelas onze horas fui para a Igreja com o vigário. Ficamos parados à porta quando apareceu numeroso grupo de negros e negras, vestidos de algodão branco e de cor, com bandeiras ao vento e tambores soando. Quando se aproximaram, descobrimos, no meio, o Rei, a Rainha e o Secretário de Estado. Cada um dos primeiros trazia na cabeça uma coroa de papel colorido e dourado. O Rei estava vestido com uma velha roupa de cores diversas, vermelho, verde e amarelo, manto, jaleco e calções. Trazia na mão um cetro de madeira, lindamente dourado. A Rainha envergava um vestido de seda azul, da moda antiga. O humilde Secretário ostentava cores quanto seu chefe, mas era evidente que sua roupa provinha de várias partes, umas muito estreitas e outras demasiado amplas para ele. As despesas com a sagrada cerimônia deviam ser pagas pelos negros e por isso, no meio da Igreja, estava uma mesinha com o tesoureiro dessa Irmandade preta e outros dignitários, e sobre ela uma pequena caixa para receber o dinheiro. Tudo ia lentamente, muito mais lentamente que o apetite do Vigário que nada comera, embora fosse perto do meio-dia, porque ele e outros padres, assistentes deviam cantar a missa. Consequentemente, aproximou-se da mesa e começou a falar aos diretores, declarando que não iria ao altar antes que a despesa fosse paga. Divertia-me muito vê-lo cercado pelos negros e entediado pela falta de pontualidade nas suas contribuições. Houve a seguir um rumor na Igreja entre os pretos. O Vigário havia exprobrado alguns deles e logo que este os deixou, começaram a discutir uns com os outros, em voz alta e com palavras zangadas, sem respeito pelo local. Foi uma cena muito interessante para mim e para outras pessoas, mas tudo se passou rapidamente. Por fim, Suas Majestades ajoelharam-se ante a grade do altar-mor e a missa começou. Terminada, o novo Rei devia ser coroado, mas o Vigário estava com fome, e desempenhou-se sem muitas cerimônias. Segurou a coroa, na porta da Igreja, o novo soberano apresentou-se e foi mandado ajoelhar, a insígnia lhe foi posta e o Vigário disse: "Agora, senhor Rei, vai-te embora!".

– Batismo do Rei dos Mouros.

Fomos à praia do mar para assistir ao batismo do Rei dos Mouros. Nesse dia todas as jangadas e canoas foram requisitadas, e seus proprietários, assim como os moradores das redondezas, são divididos em dois grupos: Cristãos e Mouros. Um tablado fora construído sobre altas estacas, na linha da maré baixa, representando uma Fortaleza Moura, e a hora da festa fora calculada para quando a maré estivesse bem alta, no começo do folguedo, ficando o palco rodeado pela água. Na praia erguiam-se dois tronos, com seus baldaquinos, numa distância de trezentas jardas um do outro, e logo acima da pancada do mar. O Rei dos Cristãos ocupou um trono e o Rei dos Mouros o outro, ambos com bonitos vestidos e mantos. O ato começou pelo primeiro enviar ao último um dos seus oficiais a cavalo, exigindo que sem demora recebesse o batismo, o que foi recusado. Vários outros correios passaram, para lá e para cá, todos montados e fantasticamente vestidos. A guerra estava declarada. Numerosas jangadas e canoas de cada facção movimentaram-se para a Fortaleza no meio d'água, mas umas para atacá-la e outras para defendê-la. As pessoas que estavam na Fortaleza prepararam-se para a defesa. Houve muita descarga e por fim, com luta terrível de parte a parte, a Fortaleza foi tomada pelos Cristãos. Os barcos mouriscos que escaparam, fizeram desembarque de sua tripulação enquanto os adversários faziam o mesmo. Os dois exércitos se encontraram na praia e se bateram, de corpo a corpo, longamente, mas para terminar, o Rei dos Mouros foi feito prisioneiro, arrancado de seu trono e batizado a força.

Essa festa é verdadeiramente brilhante, e a praia estava repleta de povo, com suas melhores roupas.

ESCHWEGE

Wilhelm Ludwig von Eschwege, barão de Eschwege, nasceu em Eschwege, Hesse, a 15 de novembro de 1777 e faleceu em Wolfsanger, perto de Cassel, em 1º de fevereiro de 1855. Mineralista, entrou ao serviço do Rei de Portugal em 1803. Tenente-Coronel do Real Corpo de Engenheiros, permaneceu no Brasil de 1810 a 1821, quando regressou à Alemanha. Sobre geologia, montanística, mineralogia, seus livros são indispensáveis como fundamentos das primeiras observações, atiladamente feitas e comunicadas no plano econômico, para o aproveitamento racional das matérias-primas. Da longa bibliografia especializada, destacam-se, *JOURNAL VON BRASILIEN*, Weimar, 1818, dois tomos, narrativa de expedições científicas; *BRASILIEN, die neue Welt*, estudos topográficos, montanísticos, de história natural, política e estatística, referentes aos onze anos brasileiros, Braunschweig, 1830, dois volumes. *PLUTO BRASILIENSIS*, Berlim, 1833, tratado sobre as riquezas minerais do Brasil, história, exploração, legislação, sugestões, etc. Do "Pluto Brasiliensis" há tradução brasileira de Rodolfo Jacob, Belo Horizonte, 1922.

– A FIGURA DO ERMITÃO.

Chamam-se *ermitões* (eremitas) homens que ordinariamente, para expiar seus pecados, tomam a resolução de montar guarda a uma capela e pedir esmolas para sua conservação. Eles se cobrem por uma espécie de hábito; deixam crescer a barba e algumas vezes a própria cabeleira. Carregando uma caixa envidraçada contendo a imagem do padroeiro de sua igreja, percorrem a região, fazem beijar a imagem às pessoas que vão encontrando e recebem por isso esmolas em dinheiro e objetos. Alguns fazem voto de levar esse gênero de vida até o fim de seus dias, mas a maioria a isso se dedica por um certo tempo. Aqui, como em muitas outras cousas, introduziram tristes abusos; com efeito, vários desses ermitões não tomam o hábito senão para viverem à custa do próximo, e vão beber às melhores tavernas com o dinheiro que a generosidade pública lhes ofereceu.

JOURNAL VON BRASILIEN, II, 95. Tradução de Saint-Hilaire, VIAGEM PELO DISTRITO DOS DIAMANTES E LITORAL DO BRASIL, 116, versão brasileira de Leonam de Azevedo Pena, S. Paulo, 1941. "O Diabo depois de velho se fez ermitão"; "O hábito não faz o monge." O ermitão teve ampla projeção popular, notadamente no sul do Brasil. No norte, especialmente nordeste, a missão coube ao *beato*, um dos intérpretes messiânicos na mecânica social. Em setembro de 1809, John Mawe, indo para Vila Rica (Ouro Preto), encontrara um ermitão – "... avistamos um homem com hábito de monge; de seu cinturão pendia uma caixa com a imagem da Virgem Maria; seus compridos cabelos esparsos ocultavam a sua face e todo ele tinha alguma cousa de estranho e de selvagem. Disseram-nos ser um eremita que tinha abraçado esse gênero de vida para se penitenciar de algum grande crime".

FREYREISS

Georg Wilhelm Freyreiss nasceu em Frankfurt s/M, Alemanha, a 12 de julho de 1789 e faleceu no sul da Bahia, Brasil, a 1º de abril de 1825. Estava na Rússia, em estudos entomológicos, quando deliberou vir para o Brasil, chegando em 1813 ao Rio de Janeiro. Zoólogo, botânico, naturalista, mereceu uma pensão do Governo Real. Em 1814-15 acompanhou o barão de Eschwege numa jornada a Minas Gerais. Em 1815-17 foi companheiro do príncipe Maximiliano de Wied-Neuwied, pelas províncias do Rio de Janeiro, Espírito Santo e Bahia. Dedicou-se aos estudos de emigração, publicando um volume sobre a Colônia Leopoldina (1824) e que dedicou ao ministro José Bonifácio. Sua viagem com Eschwege foi registrada num inédito cujo original se encontra na biblioteca Real da Suécia. O Instituto Histórico de São Paulo obteve uma cópia, fazendo-a traduzir e publicar.

Bibliografia:

VIAGEM AO INTERIOR DO BRASIL — tradução de Alberto Lofgren. Revista do Instituto Histórico e Geográfico de São Paulo, volume XI (1906). S. Paulo, 1907. Há separata, in-4º.

Os trechos estão às pp. 194, 201 e 214.

– CRUZ NA ESTRADA.

Há aqui o costume de levantar uma cruz em cada lugar onde se encontra um cadáver, qualquer que seja a causa da sua morte, com o fim de fazer os transeuntes completarem o número de "Padres-Nossos" necessários para resgatar do purgatório a alma de quem aqui morreu sem absolvição.

– SUCESSÃO NA VINGANÇA.

Tais costumes bárbaros provam o grau baixo da civilização desta gente (os *indígenas COROADOS* de Minas Gerais) aliás tão boa. Como entre quase todas as tribos, reina entre eles ainda o costume de se vingarem cada vez que algum membro da sua família foi assassinado e, como o assassino quase nunca é entregue pelos seus, matam, logo que podem, qualquer outro da família do assassino, uma mulher pelo marido, uma irmã pelo irmão, um filho pelo pai e assim sempre o inocente pelo culpado. Conseguindo isso, cessam as hostilidades e a amizade antiga reina de novo entre eles. Medo, o índio não conhece, pelo menos não o medo da guerra, e entre eles há o provérbio de que o homem foi criado para morrer na peleja e a mulher para dar novos homens.

– Batuque.

Entre as festas merece menção a dança brasileira, o *Batuque*. Os dançadores formam roda e ao compasso de uma guitarra (viola) move-se o dançador no centro, avança e bate com a barriga na barriga de outro da roda, de ordinário pessoa de outro sexo. No começo o compasso da música é lento, porém, pouco a pouco aumenta e o dançador do centro é substituído cada vez que dá uma umbigada; e assim passam noites inteiras. Não se pode imaginar uma dança mais lasciva do que esta, razão também por que tem muitos inimigos, especialmente entre os padres. Assim, por exemplo, um padre negou a absolvição a um seu paroquiano, acabando desta forma com a dança, porém, com grande descontentamento de todos. Ainda há pouco dançava-se o *batuque* em Vila Rica numa grande festa e na presença de muitas senhoras que aplaudiam freneticamente. Raro é ver outra dança no campo, porém, nas cidades as danças inglesas quase que substituíram o *batuque*.

Conf. Edison Carneiro, "Samba de Umbigada", Rio de Janeiro, 1961; Aluísio Vilela, "Coco de Alagoas", Maceió, 1961.

WIED-NEUWIED

O príncipe Maximiliano Alexandre Felipe de Wied-Neuwied nasceu em Neuwied, Prússia renana, a 23 de setembro de 1782 e faleceu na mesma cidade a 3 de fevereiro de 1867. Serviu no exército prussiano reformando-se como major general. Chegou ao Rio de Janeiro de 17 de julho de 1815, apaixonado pela História Natural, seguindo para a província do Rio de Janeiro, Espírito Santo, Bahia, indo a Ilhéus, internando-se até à fronteira de Minas Gerais, de onde rumou para a cidade do Salvador, regressando à Europa a 10 de maio de 1817. A minuciosa narrativa da viagem e os registros científicos foram sucessivamente publicados; "Reise nach Brasilien", Frankfurt a. M, 1820-1821, dois tomos; "Abbildungen zur Naturgeschichte Brasiliens", Weimar, 1823-1831, 15 cadernos ("Desenhos sobre a História Natural do Brasil") e "Beiträge zur Naturgeschichte Brasiliens", Weimar, quatro volumes (o III e IV em dois tomos cada), 1825-1833 ("Contribuições para a História Natural do Brasil"). De julho de 1832 a julho de 1834 visitou os Estados Unidos, estudando os indígenas e publicando o "Reise in das Innere Nord-America in den Jahren 1832 bis 1834", Coblentz, 1839-1841, dois volumes. Suas coleções estão no Museu de História Natural de New York e Universidade de Bonn na Alemanha.

Bibliografia:

VIAGEM AO BRASIL, tradução de Edgar Sussekind de Mendonça e Flávio Poppe de Figueiredo, refundida e anotada por Olivério Pinto, Companhia Editora Nacional, S. Paulo, 1940, pp. 66, 261, 298.

– O BODOQUE.

Os meninos têm ótima pontaria com os pequenos arcos feitos da madeira do "airi", chamados "bodoque". Este arco tem duas cordas separadas por duas pecinhas de madeira: no meio, as cordas se unem por intermédio de uma espécie de malha, onde se coloca a bola de barro ("pelota") ou uma pequena pedra redonda. A corda e o projétil são esticados para trás pelo polegar e o indicador da mão direita, soltando-se depois repentinamente, para arremessar o projétil. Já o Sr. Langsdorff havia mencionado tal tipo de arco, visto por ele em Sta. Catarina; encontramo-lo em todo esse litoral, e, no Rio Doce, até os adultos o empregam contra os Botocudos, quando não têm armas de fogo. São os índios extraordinariamente destros nessa maneira de caçar, podendo abater um pequeno pássaro a grande distância e o que é mais, até borboletas pousadas nas flores, como Langsdorff relata. Azara, na sua descrição do Paraguai, conta que naquele país eles arremessam, com tais arcos, vários projéteis ao mesmo tempo.

– O giacacuá dos Botocudos baianos.

O combate começava. De início, os guerreiros de ambos os lados soltavam gritos curtos e rudes em desafio mútuo, cercando-se como cães raivosos, ao mesmo tempo que aprontavam os paus. Em seguida, o "capitão" Jeparack adiantou-se, passeou entre os homens, olhando sombriamente para diante, de olhos esbugalhados, e cantou, com voz trêmula, uma longa cantiga, que provavelmente descrevia as afrontas recebidas. Dessa maneira os bandos contrários se tornavam cada vez mais inflamados: de súbito, dois deles avançaram, empurraram-se pelo peito, obrigando a recuar, e começando, então, a terçar os paus. Um desferiu com toda a força uma pancada no outro, sem escolher lugar: este suportou o primeiro ataque séria e calmamente, sem tugir; foi então sua vez e assim se arrumaram pauladas violentas, cujos vestígios por muito tempo ficaram visíveis nos corpos nus, sob a forma de grandes inchações. Havendo nos paus muitos esporões agudos resultantes dos galhos cortados, o efeito das pancadas nem sempre se limitava ao barulho, pois o sangue escorria da cabeça de muitos dos combatentes. Logo que dois deles acabavam de malhar-se dessa bela maneira, outros dois se adiantavam; muitas vezes, diversos pares pelejavam ao mesmo tempo: mas nunca se agrediam a mão. Quando a liça se prolongava um pouco, tornavam a cercar-se de olhar sério, soltando gritos de desafio, até que o heroico entusiasmo os tomava de novo e punham os paus a funcionar.

Nesse ínterim, as mulheres também brigavam valentemente: chorando e berrando, segurando-se pelos cabelos, esmurravam-se, unhavam-se, arrancavam-se das orelhas e do lábio inferior os batoques de pau, espalhando-os como troféus pelo campo de batalha. Se alguma punha por terra a adversária, uma terceira, que estava por detrás, agarrava-a pelas pernas, derrubando-a também no chão, e assim se iam prostrando mutuamente.

E por esse modo o combate durou cerca de uma hora.

– Jogo de bola.

Entre os adultos observa-se algo de semelhante ao jogo da pela. Usam para este fim uma grande bola feita com um couro de preguiça (*Bradypus*), chamada por eles "ihó", a que tiram a cabeça e os membros, cosem as aberturas e enchem depois de musgo. Todo o grupo, muitas vezes numeroso, se distribui em círculo, cada um jogando a bola para outro, sem deixar que caia ao chão.

O bodoque era nome dado em Portugal às balas de barro ou chumbo atiradas com uma besta especial, a Besta de Bodoque. Do árabe, *bondok*. Sua contemporaneidade no uso nacional, especialmente entre crianças para a caça de pequenos animais determina a citação.

Além dos encontros puramente guerreiros os nossos indígenas possuíam o duelo, típico, com suas regras e cerimonial. A cena, vista pelo naturalista alemão em novembro de 1816, entre os Botucudos, antigos Aimorés, fixa um aspecto digno de pesquisa etnográfica que aqui sugerimos.

DEBRET

Jean Baptiste Debret nasceu em Paris a 18 de abril de 1768, falecendo na mesma cidade a 28 de junho de 1848. Estudou pintura com Davi e, fazendo parte da Missão Artística Francesa, veio para o Brasil em 1816, ficando até 1831, como professor na Academia de Belas Artes. Voltando para a França publicou os três volumes da sua preciosa VOYAGE PITTORESQUE ET HISTORIQUE AU BRÉSIL, 1834-39, notas, comentários, deliciosamente ilustrados com desenhos esplêndidos, fixando costumes, figuras, fauna e flora brasileira, indígenas e ministros de Estado, a vida social que se desenvolvia aos seus olhos observadores.

Bibliografia:

VIAGEM PITORESCA E HISTÓRICA AO BRASIL — tradução e notas de Sérgio Milliet. Dois tomos. Biblioteca Histórica Brasileira. Edição da Livraria Martins. São Paulo, 1940.

Os trechos transcritos estão às pp. 196-198 do tomo II.

– O Judas do Sábado de Aleluia.

O sentimento dos contrastes, que fecunda tão marcadamente o gênio dos povos meridionais da Europa, encontra-se igualmente no brasileiro que se caracteriza pela capacidade de fazer suceder ao espetáculo lamentável das cenas da paixão de Cristo, carregadas processionalmente durante a quaresma, o enforcamento solene do Judas no Sábado de Aleluia. Compassiva justiça que serve de pretexto a um fogo de artifício queimado às dez horas da manhã no momento da Aleluia e que põe em polvorosa toda a população do Rio de Janeiro entusiasmada por ver os pedaços inflamados desse apóstolo perverso espalhados pelo ar com a explosão de bombas e logo consumido entre os vivas da multidão! Cena que se repete ao mesmo instante em quase todas as casas da cidade.

É ao primeiro som do sino da Capela Imperial, anunciando a ressurreição do Cristo e ordenando o enforcamento do Judas, que esse duplo motivo de alegria se exprime a um tempo pelas detonações do fogo de artifício, as salvas da artilharia da marinha e dos fortes, os entusiásticos clamores do povo e o carrilhão de todas as igrejas da cidade. É preciso confessar que essa oportunidade de um contraste tão marcado, tirado de um mesmo objeto e que, terminando devotamente a quaresma, apaga no espaço de dez minutos, de um modo igualmente engenhoso, a austeridade de suas formas, constitui o êxito da imaginação num povo vivo e infinitamente impressionável.

Passando aos preparativos da cena, vemos a classe indigente, que se presta facilmente às ilusões, armar um judas enchendo de palha uma roupa de homem a que se acrescenta uma máscara com um boné de lã para formar a cabeça; algumas bombas colocadas nas coxas, nos braços e na cabeça servem para deslocar o boneco no momento oportuno e uma árvore nova trazida da floresta faz as vezes de uma forca econômica e o povo do bairro sente-se satisfeito. Observe-se que é de rigor fazerem-se esses preparativos durante a noite, a fim de estar tudo pronto pela manhã.

Nos bairros comerciais a ilusão é mais completa mas também mais dispendiosa. Os empregados se cotizam para mandar executar, pelo costureiro e fogueteiro reunidos, uma cena composta de várias peças grotescas que aumentam consideravelmente o divertimento sempre terminado com o enforcamento do Judas pelo Diabo que serve de carrasco: *nec plus ultra* da ficção poética e da imitação dos movimentos do grupo das duas figuras cujos balanços e oscilações são provocados e variados pelo arrebentar dos foguetes que os consomem finalmente, excitando a última bomba o mais ruidoso entusiasmo.

Graças a um concurso de circunstâncias, vimos ressurgir na quaresma esse antigo divertimento caído em desuso há mais de vinte anos, ou melhor, proibido no Brasil desde a chegada da Corte de Portugal, sempre desconfiante dos ajuntamentos populares. O temor é perfeitamente justificável ante a aproximação das novas constituições liberais, pois três dias antes de minha partida do Rio de Janeiro, no Sábado de Aleluia de 1831, viu-se nas praças da cidade um simulacro do enforcamento de algumas personagens importantes do governo, como o ministro intendente geral e o comandante das forças militares da polícia.

Posteriormente, a liberdade favoreceu o desenvolvimento aparatoso desse divertimento que permaneceu, é preciso dizer, absolutamente estranho às alusões políticas e unicamente adstrito ao talento do fogueteiro e do costureiro. E seus progressos foram tão rápidos que, em 1828, época mais brilhante desse divertimento renascente, um edital da polícia induzia o fogueteiro a maior economia, a fim de prevenir prudentemente os incêndios, sobretudo nas pequenas ruas, e censurava ao mesmo tempo os cidadãos pelo abuso de despesas tão frívolas e vergonhosas para seu patriotismo. A censura deu resultado e as despesas foram moderadas.

Quanto ao detalhe, as peças de que se compõe o fogo de artifício são pequenos grupos de figuras grotescas, engenhosamente fabricadas com simples folhas de papel coladas e coloridas, sempre fixadas a um pequeno tabuleiro girando horizontalmente. A figura indispensável, capital, é a do Judas, de blusa branca (pequeno dominó branco de capuz, usado pelos condenados); suspenso pelo pescoço a uma árvore e segurando uma bolsa suposta cheia de dinheiro, tem no peito um cartaz quase sempre concebido nestes termos: – *eis o retrato de um miserável, supliciado por ter abandonado seu país e traído seu senhor.* Um diabo negro, mais feio possível, a cavalo sobre os ombros da vítima, faz as vezes de carrasco e parece apertar com o peso de seu corpo o laço que estrangula o desgraçado.

Mais engenhoso ainda é o Diabo amarrado pela cintura, de modo a escorregar pela corda do Judas, e suspenso três ou quatro pés acima da cabeça do boneco por meio de uma corda que se distende repentinamente em consequência do estouro de uma bomba e deixa cair o carrasco a cavalo em cima do pescoço da vítima. Esse efeito teatral, extraordinário, imita perfeitamente a pantomima do enforcamento, prolongada durante muito tempo, apresentando o espetáculo de um horrível grupo agitado sem cessar, entre turbilhões de fumaça, pela detonação dos petardos, encerrados dentro dos dois manequins. Tudo termina afinal com uma última explosão que lança para todos os lados mil parcelas inflamadas logo reduzidas a cinzas.

Imagine-se essa obra-prima do fogueteiro suspensa a quarenta ou cinquenta pés de altura a uma árvore colossal, cujos galhos guarnecidos de fitas a coroam vinte pés mais alto e ter-se-á uma ideia dessa cena imponente que provoca, não sem esta razão, os clamores de alegria do povo apinhado nas ruas e os aplausos dos espectadores dos balcões.

SAINT-HILAIRE

Augustin François Cesar Prouvençal de Saint-Hilaire nasceu em Orléans, França, a 4 de outubro de 1799 e faleceu em Turpinière, Loiret, a 30 de setembro de 1853. Grande estudioso de botânica, curioso para ver as regiões tropicais, acompanhou o Duque de Luxemburgo, Embaixador da França, que chegou ao Rio de Janeiro em junho de 1816. Até agosto de 1822 Saint-Hilaire ficou no Brasil, viajando, observando, analisando as novas espécies vegetais, tudo registrando como modelar claridade e verismo. De 1830 a 1851 publicou suas "Voyages dans l'Interieur du Brésil", seis tomos indispensáveis e preciosos pela variedade da informação e veracidade do relato. Auxiliado por Jussi e Cambessedes, comentou a "Flora Brasiliae Meridionalis" (1825). Visitou minuciosamente as províncias meridionais e centrais do Brasil. Todos os livros de viagens de Saint-Hilaire estão traduzidos para o português, trazendo infinito material de Folclore e Etnografia tradicional.

Bibliografia:

SEGUNDA VIAGEM AO RIO DE JANEIRO, A MINAS GERAIS E SÃO PAULO — tradução de Afonso E. de Taunay. Vol. V da Col. Brasiliana. S. Paulo, 1932.

VIAGEM À PROVÍNCIA DE SANTA CATARINA — tradução de Carlos da Costa Pereira. Vol. 58 da Col. Brasiliana. S. Paulo. 1936.

SEGUNDA VIAGEM AO INTERIOR DO BRASIL "ESPÍRITO SANTO" — Vol. 72 da Col. Brasiliana. Tradução de Carlos Madeira. S. Paulo, 1936.

VIAGEM ÀS NASCENTES DO RIO SÃO FRANCISCO E PELA PROVÍNCIA DE GOIAZ — tradução de Clado Ribeiro de Lessa. Vol. 68 da Col. Brasiliana. São Paulo, 1937.

O primeiro trecho citado está à p. 98.

IDEM — mesmo tradutor, 2º tomo. Vol. 78 da Col. Brasiliana. S. Paulo, 1937.

Os três últimos trechos citados estão às pp. 138, 179 e 295.

VIAGEM PELAS PROVÍNCIAS DO RIO DE JANEIRO E MINAS GERAIS — tradução de Clado Ribeiro de Lessa. Vols. 126 e 126-A (dois tomos). Col. Brasiliana. S. Paulo, 1938.

VIAGEM AO RIO GRANDE DO SUL — tradução de Leonam de Azeredo Pena. Vol. 167. Col. Brasiliana. S. Paulo. 1939.

VIAGEM PELO DISTRITO DOS DIAMANTES E LITORAL DO BRASIL — tradução de Leonam de Azeredo Pena. Vol. 210. Col. Brasiliana. S. Paulo, 1941.

VIAGEM À PROVÍNCIA DE SÃO PAULO E RESUMO DAS VIAGENS AO BRASIL — tradução de Rubens Borba de Morais. Col. Biblioteca Histórica Brasileira. Livraria Martins. S. Paulo.

– Uma procissão de Cinzas em São João D'El-Rei (1819).

Pelas cinco horas a procissão começou a desfilar pela rua em que morava o vigário. Era aberta por três mulatos vestidos de dominós escuros, mais ou menos semelhantes aos que se dão, nos nossos teatros, aos gênios infernais. Um dos três levava uma grande cruz de madeira; os outros dois, que lhe serviam de acólitos, sustentavam cada um uma grande haste terminada por uma lanterna. Logo atrás deles caminhava outra personagem coberta de uma vestimenta de pano amarelo muito justo, e sobre a qual se pintaram em preto os ossos que compõem o esqueleto. Esta figura representava a Morte, e fazendo arlequinadas, ia batendo nos circunstantes com uma foice de papelão. A grande distância estava um outro grupo, precedido de um dominó escuro que levava cinzas sobre um tabuleiro, e ia e vinha como para assinalar com elas os assistentes. Os indivíduos, que caminhavam em seguida a esse dominó, eram uma mulher branca, sem máscara, e muito engalanada, e ao seu lado outro dominó escuro levando um galho de árvore, carregado de maçãs, ao qual se tinha amarrado uma figura de serpente. O homem representava Adão e a mulher, que fazia o papel de Eva, fingia colher de vez em quando um fruto. Atrás deles marchavam dois meninos cobertos de folhas, dos quais um, que fazia o papel de Abel, fiava com um fuso de algodão, e o outro, que representava Caim, parecia querer cavar a terra com uma enxada que tinha na mão. Os dois grupos que acabo de descrever eram seguidos de treze andores levados pelos irmãos de S. Francisco, e sobre os quais estavam figuras de madeira, de tamanho natural, pintadas e trajadas de panos. Os treze andores iam enfileirados a grande distância uns dos outros. Em um deles estava Jesus rezando no Horto das Oliveiras, em um outro santa Madalena e a bem-aventurada Margarida de Cortona, ambas de cabelos flutuantes e trajadas de escuro; no terceiro, S. Luiz, rei de França, no quarto, o bem-aventurado Ivo, bispo de Chartres. A Virgem, na sua Glória, rodeada de nuvens e querubins, era transportada em um dos andores, outras figuras representavam S. Francisco, recebendo do Papa a aprovação dos estatutos da sua ordem; noutro andor havia um grupo representando o milagre dos estigmas e, por fim, via-se ainda S. Francisco abraçado por Jesus Cristo. Essa série de figuras era de uma bizarria extrema; havia, entretanto, pior gosto no conjunto do que nas minúcias. As roupas convinham às personagens que as vestiam; as tintas eram frescas e não pude deixar de achar as imagens muito bem esculpidas, pensando, sobretudo, que elas o foram, no próprio lugar, por homens desprovidos de bons modelos. O que a procissão exibia de mais ridículo eram as crianças de raça branca, que seguiam cada andor e representavam anjos. A seda, os bordados, as telas e fitas tinham sido tão prodigalizados nas suas vestimentas que apenas podiam caminhar, perdidas no meio do ridículo. Uma espécie de tiara, feita de gaze e fitas, fazia desaparecer quase as suas cabecinhas; vestiam um saiote largo, bem armado, de mais de um côvado de diâmetro, e ao colete, já carregado de fitas e gazes pregueadas, estavam presas meia dúzia pelo menos de grandes asas de tarlatana. Em seguida aos andores vinha um grupo de músicos que cantavam um motete à porta do vigário. O sacerdote seguia com o santo sacramento, e a multidão fechava a marcha. A cada andor que passava, os assistentes faziam uma genuflexão; depois, conversava-se despreocupadamente com o vizinho. Já não viam a Procissão das Cinzas há muitos anos, e ficaram encantados com essa cerimônia irreverente, em que ridículas momices se associavam ao que a religião católica tem de mais respeitável.

– O Minhocão.

Luiz Antônio da Silva e Sousa diz, falando do lago do Padre Aranda, situado na província de Goiaz, que é habitado por Minhocões, e acrescenta que esses monstros, é assim que se exprime, já têm arrastado para o fundo d'água, onde vivem ordinariamente, cavalos e bois; Pizarro repete mais ou menos a mesma coisa, e indica a lagoa FEIA, que pertence também a Goiaz, como servindo igualmente de habitação aos minhocões.

Ouvira já falar, por várias vezes, desses animais, e considerava-os ainda como fabulosos quando tais desaparições de cavalos, burros e bois nas travessias de rios me foram confirmadas por tanta gente, que me pareceu impossível pô-las em dúvidas. Quando estive no Rio dos Pilões, falaram-me também muito dos Minhocões; disseram-me que existiam muitos nesse rio e que, na época das grandes chuvas, tinham frequentemente levado cavalos e burros, enquanto estes atravessavam o rio a nado. A palavra *minhocão* é um aumentativo de *minhoca*, que significa em português, verme da terra, e, efetivamente, pretende-se que o monstro de que se trata se parece em absoluto com esses vermes, com a única diferença que tem boca visível; acrescenta-se que é negro, curto, de grande grossura; que não vem à superfície da água, mas faz desaparecer os animais enlaçando-os por baixo do ventre. Quando, cerca de vinte dias após deixar o rio e a povoação de Pilões, hospedei-me, como veremos, em casa do comandante de Meia-Ponte, o sr. Joaquim Alves de Oliveira, um dos homens mais respeitáveis que já encontrei, interroguei-o a respeito dos Minhocões; confirmou-me o que me disseram; citou-me vários exemplos recentes de desgraças causadas por esses monstros, e assegurou-me, também, de acordo com o que disseram vários pescadores, que o Minhocão, apesar da sua forma muito roliça, era um verdadeiro peixe provido de nadadeiras. Pensei a princípio que o Minhocão fosse o *Gymnotes Carapa* que, segundo Pohl, se encontra no Rio Vermelho; parece, porém, pela descrição desse autor, que o citado peixe tem na região o nome de *terma-termi* ("tremetreme"), e, aliás, os efeitos produzidos pelos Gymnotes ou enguias elétricas, bem conhecidos, não têm nada de comum com o que se conta do Minhocão. O professor Gervais, a quem comuniquei minhas dúvidas, chamou-me a atenção para a descrição que P. L. Bischoff fez da *Lepidostren*; e, na realidade, o pouco que sabemos do Minhocão coincide bem com o que se relata do animal raro e curioso descoberto pelo sr. Natterer.

– A Folia do Divino.

... encontrei na floresta uma tropa de homens a cavalo, conduzindo burros carregados de provisões; um deles levava uma bandeira, outro um violão, e o terceiro um tambor. Tendo inquirido o que tudo isso significava, soube que era uma *folia*, nome de que vou dar a explicação.

Já tive ocasião de dizer alhures que a festa de Pentecostes se celebra em todo o Brasil com muito entusiasmo e cerimônias bizarras. Tira-se a sorte, no fim de cada festa, para saber-se quem fará os principais gastos da do ano seguinte, e o que é eleito usa o nome de *Imperador*. Para poder celebrar a festividade com maior pompa e tornar mais esplêndido o banquete, que é a sua consequência indispensável, o Imperador vai recolher ofertas em toda a região, ou escolhe alguém que o substitua. Mas não anda nunca só quando faz esse peditório; leva consigo músicos e cantores e, quando o grupo chega a uma habitação, faz o pedido entoando cânticos em que sempre há de mistura loas ao Espírito Santo. Os cantores e músicos são, ordinariamente, pagos pelo Imperador; mas frequentemente, também, são homens que cumprem um voto, e mesmo que recebam retribuição, é sempre muito pequena, porque não há ninguém que não julgue obra muito meritória servir assim ao Espírito Santo. Estes peditórios duram, às vezes, vários meses, e é às tropas encarregadas de fazê-lo que se dá o nome de *folia*. Como cada paróquia, cada sucursal, é interessada em atrair muita gente, a festa não se celebra no mesmo dia em todas elas; assim, a *folia,* que encontrei em Mato Grosso, pertencia à pequena capela de Curralinho, perto de Vila Boa, cuja festa só se devia realizar a 12 do mês de agosto.

– Para curar dor de dentes.

Disse já que os brasileiros do interior quando ficam doentes recorrem frequentemente a palavras e remédios simpáticos. Vou dar um exemplo: Enquanto estávamos em Posse, José Mariano se queixou de dor de dentes; eis o remédio empregado para curá-lo. Pergunta-se ao doente: – Que é que te incomoda? Responde: a cabeça, a mão, esse dente, conforme a parte que está afetada. Pois bem, ela não doerá mais; e escreve-se um A maiúsculo. Repete-se a mesma pergunta: o doente dá idêntica resposta; replica-se da mesma forma, e escreve-se um R maiúsculo, após ter cortado o A por um traço. Continuando sempre assim, traçam-se sucessivamente as letras ARTEFA, e recomeça-se até que o doente diga que não sofre mais. Ao cabo de algum tempo José Mariano o disse por delicadeza, mas o seu mal não diminuiu. Não duvido, todavia, de que em alguns casos, alguns doentes se tenham curado, pelo menos momentaneamente, pelo poder da sugestão.

– "João do Campo."

Quando, próximo de Batalha, deixamos a região das pastagens herbáceas, meu tropeiro (*Manuel Soares*) despediu-se humoristicamente do "João do Campo" e dirigiu preces à Virgem e ao Santo Antônio para obter a graça de atravessar sem dificuldades as florestas. "João do Campo" é um ser imaginário, representativo das regiões descobertas. Quando se entra nos *campos*, é em casa de "João do Campo" que se entra, e quando o viajante dorme ao relento é "João do Campo" que o hospeda...

VIAGEM PELO DISTRITO DOS DIAMANTES E LITORAL DO BRASIL, 224-225, tradução de Leonam de Azeredo Pena, S. Paulo, 1941. O registro é de março de 1818.

TOLLENARE

L. F. Tollenare, depois de pequena estada em Portugal, viajou para o Brasil, onde permaneceu de 1816 a princípios de 1818 quando regressou à Europa. Sabe-se que nasceu em Nantes, ignorando-se o ano assim como a data e local de sua morte. Comerciante, fixou-se no Recife, de novembro de 1816 a julho do ano seguinte, quando foi para a cidade do Salvador, na Bahia. Daí partiu para a França. Todos os domingos escrevia suas observações e comentários curiosos, denominando-as NOTAS DOMINICAIS, preciosas pela variedade dos motivos examinados. NOTAS DOMINICAIS, preciosas pela variedade dos motivos examinados. O original está na Biblioteca de Santa Genoveva, em Paris, desgraçadamente incompleto. O erudito Alfredo de Carvalho mandou extrair uma cópia, traduzindo-a e publicando, com prefácio de Oliveira Lima. Foi pelo mesmo Alfredo de Carvalho traduzida a parte referente à Bahia.

Bibliografia:

NOTAS DOMINICAIS, tomadas durante uma viagem em Portugal e Brasil em 1816, 1817 e 1818 — tradução de Alfredo de Carvalho. Prefácio de Oliveira Lima, *in* Revista do Instituto Arqueológico e Geográfico Pernambucano, vol. XI, N. 61, março de 1904, Recife, Pernambuco. Há separata.
O trecho citado está à p. 424.

AS NOTAS DOMINICAIS — parte relativa à Bahia, tradução e nota de Alfredo de Carvalho, *in* Revista do Instituto Geográfico e Histórico da Bahia, 1907, vol. XIV, N. 33, Bahia, 1908.
O trecho citado está à p. 52.

– O CHAPÉU MILAGROSO.

... direi que um indivíduo *curado* é um fascinador de cobras; toda a gente do engenho viu o negro, de que falo, cingir-se o corpo com um destes répteis e fazê-lo obedecer a todas as suas ordens. Parece que, com o auxílio de certas preparações, de que fazem mistério, se pode exercer grande império sobre estes animais. Os que conhecem o segredo são chamados *curados*; mas nem todos os *curados* sabem curar, isto é, ensinar o processo. O ensino é acompanhado de momices religiosas.

Um dos meus amigos, que não era supersticioso nem incrédulo, e de cuja veracidade não posso duvidar, assegurou-me que uma das suas negras fora mordida por uma cobra; estava inchada, o sangue saía-lhe pelos olhos, a boca e as orelhas; ia perecer. Mandaram chamar um feiticeiro ou *curado*, morador na vizinhança; ele não pôde vir logo; mas mandou... o seu chapéu. Colocaram-no sobre a moribunda que imediatamente ficou aliviada. De tudo isto o meu amigo foi testemunha ocular. O que ele não viu, e lhe foi contado pelos seus contramestres, foi que, à tarde, o feiticeiro veio ver a doente, que já não o estava mais, colocou-se no batente da porta, chamou a cobra culpada, que *compareceu*, fê-la percorrer o quarto e, com grande terror dos assistentes, enroscar-se várias vezes em volta da negra, que nenhum mal sofreu, e matou-a depois.

Repito que esta parte dramática da operação meu amigo não a viu; mas viu operar-se, à sua vista, a cura por meio do chapéu. Não lhe perdoei não haver examinado o chapéu para nele descobrir alguma planta ou droga a que se pudesse atribuir o milagre.

– O Lundu sedutor.

Os verdadeiros entremezes são de assuntos familiares, constam dos amores grotescos de um velho negro ciumento de uma velha negra faceira, de um inglês ébrio estropiando o português, de marinheiros portugueses que travam rixa e sacam punhais ou facas, de cenas de criados poltrões, de portadores espancados ou vilipendiados, etc., etc.

O mais interessante a que assisti foi o de um velho taverneiro avarento e apaixonado por uma jovem vendilhona. O velho está sempre a vacilar entre o seu amor e o seu cofre. A rapariga emprega todos os recursos da faceirice para conservá-lo preso nos seus laços. O mais eficaz consiste em dançar diante dele o *Lundu*. Esta dança, a mais cínica que se possa imaginar, não é nada mais nem menos do que a representação mais crua do ato do amor carnal. A dançarina excita o seu cavalheiro com movimentos os menos equívocos; este responde-lhe da mesma maneira, a bela se entrega à paixão lúbrica; o demônio da volúpia dela se apodera, os tremores precipitados das suas cadeiras indicam o ardor do fogo que a abrasa, o seu delírio torna-se convulsivo, a crise do amor parece operar-se e ela cai desfalecida nos braços do seu par, fingindo ocultar com o lenço o rubor da vergonha e do prazer.

O seu desfalecimento é o sinal para os aplausos de todas as partes, os olhos dos espectadores brilham de desejos por ela excitados, os seus gritos reclamam que recomece a luta, e o que apenas se permitiria em um alcouce é repetido até três vezes perante um público de uma grande cidade civilizada. Há senhoras nos camarotes e estas não coram, não se pode acusá-las de excessivo recato.

MARTIUS

Karl Friedrich Philipp von Martius nasceu em Erlangen, na Baviera, a 17 de abril de 1794 e faleceu em Munique a 13 de dezembro de 1868. Em companhia do zoólogo Johann Baptist von Spix (1781-1827) veio para o Brasil estudar a botânica tropical por mando do rei da Baviera. De 15 de julho de 1817 a 14 de junho de 1820 viajaram, pesquisando fauna, flora, costumes, hábitos, a vida social brasileira, com interesse, compreensão e tolerância. Visitaram Rio de Janeiro, São Paulo, Minas Gerais, Bahia, o nordeste, Pará e Amazonas. Martius, cuja bibliografia, especialmente rica na sua especialidade é de universal renome, é credor da gratidão brasileira por haver iniciado a sistemática dos estudos da glotologia indígena e também sobre as palmeiras. É autor principal e quase único de REISE IN BRASILIEN, três volumes, em Munique, 1823-31.

Bibliografia:

VIAGEM PELO BRASIL — tradução de Lúcia Furquim Lahmeyer, revisão de B. F. Ramiz Galvão e Basílio de Magalhães, anotador. Três volumes. Rio de Janeiro. Imprensa Nacional, 1938.

Os trechos citados estão às pp. 336 e 345 do Iº volume, 127 e 347 do IIº, e 120 e 220 do IIIº.

– QUEM ENSINOU O USO DA IPECACUANHA.

Assegurou-nos que esses filhos das selvas (*os indígenas*) aprenderam o uso da poaia com a irara, uma espécie de fuinha, que tem o costume, quando engole muita água suja de riachos ou lagoas, ou água salgada, de mastigar as folhas e raízes dessa planta, para provocar vômitos.

Notas — POAIA, ipecacuanha, *Cephaelis ipeca*, IRARA, papa-mel, *Tayra barbara*, Lin, um carnívoro mustélida.

– DANÇAS DOS PURIS.

Os homens puseram-se em fila: atrás deles puseram-se igualmente em fila as mulheres. Os meninos, aos dois ou três, abraçaram-se aos pais: as meninas agarravam-se, por detrás, às coxas das mães. Nessa atitude puseram-se eles a cantar *Han-jo-ha, há-ha-há*. Com meneios tristonhos, foram repetidas dança e cantiga, e ambas as fileiras se moveram num compassado andamento a três tempos. Ao primeiro e terceiro passos, colocam o pé esquerdo à frente; no segundo passo, o pé direito; nos seguintes três passos, colocam no primeiro e terceiro passos, o pé direito, ao mesmo tempo que se inclinam para a direita. Deste modo, movimentam-se alternadamente, com pequenos passos, um pouco mais para diante. Logo que o tema musical se conclui, recuam, primeiro as mulheres com as meninas, e depois os homens com os meninos, como que em fuga desordenada. De novo se colocam em posição e repete-se a mesma dança. Um negro, que viveu muito tempo entre os Puris, nos interpretou aquelas palavras plangentes, cantadas na dança, dizendo: "É a queixa de uma flor, que se queria colher da árvore, mas que havia caído em terra".

A ideia que nos ocorria, diante deste quadro melancólico, era de saudade de um paraíso perdido. Quanto mais se prolongava a dança dos Puris, tanto mais se excitavam eles, e tanto mais alto elevavam as vozes. Depois, passaram de uma toada para outra, e a dança tomou feição inteiramente diversa.

As mulheres remexiam os quadris fortemente, ora para a frente, ora para trás, e os homens davam umbigadas; incitados pela música, pulavam fora da fila, para saudar, desse modo, aos assistentes. Deram com tal violência o encontrão num de nós, que este foi obrigado a retirar-se quase sem sentidos com tal demonstração de agrado, pelo que o nosso soldado se postou no lugar, para dar a réplica da umbigada, como é de praxe. Esta dança, cuja pantomima parece significar os instintos sexuais, tem muita semelhança com o batuque etiópico, e talvez tenha passado dos negros para os indígenas americanos.

NOTA de von Martius – "Admira terem as melodias, que Léry assinalou, há mais de duzentos anos, entre os índios dos arredores do Rio de Janeiro, tanta semelhança com as que nós notamos aqui. Veja-se Léry, "Hist. nav. en Brésil". (Genève, 1594).

Martius assistiu a essa dança num aldeamento dos indígenas Puris do rio Xipotó; em Minas Gerais.

– Festas populares no Tejuco, Distrito Diamantino, Minas Gerais, 1818.

Já desde nossa chegada a Tejuco se haviam tomado disposições para solenizar a coroação do rei com festejos patrióticos, que haviam sido ao mesmo tempo organizados em todo o Brasil. O patriotismo de Ferreira da Câmara, que compreendia a grandeza e dignidade do acontecimento, pelo qual o Brasil, pela primeira vez, recebia a sagração da independência, incitou-o a dar a essas festas toda a pompa e esplendor significativo.

Tivemos com isso ocasião de admirar o tato perfeito e fino sentimentalismo do sertanejo brasileiro. Começaram as cerimônias com um espetáculo em teatro, para esse fim erguido com tablado na praça do Mercado, para onde o povo e os atores se dirigiram em préstito festivo. Arautos abriam o séquito, seguia o coro de cantores e mais quatro figurões, que, representando as vastas possessões da monarquia portuguesa, traziam com os emblemas dos povos europeu, índio, negro e americano, um globo terrestre, acima do qual estava a imagem de D. João VI. Fechava o préstito um grupo imponente de rapazes e raparigas, vestidos como pastores, trazendo guirlandas de flores, com as quais, chegando ao teatro, enfeitaram a imagem do monarca, ao estrondo das aclamações do público. Os pastores executaram depois danças portuguesas, das Índias Orientais e dos negros, e, no intervalo, apareceram quatro arlequins, que divertiram a numerosa assistência com pulos bizarros, parodiando os desajeitados gestos dos selvagens americanos. Menos significativa foi a peça tragicômica "A noiva reconquistada". O pano da cena representava o gênio do Brasil, pisando a hidra da desunião, oferecendo aos habitantes um molho de espigas. Essa pintura era obra de um Brasileiro, que, sem estudos, dispusera tão bem as figuras e tão proporcionadas, além do colorido muito adequado, que em tal painel se reconhecem, com prazer, sinais de belas qualidades artísticas na gente deste país. Não menos interessante espetáculo foram as *Cavalgadas*. Cavaleiros trajando veludo vermelho e azul, bordado a ouro, armados de lanças, figuraram combates entre Mouros e Cristãos, e, nesses desafios, faziam lembrar a bela época cavalheiresca da Europa. Antes de começar esse combate simulado, cruzaram-se Cristãos e Mouros; depois, separaram-se em duas filas e correram uns para os outros, atacando-se ora com lanças, ora com espadas e pistolas. No seguinte *carroussel* da argolinha, conseguiram com grande agilidade, uns após outros, enfiar o anel em rápida correria desde o camarote do Intendente até ao fim da pista fronteira, onde ele estava pendurado. Se o herói era bem-sucedido, retirando a argolinha com a lança, ele escolhia na assistência uma dama, mandava-lhe um pajem negro pedir licença para lhe oferecer o troféu, entregava-lho, e, triunfante, ao som de fanfarra corria ao encontro dos cavaleiros, trazendo na lança uma *écharpe* ao laço de fita, ali amarrado pela mão da escolhida. Noutras manobras, os combates de esgrima e tiro ao alvo eram para obter cestos com artísticas flores, frutos ou animais do país ou eram lutas contra mascarados. Uma linda diversão, que fazia lembrar a galantaria do tempo da cavalaria, consistia em levarem os cavaleiros limões de cera, cheios de flores, que beijavam como presente de sua dama, e depois os atiravam uns nos outros, enchendo de flores o campo da batalha. Esses divertidos espetáculos encerraram-se com corridas em filas, formando meandros, volteios e círculos, nos quais os atores se mostraram exímios cavaleiros e todos se dispersaram, depois das lutas, trocando entre si manifestações de amizade, como bons cristãos. O remate dessas festas foram bailes e iluminações.

Também os negros esforçaram-se por festejar, a seu modo, essa extraordinária solenidade patriótica; para isso, acharam justamente então mais adequado escolherem um rei dos pretos. É costume dos negros do Brasil nomearem todos os anos um rei e sua corte. Esse rei não tem prestígio algum político nem civil sobre os seus companheiros de cor; goza apenas da dignidade vaga, tal como o rei da fava, no dia de Reis, na Europa, razão por que o governo luso-brasileiro não opõe dificuldade alguma a essa formalidade sem significação. Pela votação geral, foram nomeados Rei Congo e Rainha Xinga diversos príncipes e princesas, com seis *mafucas* (camareiros e camareiras) e dirigiram-se em procissão à igreja dos pretos. Negros, levando o estandarte, abriam o préstito; seguiam-se outros levando as imagens do Salvador, de S. Francisco, da Mãe de Deus, todas pintadas de preto; vinham depois a banda de música dos pretos, com capinhas vermelhas e roxas, todas rotas, enfeitadas com grandes penas de avestruz anunciando o regozijo, ao som de pandeiros e chocalhos, de ruidoso *canzá* e da chorosa *marimba*; marchava à frente um negro de máscara preta, como mordomo, de sabre em punho; depois os príncipes e princesas, cujas caudas eram levadas por pajens de ambos os sexos; o Rei e a Rainha do ano antecedente, ainda com cetro e coroa; e, finalmente, o real par, recém-escolhido, enfeitado com diamantes, pérolas, moedas e preciosidades de toda espécie, que haviam pedido emprestado para essa festa; a rabadilha do séquito era composta da gente preta, levando círios acesos nos bastões forrados de papel prateado. Chegando à igreja da Mãe de Deus, preta e só dos negros, o rei deposto entregou o cetro e a coroa ao seu sucessor, e este fez então uma visita de gala, na sua nova dignidade, ao Intendente do Distrito Diamantino, com toda a sua corte. O Intendente, já prevenido dessa visita, esperou o seu hóspede real em camisola de dormir e carapuça. O recém-eleito negro forro e sapateiro de ofício, ao avistar o Intendente, ficou tão atrapalhado que, ao ser convidado para sentar-se no sofá, deixou cair o cetro. O delicado Ferreira da Câmara apanhou-o, e rindo, o restituiu ao rei já cansado, com as palavras: "Vossa Majestade deixou cair o cetro!".

O coro musical exprimiu com barulhenta toada a respeitosa gratidão pelo gesto do Intendente, e, finalmente, saiu toda a multidão, depois de haver, segundo o costume dos escravos, dobrado o joelho direito diante das pessoas da casa, e, caminhando alegremente pelas ruas, o Rei e a Rainha voltaram às suas choças. O mesmo espetáculo repetiu-se no outro dia, mas com umas variantes. O novo Rei dos negros recebeu oficialmente a visita de um enviado estrangeiro à corte do Congo (a denominada *congada*). A família real e a corte em roupas de gala dirigiram-se com pompa à praça do Mercado; o Rei e a Rainha sentaram-se em cadeiras, à sua direita e esquerda, acomodaram-se, em bancos baixos, os ministros, camareiros e camareiras e os mais dignitários do reino. Diante deles, estavam colocados, em dupla fila, os músicos da banda, com sapatos amarelos e vermelhos, meias pretas e brancas, calças vermelhas e amarelas com capinhas de seda, todas rotas, e faziam uma algazarra infernal com tambores, flautas, pandeiros, chocalhos e com a chorosa marimba; os dançadores anunciaram o enviado com pulos e cabriolas, com as mais singulares caretas e as mais profundas mesuras, e traziam os seus presentes, apresentando tão bizarro espetáculo, que se imaginava estar diante de um bando de macacos. Suas Majestades pretas a princípio repeliram a visita do estrangeiro, mas acabaram com estas palavras: "Que lhe estavam abertas as portas e o coração do Rei". O Rei do Congo convidou o enviado a tomar assento à sua esquerda, e ao som da música ruidosa, fez distribuição de comendas e bastões espanhóis.

Concluiu-se, afinal, a festança com o brado do Rei dos pretos, que o seu povo repetiu: "Viva el-rei D. João VI!" – Quão interessantes são as reflexões do pensador, que, em retrospectiva visão, recordar as passagens dessa festa!

NOTAS – D. João VI foi aclamado a 6 de fevereiro de 1818. Em Portugal não havia cerimonial para a sagração, reservada aos Imperadores, nem coroação. A aclamação possuía os direitos de tradição. As festas no Tejuco foram em junho, reunindo as mais características manifestações do auto popular. Apenas os negros do Congo tinham o direito de eleger o seu rei. Essa cerimônia era ato indispensável nas festas de Nossa Senhora do Rosário, padroeira dos escravos, e não a Mãe de Deus, Madre de Deus, como escreveu Martius. A rainha *Xinga* é uma recordação da famosa rainha de Angola, grande adversária dos portugueses em meados e fins do século XVII, Njinga Nbandi, ainda hoje recordada nas "Congadas" do sul e "Congos" do norte do Brasil, Xinga e Ginga.

Canzá ou *ganzá*, Martius descreve como um tubo com travessa de ferro, sobre o qual eles produzem um som, de matraca, andando de um lado para o outro, VIAGEM, I, 179. Conheço-o como um cilindro com ou sem cabo, de folhas de Flandres, com grão de chumbo no interior, pedrinhas, etc. Também o chama *pau de semente.*

MARIMBA, anota Martius — "Consiste a Marimba em uma fila de *coités* ou *combucas*, dispostas entre dois arcos, segundo os tamanhos, com a abertura para cima, e sobre as quais estão tabuinhas de pouca grossura, presa por um cordel, de sorte que estas, feridas por uma espécie de vaqueta, produzem som peculiar.

FERREIRA DA CÂMARA é Manuel Ferreira da Câmara Betencourt e Sá (1784-1835), Intendente Geral das Minas e dos Diamantes, senador do Império. O "Intendente Câmara" foi magnificamente estudado por Marcos Carneiro de Mendonça, Rio de Janeiro, 1933.

– Mouros e Cristãos em Ilhéus.

... tive oportunidade de ver a maior parte da população reunida numa festa nacional, na primeira semana do ano (de 1819). Rapazes, vestidos como Mouros e cavaleiros cristãos, acompanhados de música barulhenta, passaram a cavalo pelas ruas, até uma espaçosa praça, onde estava plantada uma árvore, guarnecida com as armas portuguesas, semelhante à *árvore-de-maio alemã*. Combate violento travou-se entre as duas hostes, dando particularmente ao cavalheiro que representava São Jorge, ocasião de fazer brilhar as virtudes senhoris do padroeiro de Ilhéus. Ambos os partidos, porém, segundo os costumes verdadeiramente romanescos, olvidaram em breve a inimizade, num banquete ruidoso, seguindo-se baile com o requebrado lundu e o quase imoral batuque.

Nota de Martius — As festas dos primeiros dias do ano novo, às quais assistimos na vila de Ilhéus (janeiro de 1819), são provavelmente idênticas aos regozijos populares, tradição das Saturnálias que se celebram no Natal em Cornualhes, e nas quais o cavaleiro São Jorge e seu adversário pagão falam em verso. No norte da Inglaterra e na Escócia, fazem-se iguais representações com mascarados, os chamados *guizards*, que vão de casa em casa e figuram o adversário pagão, como personagem cômica com o nome do animal de gala. Tão eloquentes, como se diz serem esses atores populares ingleses, não são, entretanto, os atores brasileiros, somente no banquete festivo é que eles se tornam cada vez mais ruidosos, acompanhando a música de dança com estrofes de canções populares. Estas, em geral, cantam os acontecimentos locais e são, às vezes, improvisos dos próprios dançadores. Muitas dessas estrofes são engraçadas, outras, lascivas. Ouvimos, entre outras, o *lundu*, acompanhado com os seguintes versos:

Entendo que vossa mercê me entende,
Entendo que vossa mercê me engana;
Entendo que vossa mercê já tem
Outro amor, a quem mais ama.

Também os seguintes versos, que já citamos no apêndice musical, são cantados na província da Bahia, em danças semelhantes.

Uma mulata bonita não carece de rezar;
Abasta o mimo que tem, para a sua alma salvar.
Mulata, se eu pudera no mundo formar altar,
Nele te colocaria, para o povo te adorar.

Também a *tonda* e a *baiana* são igualmente danças nacionais, semelhantes ao *lundu* (e a primeira é acompanhada com sapateado), porém divergem no ritmo. Doces cochichos, que vão sempre crescendo, muxoxos, suspiros e palavras entrecortadas dos dançadores, fazem parte dessas danças graciosas. II, 357, nota-IV.

– A Fiel Venância.

De todas as viagens pelas águas do Amazonas, a de Belém do Pará, contornando o cabo de Magoarí para Macapá, e a navegação das costas ao norte dessa vila, são tidas como as mais perigosas. Contudo uma índia incitada por fiel amor conjugal, remou através do tremendo golfo, entre Macapá e a ilha Marajó, sobre uma prancha. Com muito gosto relato a enternecedora história de Venância, como a ouvi contar em muitos lugares do rio. Quando Mendonça Furtado mandou reunir índios de todos os lugares da costa, a fim de empregá-los na sua expedição ao Rio Negro, um selvagem da tribo dos Armabutós foi também intimado a servir como marujo. Tinha ele vindo uns dias antes, com sua mulher Venância e um filhinho de colo, a Macapá, para serem todos os três batizados. Debalde expôs o sacerdote ao comandante a barbaridade dessa imposição; debalde Venância se prostrou de joelhos diante dele; foi-lhe até recusado o consolo de acompanhar o seu amado, e, sem lágrimas e em mudo desespero, viu-o, acabrunhado pelo imprevisto infortúnio, embarcar com os outros. Três dias e três noites permaneceu ali na margem, com a criança ao colo; e o seu profundo desgosto não enterneceu o comandante de um barco de comércio, a quem pediu passagem até Chaves. Então, ela se escondeu na embarcação que partia; porém o choro da criança a traiu, e o desumano obrigou-a a voltar a nado para terra. Isto ela o conseguiu; e a provação deu-lhe nova coragem.

Achou um remo, avistou uma viga que dava à costa, e confiou-se a esse frágil amparo, melhor do que ao dos homens. Tendo a criança num braço, e remando com o outro, entregue quase um dia inteiro ao sabor das águas, ela alcançou com felicidade a outra margem e encontrou o seu amado. Tanto heroísmo comoveu os ânimos empedernidos dos soldados: restituíram-lhe o marido.

– Dança do peixe e jogo dos pauzinhos.

Os índios formam um círculo em torno de um deles, que figura o peixe, e o coro pergunta que espécie de peixe ele é, ao que responde esse homem: "Sou um peixe, de fato". Ao passo que os circunstantes cantarolam todos os nomes de peixe em monótona toada, e ameaçam o prisioneiro de entorpecê-lo com o timbó ou lançar-lhe a tarrafa, ele procura escapulir do círculo, e, se o consegue, vai para o meio aquele, cujo descuido permitiu a fuga. Singelo como é esse jogo, diverte os índios o dia inteiro, sobretudo, quando está à mão alguma bebida inebriante para excitar-lhes alegria. Outro jogo, a que mais apaixonadamente se entregam, é muito parecido com o de dados. Jogam com um certo número de pequenos paus, que têm nos seus diversos lados maior ou menor número de cortes (*y-myra-jemossaraitaba*); lançam-nos ao ar, no terreno nivelado, e ganha aquele cujo pauzinho caído tenha mais cortes. Embora o clero proíba severamente esse jogo, é praticado por toda parte quando os índios estão sós ou se julgam não observados.

POHL

Johann Emanuel Pohl nasceu em Kanitz, na Boêmia, a 22 de fevereiro de 1782 e faleceu em Viena d'Áustria a 22 de maio de 1834. Fez parte da comissão científica que acompanhou a princesa Leopoldina ao Brasil, chegando ao Rio de Janeiro a 4 de novembro de 1817 e regressando à Europa em março de 1821. Mineralogista e botânico, percorreu o Rio de Janeiro, Minas Gerais e Goiás, dando delicioso registro da paisagem humana e natural no seu *REISE IM INNERN VON BRASILIEN*, Viena, o 1º tomo em 1832 e o 2º em 1837 quando não existia o autor. A obra foi traduzida e publicada no Brasil pelo Instituto Nacional do Livro em 1951.

– Serração da velha (Cidade de Goiás, abril de 1819).

Deve ser ainda mencionada aqui uma farsa, denominada *serração da velha*, indicadora de que já passou metade da quaresma. Essa brincadeira é organizada pelos soldados. Para a zombaria é escolhida, entre as moradoras da cidade, uma mulher já idosa, mas ainda coquete. Quando pois, é chegado o tempo, já essas mulheres estão preocupadas e temerosas de serem colhidas pela sorte. Faz-se uma figura recheada de palha, tão parecida quanto possível com a mulher em apreço, com trajes iguais aos que ela costuma usar, de modo a ser reconhecida imediatamente. Numa das mãos põe-se-lhe um rosário e na outra uma serra para indicar que o jejum quaresmal é cortado ao meio. Então a figura é posta numa padiola e, acompanhada pelos soldados com sabres desembainhados e archotes, é conduzida por quatro negros através da cidade, por entre a jubilosa gritaria dos negros e das crianças. Um grotesco mascarado abre o cortejo e, durante as paradas, lê o testamento da velha, composto com grande exagero, em que são vituperadas as suas vaidades da maneira mais inconveniente. Toda a tropilha aplaude furiosamente. Finalmente, chegando o cortejo à residência da própria mulher, a figura é serrada em duas e queimada, o que sempre termina em pancadaria, porque os parentes da vítima se sentem igualmente ofendidos e procuram enxotar os indelicados visitantes.

– O beliscão saudador (Vila Rica, dezembro de 1820).

Em casa do governador-geral, são dados às vezes grandes bailes e eu fui testemunha ocular de uma dessas festas. As damas aparecem todas vestidas segundo a última moda de Paris, com o que a França mais depressa pode fornecer ao Rio de Janeiro. O número de homens era pelo menos superior ao dobro das mulheres. Ao entrarem, as damas faziam uma rápida mesura, beliscavam-se mutuamente no flanco esquerdo, segundo o costume brasileiro, em sinal de saudação; em seguida, depois de gastarem longo tempo com o arranjo de seus vestidos, sentavam-se numa longa fila de cadeiras preparadas para elas no salão e aguardavam a dança, que começava com uma contradança. Os jovens participavam da dança, os velhos jogavam "whist" nos aposentos vizinhos. A dança alternava com canções que eram cantadas por várias damas de maneira apenas tolerável. Nos intervalos servia-se chá, café, limonada, ponche, vinho e doce. Eu fazia as minhas considerações em silêncio e muito me admirava de que tantas damas jovens e belas que, segundo o uso do país se tinham afeado pintando a cara, mostrassem tamanha habilidade em tomar bebidas alcoólicas, pois com facilidade esvaziaram elas em pouco tempo duas garrafas de vinho da Madeira e não menor quantidade de ponche. Essa festa durou até a meia-noite, quando os aposentos se esvaziaram com a mesma rapidez com que se tinham enchido.

VIAGEM NO INTERIOR DO BRASIL, tradução de Teodoro Cabral. I, 334; 2º, 417, Rio de Janeiro, 1951. A *serração da velha* não desapareceu nos folguedos populares da Semana Santa, menos comum no sul mas vulgar no nordeste do Brasil, não somente pelo interior como ao redor de cidades grandes como o Recife. O "Código de Posturas" da Vila Imperial de Papary, hoje Cidade de Nisia Floresta, Rio Grande do Norte, no seu artigo 54, § 3, proibia o *brinquedo de serramento de velhos, multa de 5$000*, lei nº 1002, 13 de abril de 1887, aprovando o "Código". Muito raramente aparece o boneco de palha, simulando a vítima. Os elementos suficientes constam de assuada, choro interminável, leitura do testamento satírico, e a serração num toro de madeira diante da residência alvejada. A reação violenta é habitual.

DARWIN

Charles Robert Darwin nasceu a 12 de fevereiro de 1809 em Shrewsbury, condado de Shrosphire, Inglaterra, e faleceu em Down, Kent, a 19 de abril de 1882. Como naturalista viajou a bordo do brigue "Beagle", de dezembro de 1831 a outubro de 1836, América do Sul, Taiti, Nova Zelândia, Austrália, Keeling, Maldivas, ilha Maurício, Santa Helena, Ascensão, tocando pela segunda vez no Brasil e regressando à Inglaterra. Em 1832 visitara os rochedos brasileiros de S. Pedro e S. Paulo, chegando à Bahia a 29 de fevereiro, demorando-se até 18 de março. Ficou no Rio de Janeiro de 4 de abril a 5 de julho, percorrendo trechos na província do Rio de Janeiro. Voltando para Europa alcançou a Bahia a 1º de agosto de 1836, ficando aí seis dias, e de 6 a 19 de agosto na cidade do Recife, última escala de sua jornada de cinco anos de mar. Divulgou os resultados de suas observações zoológicas e mesmo o "Journal of Naturalist" que foi traduzido em muitas línguas, diário da viagem do "Beagle". À 24 de novembro de 1859 publicou "On the Origin of Species by Means of Natural Selection, or the Preservation of Favoured Races in the Struggle for Life", cujos 1.250 exemplares foram vendidos no mesmo dia. Sua notoriedade foi universal, indiscutida a glória que levou seu cadáver à sepultura consagrada na abadia de Westminster.

– A venda sortida de Mangaratiba.

Em Mangaratiba há uma venda; quero demonstrar o meu agradecimento pela excelente comida que ali me deram (comida que constitui uma exceção, aí! bem rara), descrevendo esta venda como o tipo de todas as hospedarias do país. Estas casas, comumente grandes, estão construídas todas elas da mesma forma: cravam postes no solo e entretecem ramos de árvores entre eles e cobrem tudo de uma camada de barro. Raro é encontrar-se o chão soalhado e nunca há vidros nas janelas. O teto achava-se em bom estado. A fachada, que se deixa aberta, forma uma espécie de átrio onde se colocam bancos e mesas. Todos os dormitórios comunicam uns com os outros, e o viajante dorme como pode sobre uma tarimba de madeira coberta com um mau enxergão. A venda está sempre no meio de um grande cercado ou pátio onde prendem os cavalos. Nosso primeiro cuidado ao chegar consiste em desincilhar nossos cavalos e dar-lhes ração. Feito isto, aproximamo-nos do hospedeiro, saudamo-lo profundamente, pedimos que tivesse a bondade de dar-nos alguma cousa para comer. – "Tudo quanto os senhores desejem!", respondeu. Apressei-me a dar graças infinitas à Providência por nos haver conduzido a um homem tão amável. – Podia o senhor dar-nos peixe? – Oh! Não temos! – E sopa? – Também não! – E pão? – Oh! não senhor, não há! – E carne-seca? – Oh, senhor, não há!

Ficamos muito satisfeitos porque ao cabo de duas horas de espera conseguimos aves do galinheiro, arroz e farinha. E até necessitamos de matar a pedrada as galinhas que nos foram servidas.

MI VIAJE ALREDEDOR DEL MUNDO, tradução de Constantino Piquer, 1º, 31-32, ed. Prometeu, Valência, Espanha, s.d. É tradição de vendeiro afirmar possuir todas as cousas ausentes. Vários viajantes registaram o mesmo episódio e há anedotário na espécie. Recorda bem a venda castelhana que abrigou dom Quijote e Sancho Pança ("Don Quijote", II, LIX) que também tinha tudo quanto lhe faltava realmente. *"Perguntaron al hupésped si habia posada. Fuéles respondido que sí, con toda la comodidad y regalo que pudieran hallar en Zaragoza"*. Tinha apenas unhas de vaca com grão de bico, apesar do anúncio que *de las pajaricas del aire, de las aves y de la tierra y de los pescados del mar estaba proveida aquella venta.* Leonardo Mota ("No Tempo de Lampeão", 133-134) contra que o historiador Epifácio Dória, visitando a então vila de Divina Pastora, Sergipe, escolheu um dos dois barbeiros, insistentemente elogiados pelo hoteleiro. Verificou que um deles morava a meia légua e o residente na localidade não tinha navalha.

GARDNER

George Gardner nasceu em Glasgow, Escócia, em maio de 1812 e faleceu a 11 de março de 1849 como diretor do Jardim Botânico de Neura Ellia, na ilha de Ceilão. Demorou-se no Brasil de julho de 1836 a junho de 1841, colecionando 60.000 espécies botânicas para os museus da Inglaterra. Depois de pesquisar no Rio de Janeiro e arredores durante dois anos, viajou para a Bahia, ficando no Recife, de onde partiu para o Ceará, Piauí, Goiás e Minas Gerais, na região inexplorada de mais de 10° de latitude a 12° de longitude. Era médico e seu livro, "Travels in the interior of Brazil, principally through the Northern Provinces, and Gold and Diamond Districts, during the years 1836-1841" (London, Reeve Brothers, 1846) é uma das narrativas mais elucidadoras para o etnógrafo e o sociólogo pela cópia de informações sobre o interior pouco conhecido e sem muita notícia, exceto parcialmente por Spix e von Martius.

Bibliografia:
VIAGENS NO BRASIL, tradução de Albertino Pinheiro, Brasiliana, nº 223, S. Paulo, 1942.

– O BAILE IRRESISTÍVEL.

Como chegamos em dia de Natal, grande dia santo, encontramos todos os escravos da fazenda, cerca de cem, dançando no terreiro diante da casa, vestidos todos de roupas que lhes haviam sido enviadas na véspera. À noite um magote dos mais bem-comportados, principalmente crioulos, foi admitido à varanda da casa, onde tive oportunidade de observar suas danças, nem todas muito delicadas. Uma das melhores era uma espécie de dança dramática, de que aqui vai uma descrição.

Ao pé da porta de uma casa pertencente a um padre um rapaz começa a dançar e tocar viola, uma espécie de guitarra. O padre ouve o ruído e manda um dos criados verificar o que é. Este encontra o músico dançando ao som do próprio instrumento e diz-lhe que foi mandado por seu amo indagar por que assim o perturbou. O músico declara que não está perturbando quem quer que seja, mas apenas ensaiando uma nova dança da

Bahia, que viu o outro dia no *Diário*. O criado pergunta-lhe se é boa – oh! muito boa! – diz-lhe o outro – Quer experimentar?

O criado bate palmas e brada e entra imediatamente na dança, exclamando: – O padre que vá dormir!

E a coisa se repete, até que os domésticos do padre, homens mulheres e crianças, estão todos dançando em círculo diante da casa. Por fim de tudo, o suposto padre aparece em pessoa, furioso, vestido de um grande poncho, chapéu preto de abas largas e uma máscara de longas barbas. Pergunta a causa do ruído que, segundo diz, o impede de saborear seu jantar. O músico diz o mesmo que já dissera aos criados e, depois de muita instância, persuade-o de entrar também na dança. O padre dança com tanto ardor como qualquer dos outros; mas, quando lhe parece oportuno, puxa um chicote que trouxera escondido debaixo do poncho e, zurzindo--os um a um, os põe todos para fora e acaba-se o espetáculo.

– A RECEITA PARA SER ENGOLIDA.

Porém o método mais extraordinário de que jamais ouvi falar é o que me comunicou um fazendeiro que me acompanhou ao Rio, de volta das montanhas. Apenas três dias antes de partir de sua fazenda, segundo me informou, um de seus bois fora mordido na perna por uma jararaca, e, aplicado imediatamente o remédio, ficara tão são como qualquer dos outros antes da partida do seu dono. O remédio consiste no bem conhecido acróstico latino, ou como eles lhe chamam, palavras mágicas: SATOR. AREPO. TENET. OPERA. ROTAS. Escreve-se cada linha separadamente numa tira de papel, enrola-se em forma de pílula e dá-se o mais depressa possível à pessoa ou animal mordido.

VIAGENS NO BRASIL, 37-38, 41-42. Sobre o primeiro motivo ver "Anubis e outros Ensaios", XX, "'The Dancing Gang' no Brasil", Rio de Janeiro, 1951. Sobre o segundo, João Ribeiro, "Colmeia", 153, São Paulo, 1923. Gardner não alude aos colonos alemães quando regista o ensalmo, conhecido ainda no Estado do Rio de Janeiro e em Minas Gerais e sempre deglutido pelo doente, homem ou animal, no meio dos alimentos. João Ribeiro sugere uma origem muito curiosa.

KIDDER

Daniel Parish Kidder nasceu em Darien, Estado de New York, a 18 de outubro de 1815 e faleceu em Evanston, perto de Chicago, a 29 de julho de 1891. Formou-se na Wesleyan University em 1836. Metodista, aceitou o cargo de missionário pela American Bible Society vindo para o Brasil em 1837, regressando em 1840. Visitou longamente o Rio de Janeiro e S. Paulo, subindo para o norte, Bahia, Maceió, Recife, Paraíba, Ceará, Belém do Pará de onde voltou ao Rio de Janeiro. Publicou o "Sketches of residence and travels in Brazil", Sorin and Ball, London and Philadelphia, 1845, dois tomos. Com o pastor James Cooley Fletcher (que esteve no Brasil de 1851 a 1865) publicou em Filadélfia, 1857, o "Brazil and the Brazilians portrayed in historical and descriptive sketches", bem inferior ao primeiro embora se tornasse, com repetidas reedições, um livro popular sobre o Brasil, com anedotas e curiosidades ampliadas ao sabor do humor norte-americano. Há tradução de sr. Elias Dolianiti, revisão e notas de Edgar Sussekind de Mendonça, "O Brasil e os Brasileiros. Esboço histórico e descritivo", Brasiliana, nº 205, dois tomos, S. Paulo, 1941. O rev. Kidder desempenhou altos cargos na sua igreja, aposentando-se em 1887.

Bibliografia:

REMINISCÊNCIAS DE VIAGENS E PERMANÊNCIA NO BRASIL. Rio de Janeiro e "Província de S. Paulo"; tradução de Moacyr N. Vasconcelos, ed. Livraria Martins, S. Paulo, 1940. Segundo tomo, referente às "Províncias do Norte", mesmo tradutor e editor, S. Paulo, 1943.

– A saudação ritual dos canoeiros do Recife (1840).

Visitamos Olinda em companhia do sr. e da sra. R. Tomamos uma embarcação e atravessamos a passagem interna que, no frescor da manhã, era deveras agradável. As canoas aí usadas são de formato diverso das construídas para águas profundas. Impulsionam-nas quase que exclusivamente com o auxílio de varejões. Os canoeiros são, em geral, negros possantes que manobram sozinhos as suas próprias embarcações. Existe entre eles uma espécie de hierarquia semelhante à militar. Alguns são eleitos, por sufrágio dos demais, para os postos de sargento, alferes, tenente, capitão, major e coronel. Não são, porém, meramente nominais as suas honras. Quando inferiores ou particulares encontram oficiais superiores, são obrigados a saudá-los com uma, duas, três ou quatro varadas n'água, com o varejão. O número de varadas obedece à hierarquia do indivíduo saudado o qual sempre retribui o cumprimento com uma única varada. A falta da continência é considerada, nessa comunidade aquática, indisciplina sujeita a certas penalidades. Entretanto, caso um canoeiro consiga passar à frente de um superior, por habilidade ou sorte, está isento da continência.

REMINISCÊNCIAS DE VIAGENS E PERMANÊNCIA NO BRASIL, II, 96-97. Pereira da Costa informa que a Corporação dos Canoeiros desapareceu com a inauguração da estrada de ferro ligando o Recife à Olinda, em junho de 1870 creio eu, e com ela as solenidades religiosas e populares a N. Sra. do Rosário em Olinda e a N. Sra. da Conceição no Recife, numa capelinha construída por eles na travessa da rua do Apolo, bairro de S. Frei Pedro Gonçalves, em 1851, e demolida em 1912. Essa curiosa saudação que o rev. Kidder registara em 1840 já não mais existe assim como a maioria dos toques de buzinha de chifre, flandres ou concha marinha entre as barcas que se encontravam nos grandes rios do Brasil. Ainda, vez por outra, reaparece a saudação mesmo reduzida a um simples grito, respondido imediatamente entre canoeiros, jangadeiros ou pequenas embarcações de cabotagem. Os sinais de bandeira e apitos de sirena vivem ainda entre navios e mesmo transatlânticos.

CASTELNAU

O conde Francis de La Porte de Castelnau nasceu em 1812 em Londres e faleceu em 1888 em Melbourne onde era Cônsul Geral da França. Viajante e naturalista, visitou demoradamente África e América do Norte, e a 17 de junho de 1843 chegava ao Rio de Janeiro, chefiando uma expedição científica francesa de caráter oficial destinada a estudar a bacia do Amazonas e suas comunicações com as regiões centrais. Castelnau era conhecido no mundo sábio pela sua "Histoire Naturele des animaux articulés", (Paris, 1840). Em outubro do mesmo 1843 iniciou a jornada para Minas Gerais, estudando-a, alcançando Goiás em Catalão, daí à capital, descendo o Araguaia e subindo o Tocantins, registando etnografia indígena, e vindo por terra a Goiás de onde viajou para Mato Grosso (Cuiabá) continuando pesquisas, aproveitando os rios Cuiabá e S. Lourenço e depois o Paraguai, visitando Corumbá, Albuquerque, Nova Coimbra de onde alcançou o forte Bourbon, em território paraguaio. O governo do Paraguai recusou-lhe autorização para prosseguir até Assunção. Castelnau voltou a Albuquerque, partiu para Miranda, percorrendo o mar de Xeráies, indo à Vila Bela (Mato Grosso) e daí, por Salinas, entrou na Bolívia a 22 de junho de 1845, depois de mais de dezessete meses de viagens no Brasil. Visitou Chuquisaca, Potosi, galgando a cordilheira dos Andes até La Paz e passou ao Peru, com o mesmo cuidado estudioso. De volta, na corrente do rio Amazonas, ainda no Urubamba, foi abandonado pelos seus guias e seu companheiro, o visconde Eugéne d'Osery, assassinado quando procurava Lima a fim de organizar socorros. Castelnau atravessou a Pampa del Sacramento, chegando às missões de Saraíacu e daí ao Pará, vencendo 800 léguas pelo rio. Do Pará regressou à Europa. Deu conta de sua missão com os 15 volumes da "Expédition dans le parties centrales de l'Amérique du Sud, de Rio de Janeiro a Lima, et de Lima au Pará, executé par ordre du Gouvernement Français, pendant des années 1843 a 1847, sous la direction de Francis de Castelnau", P. Bertrand, Paris, 1850-1857. A narrativa compreende os seis primeiros tomos, os dois iniciais dedicados ao Brasil. O conde de Castelnau em 1849 estava na cidade do Salvador como cônsul da França.

Bibliografia:

EXPEDIÇÃO ÀS REGIÕES CENTRAIS DA AMÉRICA DO SUL, tradução de Olivério M. de Oliveira Pinto, dois tomos, Brasiliana, n. 266, S. Paulo, 1949. Abrange a estada de Castelnau no Brasil até sua entrada na Bolívia em junho de 1845.

– Eleição do rei de Congo em Sabará.

De uma das janelas do salão foi-nos dado gozar de singular espetáculo: refiro-me à grande festa dos negros, reunidos para a eleição de um rei de Congo. Fazem todos os anos este extravagante carnaval, adquirindo o eleito grande influência sobre os companheiros. A cena era muito curiosa, misturando singularmente as reminiscências da costa africana com os costumes brasileiros e cerimônias religiosas. A princípio, o rei de Congo, em companhia de sua metade, vem ocupar uma das cadeiras postas de antemão para uso da corte. Ambos estão magnificamente vestidos, trazem coroas de prata maciça e cetros dourados. Um grande guarda-chuva os garante da influência da lua, que vem nascendo. Coisa digna de reparo, o rei traz uma máscara preta, como se tivesse receio de que a permanência no país lhe tivesse desbotado a cor natural. A corte, em cujos trajes se misturam todas as cores e os enfeites mais extravagantes, senta-se de cada lado do casal de reis; vem depois uma infinidade de outros personagens, os mais consideráveis dos quais eram sem dúvida grandes capitães, guerreiros famosos ou embaixadores de potências longínquas, todos paramentados à moda dos selvagens do Brasil, com grandes topetes de penas, sabres de cavalaria ao lado, e escudo no braço. Nessa balbúrdia, confundiam-se danças nacionais, de diálogos entre pessoas, entre estas e o rei ou entre o rei e a rainha, combates simulados e toda espécie de cambalhotas dignas dos macacos mais exercitados. A coisa mais divertida era porém um preto mascarado de branco, e vestido com a farda vermelha do soldado inglês; trazia um violão e era acompanhado por uma orquestra, por assim dizer, nacional. A escuridão acabou por encobrir estes personagens, que não poderiam querer mais do que nela se confundir.

– O duelo feminino entre as Guaicurus.

Aos Guaicurus moradores dos arredores de Albuquerque vieram juntar-se os que tínhamos encontrado em Coimbra. Preparavam-se todos para celebrar no dia seguinte uma festa solene. De fato, já na manhã de 14 (março de 1845) o grande largo da aldeia estava coalhado de índios, indo nós tomar os lugares que nos tinham sido reservados. Os Guaicurus fizeram um grande círculo em torno de nós. Ao cabo de poucos minutos, vimos duas mulheres sair de extremos opostos e se aproximaram uma da outra de punhos fechados e com os braços colados de encontro ao corpo; caminhavam lentamente, com os olhos enfurecidos e, de repente, atracaram-se violentamente, aos socos. Como não tardasse a correr sangue do rosto de uma das contendoras, um dos chefes se interpôs com uma vareta na mão, separando-as e dando a cada qual, com uma cabaça, um trago de cachaça. Vieram então os maridos consolar suas esposas, bebendo por sua vez. Sucederam-se vários combates semelhantes, ficando nós sabedores de que surgindo alguma disputa entre as mulheres do aldeamento, a solução do caso era deixada para a ocasião destas festas. Enquanto isso outras mulheres assumiram ares belicosos, entrando também na liça. Depois, dir-se-ia que o gosto pelos murros se tinha tornado epidêmico, a ponto de vermos meninos de sete anos realizarem façanhas capazes de fazer inveja aos jogadores de boxe ingleses.

– O JOGO DA ARGOLINHA ENTRE OS GUAICURUS.

Os festejos continuaram no dia seguinte (14 de março de 1845), talvez com menos originalidade, porém com maior graça do que no dia anterior. Um bando de índios montados a cavalo, quase nus e enfeitados de penas, tentavam arrebatar no galope com uma espécie de sabre de pau, um anel pendurado a três metros de altura, na ponta de uma corda. Os que conseguiam triunfar nesse exercício eram ruidosamente saudados pelos companheiros, vindo receber, vitoriosos, o seu prêmio em aguardente. Os menos felizes fugiam para o mato, por entre os apupos da assembleia.

EXPEDIÇÃO ÀS REGIÕES CENTRAIS DA AMÉRICA DO SUL, I, 171-172, II, 284-285. A eleição de Rei do Congo fora realizada em Sabará, na residência do Barão de Sabará, Manuel Antônio Pacheco, a 27 de dezembro de 1843.

WALLACE

Alfred Russel Wallace nasceu em Usk, Monmouthshire, Inglaterra, a 8 de janeiro de 1823, e faleceu em Brodstone, Dorset, a 7 de novembro de 1913. Em companhia de Henry Walter Bates (1825-92), entomologista famoso, veio para o Brasil, deliberado a estudar a natureza amazônica. De maio de 1848 a julho de 1852 visitou minuciosamente as províncias do Pará e Amazonas, fronteira venezuelana, colhendo extenso material botânico e especialmente zoológico, parte perdido num incêndio do navio que o levava à Inglaterra. Em 1853 publicou o seu A NARRATIVE OF TRAVELS ON THE AMAZON AND RIO NEGRO WITH AN ACCOUNT OF THE NATIVE TRIBES, com várias edições. Bibliografia vasta, nome de citação universal, Wallace, ao mesmo tempo que Charles Darwin, descobriu as leis do transformismo biológico. Visitou os Estados Unidos em 1887-88, pensionário do Governo Inglês desde 1881.

Bibliografia:

VIAGENS PELO AMAZONAS E RIO NEGRO — tradução de Orlando Tôrres, prefácio de Basílio de Magalhães. Col. Brasiliana. vol. 156. São Paulo, 1939.

Os trechos citados estão às pp. 109, 379 e 447.

NOTAS – CAXIRÍ, bebida fermentada de qualquer espécie de fécula, mas, de preferência, de farinha de mandioca, cozida antes, em beiju e desmanchada em água fria. Stradelli. ÍNDIOS UAUPÉS ou TARIANAS, são da família Aruaco, dando nome ao rio Uaupés, afluente do rio Negro. Ainda residem no aldeamento de Jaguareté-Cachoeira, hoje sede de uma missão Salesiana. Sobre JURUPARÍ, ver o capítulo que lhe dediquei no "Geografia dos Mitos Brasileiros"(*).

– As histórias cantadas dos negros de Mexiana.

Enquanto eu estava na ilha, uma criança de poucos meses de idade deveria ser batizada.

O batismo é considerado ali como uma das importantes cerimônias.

Assim, o pai e a mãe, com os avôs e as avós, saíram em uma canoa, para irem a Chaves, na ilha de Marajó, o lugar mais próximo onde havia um sacerdote.

(*) Edição atual – 3. ed. São Paulo: Global, 2002. (N.E.)

Gastaram três dias nessa viagem.

Na sua volta, trouxeram a notícia de que o padre estava doente, e não pôde, por isso, realizar-se a cerimônia. E, desta sorte, foram obrigados a trazer a pobre criança ainda pagã.

De conformidade com as suas ideias, se ela morresse, estaria na perdição eterna.

Na mesma noite, cantaram, durante umas três horas, com a sua música habitual, toda a história daquela jornada perdida.

Eu assim presumo, por ter apanhado alguns trechos, que eram aqui e acolá inteligíveis.

Sobre cada fato, entoam um verso, que é várias vezes repetido. Assim, um deles repentinamente prorrompia:

> – O padre estava doente, e não podia vir,
> O padre estava doente, e não podia vir.

Daí, durante algum tempo, só a música é que continuava, sem as vozes, dando tempo, assim, para que encontrassem outro fato e fixassem sobre o mesmo mais um verso.

Afinal, lá um deles continuou o assunto:

> – Ele disse para voltarmos no dia seguinte.
> – Para vermos se ele estava melhor.

Daí o coro:

> – Ele disse para voltarmos no dia seguinte,
> – Para vermos se ele estava melhor.

E, assim por diante, até o fim da história, o que me causou impressão, como provavelmente muito semelhante às tradicionais canções dos antigos bardos, que tornavam conhecidos, por esse meio, interessantes fatos, os quais eram cantados ao som de música e de maneira entusiástica e bem apropriada.

Em uma nação belicosa, o que logo era mais necessário relatar eram os efeitos de guerreiros arrojados, a derrota do inimigo, cantar os troféus da vitória, com o propósito de elevar ao mais alto nível o entusiasmo do auditório.

Algumas destas canções foram transmitidas de geração a geração, com a sua linguagem cada vez mais melhorada, reduzindo-se depois à escrita, e, por fim, juntando-se-lhe a rima.

E assim, afinal, construía-se um poema regular.

– A DANÇA DA COBRA.

A seguir, contudo, deram início a outro folguedo, que pode ser denominado a "dança da cobra".

Eles (*os indígenas do rio Uaupés, em Jaguarité*) haviam feito duas enormes cobras artificiais, de capim e de palha, enroladas em cipós, de 30 a 40 pés de comprimento e de cerca de um pé de diâmetro, com uma enorme cabeça de um feixe de folhas de embaúba (Cecropia), cada uma delas pintada com uma cor vermelha, muito viva, ficando assim muito parecida com um formidável réptil.

Dividiram-se em dois grupos separados, de 12 a 15 cada um, e, colocando as cobras sobre os ombros, começaram, então, a dançar. Imitavam, dançando, as ondulações da serpente, erguendo a cabeça ou encurvando a cauda das cobras. Ora as esticavam, ora as encolhiam, ficando, porém, as duas cobras sempre em paralelo uma com a outra.

E, assim, de cada vez, iam-se aproximando lentamente da porta da casa. Depois de várias evoluções, chegaram, afinal, com as cabeças das cobras até muito perto da porta; porém dali de novo se afastaram, e tornaram a aproximar-se várias vezes ainda.

O grupo, que estava dentro da maloca, havia concluído as suas primeiras danças.

Após outras aproximações, entraram os rapazes e meninos, então, na casa, com uma inesperada arremetida das cobras, e, de novo, se afastaram, indo um grupo para a esquerda e outro para a direita da sala.

Continuaram ainda os seus passos de avanço e de recuo, até que, afinal, tendo feito cada grupo um semicírculo, vieram a ficar face a face, frente a frente um do outro.

Neste momento, as duas cobras pareciam como que inclinadas a entrar em luta.

Não foi, porém, ainda desta vez.

Somente depois de muitos outros recuos, aos quais se seguiram estirões com a cabeça e com a cauda, foi que as cobras arremeteram uma contra a outra.

Após mais umas duas voltas na sala, ganharam então o terreiro da casa, concluindo-se assim o folguedo.

Esta dança, ao que parece, agradou muito a todos os espectadores. Durante todo esse tempo, fazia-se copiosa distribuição de *caxirí* a todos os presentes.

– Música do Diabo.

Também vi e ouvi, pela primeira vez, o *juruparí*, ou *música do diabo* dos índios, naquela taba.

Uma tarde os homens estavam a beber *caxirí*.

Um pouco antes do escurecer, ouvimos um som, como que de trombone e de baixos, vindo do rio, em direção à aldeia.

Algum tempo depois, surgiram oito índios, cada um dos quais tocava um instrumento parecido com o fagote. Traziam quatro pares de diferentes tamanhos dos ditos instrumentos, com os quais faziam uma música selvagem, porém agradável.

Todos tocavam os seus instrumentos ao mesmo tempo, constituindo o conjunto um concerto tolerável; a melodia era simples, mas demonstrava assim mais gosto pela música do que até então havia eu notado entre os selvícolas.

Os ditos instrumentos são feitos de cascas de árvore, enroladas em espiral, e têm um bocal, feito também de folhas.

À noite, fui à maloca, onde encontrei dois velhos que estavam tocando os instrumentos maiores, movendo-os de maneira singular, verticalmente ou para os lados, movimentos esses acompanhados de correspondentes contorsões do corpo. E assim, durante longo tempo, estiveram tocando uma sofrível melodia e acompanhando um ao outro muito corretamente.

Desde o momento em que começa a música, mulher alguma, velha ou moça, poderá permanecer ali, pois isso faz parte das estranhas superstições dos índios *uaupés*. Considera-se tão perigoso ver a mulher um daqueles instrumentos, que, quando assim acontece, ela é punida com a morte; e a execução de tal pena é, geralmente, por meio de envenenamento.

Ainda que os tenha visto acidentalmente, basta que se suspeite haja visto a mulher, mesmo inadvertidamente, algum dos vedados instrumentos, não se lhe concede mercê, sendo ela inexoravelmente condenada à pena capital. E dizem que os próprios pais têm sido os executores da morte de suas filhas ou os maridos os de suas próprias esposas, quando se dá tal caso.

Eu estava, de resto, ansioso para comprar alguns daqueles instrumentos, aos quais tão curiosos costumes se ligam, e falei ao *tuxáua* a esse respeito. Ele nos prometeu vender, mas quando eu regressasse, estipulando, porém, que deveriam ser embarcados a alguma distância da aldeia, para evitar-se o perigo de serem vistos pelas mulheres.

BATES

Henry Walter Bates nasceu em Leicester, Inglaterra, a 8 de fevereiro de 1825 e faleceu em Londres a 16 de fevereiro de 1892. Amigo pessoal de Alfred Russel Wallace foi seu companheiro de viagem ao Brasil para colher material zoológico e botânico destinado ao Museu de Londres. Chegaram a Belém do Pará a 28 de maio de 1848. Wallace regressou à Inglaterra a 12 de julho de 1852 e Bates ficou até 2 de junho de 1859 quando viajou para sua pátria, via New York. Ficara onze anos estudando flora e fauna amazônicas, enviando para os museus ingleses 14.712 espécies, sendo nada menos de 8.000 novas para a ciência. Publicou "The Naturalist on the river Amazons", Londres, 1863, dois tomos, ilustrados, amplamente elogiados por Charles Darwin. Há várias reedições. Entomologista eminente, Bates possuiu a melhor coleção do seu tempo, infelizmente dispersa por necessidade financeira. Secretário-assistente da Royal Geographical Society de Londres nestas funções faleceu. Seu livro, estudando o que ele denominara *Naturalist Paradise*, é vivo e movimentado, fixando deliciosamente o ambiente social em que viveu, aldeias, vilas e cidades, num contacto inteligente com todas as classes.

Bibliografia:

O NATURALISTA NO RIO AMAZONAS, tradução, prefácio e notas do prof. dr. Cândido de Melo Leitão, Brasiliana n. 237, dois tomos, São Paulo, 1944.

– Cantiga dos canoeiros do Amazonas.

Os canoeiros do Amazonas têm muitas cantigas e coros com os quais quebram a monotonia de suas lentas viagens, e que são conhecidas em todo o interior. Os coros consistem em uma só nota, repetida até o cansaço, e geralmente cantada em uníssono, mas às vezes com esboço de harmonia. As notas são rudes e tristes, harmonizando-se bem com as circunstâncias da vida dos canoeiros; o eco dos canais, as infinitas florestas sombrias, as noites solenes e as cenas desoladas das águas largas e tempestuosas e das terras caídas. É difícil dizer se elas foram inventadas pelos índios ou introduzidas pelos portugueses, pois muitos dos costumes das classes inferiores de Portugal são tão parecidos com os dos índios, que se misturaram com eles.

Um dos cantos mais comuns é muito agreste e lindo. Tem um refrão as palavras "Mãe, Mãe", demorando-se muito na segunda palavra. As estrofes são muito variáveis; o mais sabido a bordo puxa o verso, improvisando à vontade e os outros fazem o coro. Todos cantam a vida solitária do rio e as peripécias da viagem; os bancos de areia, o vento; onde pretendem parar para dormir, e assim por diante. Os sonoros nomes dos lugares, Guajará, Tucumanduba, etc., dão realce especial aos encantos da música selvagem. Às vezes se referem aos astros assim:

A lua está saindo.
Mãe, Mãe.

A lua está saindo.
Mãe, Mãe.

As sete estrelas estão chorando.
Mãe, Mãe.

Por se acharem desamparadas,
Mãe, Mãe.

– As festas populares de Santarém em 1849.

As festividades religiosas não eram tão numerosas como em outras cidades, e as que aí se realizavam eram muito pobres e mal frequentadas. Há uma bonita igreja mas o vigário mostrava pouco zelo pela religião, exceto quando o bispo vinha, de longe em longe, do Pará, em suas visitas pastorais pela diocese. O povo gostava tanto de um feriado aqui como em outras partes da província, mas parecia que se estava desenvolvendo o hábito de substituir divertimentos mais racionais às procissões e mascaradas dos dias santos. A gente nova gostava muito de música, sendo os principais instrumentos a flauta, o violino, o violão e uma pequena viola de quatro cordas, chamada *cavaquinho*. Durante a primeira parte de minha estada em Santarém, pequeno grupo de músicos, dirigidos por um mulato alto, magro e maltrapilho, que era entusiasta por sua arte, costumava frequentemente fazer serenatas aos seus amigos nas noites de luar, frescas e claras da estação seca, tocando marchas e músicas de dança, de autores franceses e italianos, com muito gosto. O violão era o instrumento favorito de ambos os sexos, como no Pará, mas o piano estava rapidamente tomando o seu lugar. As baladas cantadas com acompanhamento de violão não eram aprendidas de música escrita ou impressa, mas ensinadas oralmente de um amigo a outro. Nunca se falava delas como cantos, mas se chamavam *modinhas*, cada qual tendo seu dia, dando lugar à próxima favorita, trazida da capital por algum rapaz. Nos tempos de festa havia mascaradas, nas quais toda gente, velhos e moços, brancos, negros e índios tomavam parte com delícia. As melhores tinham lugar durante o carnaval, na semana santa e na véspera de S. João.

Os negros representavam nas ruas grande espetáculo semidramático no tempo de Natal. Os divertimentos mais seletos eram realizados pelos jovens brancos e os homens de cor associavam-se aos brancos. Um grupo de trinta ou quarenta moças e rapazes se fantasiavam, com muito gosto, de damas e cavaleiros, disfarçados com uma espécie de máscara de gaze. O bando, com um grupo de músicos, fazia o rodízio das casas de seus amigos à noite e regalava as muitas pessoas aí alegremente reunidas, com uma variedade de danças. As pessoas principais em cujas grandes salas de visitas tinham lugar estes festejos, pareciam apreciá-los muito. Faziam-se grandes preparativos e, depois das danças, hóspedes e mascarados recebiam bebidas e doces. Uma vez por ano é o turno dos índios, com suas mascaradas e danças indígenas, a que tive ocasião de assistir. Reuniam-se nos arrabaldes da cidade, vindos de vários pontos das circunvizinhanças, e à noite atravessavam as ruas, com archotes acesos, para o quarteirão habitado pelos brancos, para executar suas danças de caça e do diabo em frente das casas dos principais habitantes. Havia cerca de cem homens, mulheres e crianças. Muitos dos homens traziam magníficas coroas de penas, túnicas e colares manufaturados pelos Mundurucus, e usados por eles em ocasiões festivas, mas as mulheres estavam nuas até a cintura e os meninos completamente nus, todos pintados e untados de vermelho, com urucum. O chefe representava o papel de tuxáua, e carregava um cetro, decorado de penas alaranjadas, verdes e vermelhas, de tucanos e papagaios. Vinha em seguida o pajé, fumando longo charuto de tauari, instrumento com o qual ele faz suas maravilhosas curas. Outros soltavam notas estridentes, ásperas e desafinadas com o turé, uma buzina feita de um bambu comprido e grosso, com uma palheta no local. É essa a trombeta de guerra de muitas tribos de índios, com as quais as sentinelas das hordas depredadoras, trepadas em altas árvores, dão a seus camaradas sinal de atacar. Os brasileiros mais velhos, que ainda se lembram do tempo das guerras entre silvícolas e colonos, conservam verdadeiro horror ao turé, pois suas notas rudes e altas, ouvidas na calada da noite, foram muitas vezes o prelúdio de um assalto dos sanguissedentos Muras aos povoados dos arredores. O restante dos homens carregava arcos e flechas, feixes de javelinas, cacetes e remos. As crianças maiores traziam consigo seus chirimbabos; alguns tinham nos ombros macacos e coatis, e outros carregavam tartarugas na cabeça. As mulheres transportavam os filhos em aturás, ou grandes cestos, pendentes nas costas e seguros por larga faixa, feita de casca de árvores, que lhes cingia a fronte. Tudo era cuidadosa representação da vida dos índios que demonstravam mais engenho do que muitas pessoas lhes atribuem. Isto era feito por eles espontaneamente e apenas com o fito de divertir o povo da localidade.

– A Formiga de Fogo nasceu do sangue dos Cabanos mortos.

Aveiros foi chamado o quartel-general da formiga de fogo (*Myrmica rubra*), que pode ser chamada com razão o flagelo deste belo rio. O Tapajós está quase livre das pestes de insetos de outras partes, tais como mosquitos, borrachudos, mutucas e pinus; mas a formiga de fogo é talvez praga maior que todas as outras juntas... Aveiros foi abandonado alguns anos antes de minha visita, por causa deste pequeno flagelo... Parecem atacar as pessoas fora de casa por pura maldade... Declaram os habitantes que a formiga de fogo era desconhecida no Tapajós, antes das desordens de 1835-1836, e acreditam que tais hordas surgiram do sangue dos cabanos assassinados.

– O boto, conquistador feminino e tabu.

Contaram-me muitas histórias misteriosas do boto (como chamam ao grande golfinho do Amazonas). Uma delas falava do costume que tinha o boto de tomar as formas de bela mulher, de cabelos soltos, chegando até aos calcanhares, e que caminhava à noite pelas ruas de Ega, para seduzir os rapazes e levá-los para a água. Se algum se enamorava e a seguia até à beira d'água, ela abarcava a sua vítima pela cintura e mergulhava nas ondas com um grito triunfante. Nenhum animal do Amazonas é assunto de tantas fábulas como o boto; mas é provável que estas não tenham sido inventadas pelos índios mas pelos colonizadores portugueses. Só depois de muitos anos consegui que um pescador harpoasse botos para mim, pois ninguém mata estes animais voluntariamente, embora sua gordura forneça excelente azeite para as candeias. O povo supersticioso acredita que o emprego desse óleo nas candeias traria a cegueira. Afinal consegui o que queria com Carepira, oferecendo-lhe boa paga, num momento em que as suas finanças estavam muito por baixo; mas ele amargamente se arrependeu dessa façanha, declarando que a sua sorte o tinha abandonado desde esse momento.

O NATURALISTA NO RIO AMAZONAS, I, 183-184; II, 10-13, 93-95, 251--252. Sobre o boto, ver "Geografia dos Mitos Brasileiros", 167-194, Rio de Janeiro, 1947(*).

(*) Edição atual – 3. ed. São Paulo: Global, 2002. (N.E.)

SPRUCE

O inglês Richard Spruce demorou-se quinze anos no Amazonas, estudando botânica. Percorreu o rio Amazonas e seus tributários, o Trombetas, o rio Negro, o Uaupés, alcançando o Cassiquiare, o Pacimoni, Gualaga e Pastasa, o alto Orenoco, o Peru cisandino e os Andes do Equador. Ficara naquela região brasileira de 1849 a 1864. Rodolfo Garcia saúda-o afirmando: "Depois de Martius foi, sem contestação, o maior explorador da flora amazônica". Suas remessas encheram os museus da Inglaterra. Não chegou a ver impresso seu livro de viagem, editado e condensado pelo benemérito Alfred Russel Wallace que muito o elogia. Spruce faleceu em Londres, com idade avançada, no ano de 1893.

Bibliografia:

NOTES OF A BOTANIST ON THE AMAZON AND ANDES, edited and condensed by A. R. Wallace. Mac Millan & Co., Ltd., London, 1938. Dois volumes.

– Ouvindo o Uirapuru.

A *Tune-playing-bird*: um pequeno pássaro despertou-me o maior interesse, embora não o tivesse visto. É denominado UIRÁ-PURÚ, literalmente *pássaro pintado* e dizem ser do tamanho de um pardal. Como o senhor Bentes me prevenira eu iria certamente ouvi-lo nas cachoeiras e acrescentou: — "que ele cantava para todo o mundo como uma caixa de música". Daí eu estar sempre atento e um dia, afinal, ao meio-dia, na hora em que as aves e os animais estão mais silenciosos, tive o prazer de ouvi-lo bem próximo a mim. Eram inconfundíveis os claros sons metálicos, exatamente modulados como por um instrumento musical. As frases eram curtas mas cada uma incluía todas as notas do diapasão e depois de repetir a mesma frase umas vinte vezes, passava subitamente para outra, de quando em vez com a mudança de clave de uma quinta maior, e prosseguia por igual espaço. Normalmente fazia uma breve pausa antes de mudar de tema. Eu já o escutava há bastante tempo quando me ocorreu a ideia de fazer a transcrição musical. A seguinte frase é a mais frequente:

Simples como esta música era, vinda de um músico invisível no fundo da mata selvagem, de uma magia que me encantou quase uma hora. Então, bruscamente, parou, para recomeçar tão longe que mal pude percebê-la a extinguir-se.

NOTES OF A BOTANIST ON THE AMAZON AND ANDES, I, cap. III, "An excursion to Obidos and the river Trombetas (Nov. 19, 1849 to Jan. 6, 1850)", 101-102. Spruce foi o primeiro a descrever e registar o canto mágico do Uirapuru. Indicam no Amazonas vários pássaros como sendo o legítimo, Pipras, Tirannus, Chiroxiplia, etc. Quando canta dizem que todas as aves se agrupam ao derredor para ouvi-lo. É o mais poderoso amuleto para felicidade nos negócios, jogos, amores, etc., conforme o *preparo* pelo Pajé que o vende ressequido e deformado. Usam-no enterrar na soleira da porta, guardá-lo nos cofres ou gavetas comerciais, conduzi-lo no bolso. Ver UIRAPURU no "Dicionário do Folclore Brasileiro"(*).

(*) Edição atual – 12. ed. São Paulo: Global, 2012. (N.E.)

BIARD

François-Auguste Biard nasceu a 8 de outubro de 1798 em Lyon, e faleceu a 22 de junho de 1882 em Plâtrereis, perto de Fontainebleau. Pintor de mais originalidade que talento, viajou toda Europa a procura do pitoresco, e desenhou figuras de árabes do deserto, felás do Egito, negros da África, homens da Lapônia e da Groenlândia, elegantes de Paris e de Londres. Possuía estilo agradável e leve mas superficial e fácil, prejudicando a possível veracidade pelo irresistível humorismo. Chegou ao Rio de Janeiro a 5 de maio de 1858 e de Belém do Pará regressou à Europa, em novembro de 1859, via New York, de onde passou ao Canadá, e daí, à França. Publicou o "Deux années au Brésil". L. Hachette et Cie. Paris, 1862, julgado insultuoso e agressivo mas apenas se trata de uma exageração para efeitos literários. Sem nenhuma preparação técnica, Biard, o *sô Biá* dos caboclos, gostava de colecionar pássaros, conchas, peles de animais vistosos. Seu livro carece de qualquer importância científica. Do Rio de Janeiro foi ao Espírito Santo, caçando no rio "Sangaçu" e, voltando à capital do Império, viajou para o extremo norte, passeando em Belém do Pará indo a Manaus e realizando uma atribulada expedição ao baixo Madeira, de onde reganhou Belém, esgotado, doente e mal-humorado. No Rio de Janeiro pintara retratos da Família Imperial.

Bibliografia:

DOIS ANOS NO BRASIL, tradução de Mário Sette, Brasiliana, n. 244, S. Paulo, 1945.

– CANTO DOS CARREGADORES NEGROS.

Logo que cheguei aqui tive de interromper, um dia, o que estava fazendo, impelido pela curiosidade; ouvira uns sons estranhos de uma ponta à outra da rua: era apenas uma mudança. Cada negro conduzia um móvel, grande ou pequeno, leve ou pesado, conforme a sorte de cada um; e esses carregadores executavam sua tarefa obedecendo a um certo ritmo, entoando um canto, gutural por vezes, em que uma ou duas sílabas eram repetidas. Havia alguns que transportavam barris vazios três vezes maiores que as suas pessoas, e, no fim de tudo, vinha um piano de cauda carregado por seis homens, em duas filas. Na primeira, um dos portadores, com funções de chefe de orquestra, trazia na mão uma espécie de ralo de regador, dentro do qual se chocavam pedrinhas e com esse instrumento o negro marcava o compasso. Como de hábito entre os negros os objetos transportados vão equilibrados às cabeças, sem se tornar necessário o auxílio das mãos para sustentá-los.

– A PROVA DAS FORMIGAS NA HABILITAÇÃO MATRIMONIAL.

À noite, mal eu ia adormecendo, despertou-me um ruído constante e desagradável. Havia um belo luar. Embora doente, a curiosidade me espicaçou e arrastando-me quase, de fuzil na mão, pude assistir a um estranho espetáculo que a princípio não compreendi. Contudo fui sentar-me com os outros espectadores. A música compunha-se de tambores e de um instrumento cujos sons pareciam de um flautim. Todos os índios estavam abancados em forma de círculo, no meio do qual um rapaz de 17 a 18 anos, de pé, despertava a atenção geral. Nada tinha de notável, se não no braço direito, em lugar da manga, um "tiptip" (*lê-se tipiti*), ou seja, um canudo de flandres que se espichava ou se encolhia à vontade. Servem-se dele os índios para amassar a farinha de mandioca. Existem alguns enormes, mas o do rapaz era do tamanho do braço e estava bem amarrado ao ombro. Sem entender nada daquilo, pus-me a esperar o seu desfecho. Ao cabo de meia hora, o rapaz, em cujo rosto não pude descobrir qualquer emoção, viu-se livre do tal canudo. O braço ficara-lhe horrivelmente inchado e foi com espanto indescritível que vi saírem do canudo grande quantidade de formigas volumosas e das mais mordedoras. Rodearam o mártir e levaram-no a uma casa vizinha ao som da música. Ao passar esta perto de mim, verifiquei de que eram feitos os instrumentos que produziam sons tão melodiosos: ossos de defuntos, não havia dúvida, e enfeitados com grandes asas de insetos. Os tocadores traziam-nos pendurados aos pescoços por cordões. Explicou-me então meu amigo João que esse rapaz desejando casar-se, fora submetido a uma costumada experiência. A paciência que demonstrara no sofrimento acreditara-o para o casamento.

– O SACRIFÍCIO DAS VELHAS NA PREPARAÇÃO DO CURARE.

Sabe-se que, em todas as cerimônias dos selvagens, as mulheres representam os primeiros papéis. Não sei se será uma maneira de distingui-las ou não. Já as vira dançar diante de São Benedito; aqui se encarregam da missão mais importante de fabricar o curare e desde logo estão com a vida condenada: devem morrer. Um dia toda a tribo se reúne e amontoam galhos de árvores secas num pátio. Velhas índias ateiam o fogo e o mantêm vivo durante três dias. Duas varas presas ao alto são fincadas no chão e delas pende uma grande panela. Separados em dois grupos, vão os homens cortar as matas, os cipós venenosos com os quais o curare é em parte preparado: outros enchem no rio vasilhas com água que trazem solenemente, assim como os cipós, para o pátio onde as vítimas devem permanecer até que termine a fabricação. Cantam em voz baixa: "Morrerão também assim os que forem feridos por nossas flechas". Cada um toma seu lugar na roda formada pela tribo, desde o primeiro dia, perto do local em que as velhas deitaram dentro da grande panela os cipós, água e outras substâncias desconhecidas cujos nomes João não pode ou não me quis revelar. No segundo dia o fogo é mais intenso e as exalações que se escapam da panela fazem a roda afastar-se mais. Ao terceiro dia há uma imensa fogueira. Mas ao entardecer as chamas extinguem-se aos poucos, a fumaça venenosa dissipa-se; a obra misteriosa está concluída, o veneno é bom e as velhas estão mortas.

DOIS ANOS NO BRASIL, 49, 262-263, 265-266. Os indígenas que deram motivos ao Biard são Mundurucus.

EXPILLY

Jean-Charles-Marie Expilly nasceu em 1814 em Salon, Bouches-du-Rhône, França, e faleceu em 1886 em Tain, Drôme. Jornalista e romancista, devoto das doutrinas liberais, exaltado, declamatório, melodramático, abandonou a França depois do golpe de Estado do presidente Luís Napoleão em 1851 e veio tentar *faire la Amérique* nas repúblicas do Prata e no Brasil que não o agradou, apesar do carinho imperial para com os estrangeiros. Foi diretor de uma fábrica de fósforos no Rio de Janeiro e nunca conquistou projeção e notoriedade o que parecia exasperá-lo. Adversário tenaz da escravidão negra, explicava por esse elemento todos os aspectos desagradáveis do país. Trazia a ideia de um estabelecimento de educação profissional para as filhas pobres dos funcionários públicos. Não houve clima para a excelente iniciativa por falta de competência legal e seu autor zangou-se com o Brasil e com os brasileiros. Voltou para a França mesmo durante o império de Napoleão III e não cessou de publicar livros pintando de negro, revoltado e furioso, a terra em que vivera e lhe dera uma filha. Assim, "Le Brésil tel qu'il est", Dentu, Paris, 1862, com três edições, "Les Femmes et les moeurs du Brésil", Dentu, Paris, 1864, e vários outros desfavoráveis aos aliados contra o Paraguai, contra a colonização, tráfico comercial, emigração, etc., provocando respostas apaixonadas e virulentas ("O charlatão Carlos Expilly e a verdade sobre o conflito entre o Brasil, Buenos Aires, Montevidéu e o Paraguai", Dr. J. Antônio Pinto Júnior, S. Paulo, 1866, a de João Carlos Moré, Porto Alegre, 1868, etc.). Conseguiu fazer-se nomear comissário adjunto de Emigração no Havre (1866) e depois em Marselha (1868).

Bibliografia:

MULHERES E COSTUMES DO BRASIL, tradução de Gastão Penalva, Brasiliana, n. LVI, S. Paulo, 1935. O trecho citado está às pp. 366-369.

– O CAFUNÉ.

Sempre se falou da indolência das crioulas e do seu amor pelo *farniente*. Suas paixões ardentes serviram de assunto a bons romances realistas e interessantes estudos. Nenhum escritor, que eu saiba, assinalou a volutuosidade estranha que elas encontram na prática do *cafuné*. Que é o Cafuné? O Cafuné é, para as senhoras brasileiras, o que é o banho para as mulheres submetidas ao despotismo oriental: uma distração e um prazer. À hora do grande calor, quando o mover-se ou mesmo o falar é uma fadiga, as senhoras, recolhidas ao interior dos aposentos, deitam-se ao colo da mucama favorita, entregando-lhe a cabeça. A mucama passa e repassa os seus dedos indolentes na espessa cabeleira que se desenrola diante dela. Mexe em todos os sentidos naquela luxuriante meada de seda. Coça delicadamente a raiz dos cabelos, beliscando a pele com habilidade e fazendo ouvir, de tempos a tempos, um estalido seco entre a unha do polegar e do dedo médio. Esta sensação torna-se uma fonte de prazer para o sensualismo das crioulas. Um volutuoso arrepio percorre os seus membros ao contacto dos dedos acariciadores. Invadidas, vencidas pelo fluido que se espalha em todo o seu corpo, algumas sucumbem à deliciosa sensação e desfalecem de prazer sobre os joelhos da mucama. É a isto que se chama *cafuné*, ou coçar a cabeça, o que oferece uma infinita atração às preguiçosas senhoras. São, sobretudo, as mulheres pertencentes às classes inferiores que nutrem um gosto apurado por este esquisito entretenimento. Elas pensam que isto lhes facilita a digestão, porque o fazem ordinariamente depois das refeições. A boa sociedade, particularmente a do Rio, mais afeita às ideias europeias, embora não renuncie ao *cafuné*, não o pratica senão às escondidas, longe de olhares importunos. Nas províncias, nas fazendas, são menos escrupulosas. Lá, na ocasião das solenidades religiosas ou nacionais que servem de motivo aos banquetes e às festas, que duram muitas vezes vários dias a seguir, não é raro ver-se uma meia dúzia de senhoras recostarem-se negligentemente aos espaldares das cadeiras, entregando a cabeça a uma jovem escrava, enquanto a conversa prossegue seu curso. Não posso, porém, deixar de afirmar que o *cafuné* tem seus partidários entusiastas como, entre nós, o baile e o teatro. Atinge mesmo as raias de verdadeira ciência, e conta professores eméritos. Todas as mucamas são obrigadas a fazer uma longa aprendizagem antes de penetrarem na intimidade das senhoras. Mas logo que se lhes reconhece a habilidade, elas nunca mais as dispensam. Mesmo os homens não desdenham, durante as horas de lazer, a carícia de uns dedos ágeis, afagando as suas cabeleiras. Um delicioso arrepio corre-lhe pelo corpo, cada vez que sentem o ruído significativo das unhas das mucamas, a que acima me referi. Poderei citar um senhor casado com uma mulher pequenina, graciosa, espiritual e delicada, quanto possível. Sem ser bonita, tinha tudo para agradar, e ainda mais, amava seu marido. Pois bem. Esse desgraçado abandonava a sua gentil companheira e sacrificava-se por uma negra medonha, que exalava um cheiro abominável de almíscar e de catinga, simplesmente por ser a escrava que melhor lhe fazia o *cafuné*.

Sobre o assunto ver Roger Bastide, "Psicanálise do Cafuné", 55-57. Ed. Guaíra, Curitiba, 1941 e o verbete *Cafuné* no "Dicionário do Folclore Brasileiro"(*).

(*) Edição atual – 12. ed. São Paulo: Global, 2012. (N.E.)

AGASSIZ

Jean Louis Rodolfo Agassiz nasceu em Motier Friburgo, Suíça, a 28 de maio de 1807 e faleceu em Cambridge, Estados Unidos, em 14 de dezembro de 1873. Estudou nas Universidades suíças e alemãs, descrevendo, a convite de von Martius, os peixes que Spix levara do Brasil. Fixou-se em 1846 nos Estados Unidos, naturalizando-se americano vinte anos depois. Teve vida prestigiosa nas Universidades locais. Um milionário, Natanael Thayer, financiou sua viagem ao Brasil, realizada com brilho, auxiliada por companheiros de alto merecimento cultural. Sua segunda esposa, Elizabeth Cary Agassiz, é a verdadeira autora do volume de viagens ao Brasil. O marido escreveu anotações em um ou outro capítulo. O livro, A JOURNEY IN BRAZIL, saiu em Boston, 1868, e no ano seguinte apareceu a versão francesa de Félix Vogeli, Paris.

A bibliografia de Agassiz é variada e rica.

Bibliografia:

VIAGEM AO BRASIL (1865-1866) — por Luiz Agassiz e Elizabeth Cary Agassiz, tradução de Edgar Sussekind de Mendonça. Col. Brasiliana, vol. 95. São Paulo, 1938.

Os trechos estão às pp. 396-399 e 451-542.

– A HISTÓRIA DO POVO MUNDURUCU.

O major Coutinho nos informa que a tatuagem nada tem de arbitrário e não depende do capricho individual; seu modelo é dado para ambos os sexos e não varia na mesma tribo. É desta ou daquela forma, conforme as castas, cujos limites são muito definidos, e conforme a religião. Há a respeito uma lenda infantil e inconsequente, como todas as fábulas primitivas.

O primeiro homem, Caro Sacaibu, era também Deus; seu poder se achava dividido com seu filho e um ente inferior chamado Rairu. Embora este fosse seu primeiro ministro e executor de suas ordens, Caro Sacaibu detestava Rairu. Para dele se desfazer, imaginou, entre outros estratagemas, o seguinte: fabricou uma imagem de tatu e enterrou-a completamente no solo, só deixando de fora a cauda. Besuntou essa mesma cauda com um óleo que adere fortemente às mãos quando nele se pega, e, feito isso, ordenou a Rairu que retirasse o animal do buraco em que estava meio enterrado, e o levasse para ele. Rairu puxou a imagem pela cauda, mas não conseguiu mais retirar a sua mão, e o tatu, dotado de repente de vida pelo Deus, afundou na terra carregando Rairu consigo. A lenda não diz como este conseguiu voltar à região superior, mas, como era um espírito de grande imaginação, reapareceu sobre a terra. Na sua volta, informou a Caro Sacaibu que descobrira nas profundezas uma multidão de mulheres e homens, acrescentando que seria excelente fazer-lhes sair dali para cultivar a terra e retirar os produtos do solo. Essa opinião parece que foi favoravelmente recebida por Caro Sacaibu. Plantou uma semente, e dessa semente saiu o algodoeiro, e foi esta, segundo a fantástica lenda, a origem do algodão. O arbusto cresceu e se foi desenvolvendo; dos pelos macios contidos no seu fruto, Caro Sacaibu fez um longo fio na ponta do qual amarrou Rairu e o fez descer novamente às profundezas subterrâneas pelo mesmo buraco que já servira para nelas entrar. Uma vez aí, o ente inferior apanhou os homens que foram içados para a superfície por meio do fio. O primeiro que saiu do buraco era feio e pequeno, e só aos poucos é que foram aparecendo pessoas mais bem aparentadas; finalmente surgiram homens de formas graciosas e elegantes mulheres dotadas de beleza. Infelizmente, quando isto se deu o fio já estava muito usado; muito fraco para suportar um grande peso, rompeu-se, e a maioria dos homens bem constituídos e das mulheres belas caíram no fundo do abismo e se perderam. Por essa razão é que a beleza é coisa tão rara neste mundo. Caro Sacaibu escolheu então a população que tirara das entranhas da terra, dividiu-a em diferentes tribos, marcando cada uma com a sua cor e com seu desenho diferente, por elas conservada sempre depois disso, e distribuiu-lhes ocupações diversas. No fim só restou um rebotalho composto dos mais feios, mais fracos e mais miseráveis representantes da raça humana. A estes, disse Deus, traçando-lhes no nariz uma linha vermelha: "Não sois dignos de ser homens ou mulheres; ide e sede animais!". E eles foram mudados em aves, e, desde esses tempos, os *mutuns* erram com o seu bico vermelho pelas grandes matas soltando gemidos plangentes.

NOTAS — Nome genérico para várias espécies de mamíferos Xenartros, da família Dasipódida, TATU. O MUTUM é denominação para muitas espécies de aves do gênero Crax.

Os MUNDURUCUS são indígenas de raça Tupi, espalhados entre os rios Madeira e Tapajós.

O *major Coutinho*, João Martins da Silva Coutinho, foi explorador e naturalista brasileiro, modesto e eficiente.

— Agassiz, santo de cinco minutos.

Os brasileiros têm paixão por esse gênero de diversão *(jogos de sociedade)* e nele empregam ao mesmo tempo muito espírito e muita animação. Um dos mais comuns é o chamado *mercado de santos.* É muito divertido quando as pessoas que fazem os papéis principais põem neles um pouco de espírito. Um faz de vendedor; outro, o padre que quer comprar um santo para a sua capela; os santos são representados pelas pessoas restantes que tampam o rosto com lenços e devem ficar completamente imóveis. O vendedor encarece o artigo ao cura, e, levando o freguês diante de cada santo, descreve-lhe as miraculosas e extraordinárias qualidades, suas vidas exemplares e como piedosamente morreram. Depois de algumas dessas descrições retira-se o lenço, e, se o santo, conservando-se impassível, ou sem pestanejar e sem rir de todas essas coisas engraçadas que se dizem a seu respeito, está livre e retira-se; do contrário, paga uma multa. Bem poucos são os que resistem à prova, pois se o pseudovendedor tem espírito, sabe tirar proveito de todo incidente burlesco ou pôr em evidência um traço característico da pessoa que está na berlinda. Talvez o leitor, que não ignora a nossa caça às geleiras, possa reconhecer o santo que o major Coutinho está oferecendo: "Este, senhor Padre, é um santo de fama; mas tem intenções as mais piedosas! É, ó meu Padre, um maravilhoso fazedor de milagres; enche de gelo todos esses vales, cobre de neve nossas montanhas nos dias mais quentes do ano, transporta as pedras da serra para o fundo dos vales, encontra animais nas entranhas da terra e reconstitui os seus esqueletos. — Ah! responde o cura, é um grande santo realmente; é o que convém para a minha igreja. Deixe-me ver o rosto". O lenço caiu e o santo necessariamente pagou a multa.

NOTAS — Essa brincadeira do "mercado de santos", em que Agassiz tomou parte, realizou-se em Monguba, no Ceará, na residência do sr. Franklin de Lima. Outrora os jogos de prendas, por influência de hábitos portugueses, especialmente na segunda metade do século XVIII, eram indispensáveis nas reuniões familiares. São infinitos em número e, vez por outra, reaparecem nas cidades do interior do Brasil, quando há reunião e não há música para o baile.

AVÉ-LALLEMANT

Robert-Christian-Berthold Avé-Lallemant nasceu em Lübeck, Alemanha, a 25 de julho de 1812 e faleceu na mesma cidade a 10 de outubro de 1884. Estudou em Halle e Heidelberg, formando-se em Medicina. Clinicou no Brasil em 1838-1855, regressando à Europa. Recomendado por Alexandre von Humboldt fez parte da expedição da fragata austríaca "Novara", ficando no Rio de Janeiro em 1857. Visitou as províncias meridionais até o Rio Grande do Sul e depois as do norte, subindo o Amazonas à Tabatinga. Essas jornadas determinaram seus livros, *Reise durch Sud-Brasilien in Jahre 1858* (Leipzig, 1859), dois tomos, e *Reise durch Nord-Brasilien in Jahre 1859* (Leipzig, 1860), dois volumes, traduzidos e impressos pelo Instituto Nacional do Livro, Rio de Janeiro, 1953 e 1961. Percorreu a Itália e o Egito, divulgando impressões, e é autor de um estudo sobre Luís de Camões (Leipzig, 1879). Escreveu a terceira parte da biografia von Humboldt, a residência em Paris. Além de suas relações de viagens, movimentadas e sugestivas pela variedade dos motivos fixados, divulgou outros estudos sobre assuntos brasileiros: – *Am Mucuri. Ein Waldgeschicte aus Brasilien*, Hamburgo, 1859 (A Mucuri. Pelo interior da floresta brasileira); *Tabatinga em Amazonenstrom. Eim Vortrag*, Hamburgo, 1863 (De Tabatinga ao Amazonas, rio acima); *Wanderungen durch die Planzelwelt der Tropen*, Breslau, 1880 (Peregrinações no mundo das plantas tropicais).

– MATE, SÍMBOLO DE IGUALDADE SOCIAL (1858). RIO GRANDE DO SUL. PARANÁ.

"O símbolo da paz, da concórdia, do completo entendimento – o mate! Todos os presentes tomaram mate. Não se creia todavia que cada um tivesse sua *bomba* e sua *cuia* próprias; nada disso! Assim perderia o mate toda sua mística significação. Acontece com a cuia de mate como à tabaqueira. Esta anda de nariz em nariz e aquela de boca em boca. Primeiro sorveu um pouco um velho capitão. Depois um jovem, um pardo decente – o nome de mulato não se deve escrever –; depois eu, depois o *spahi*, depois um mestiço de índio e afinal um português, todos pela ordem. Não há, nisso, nenhuma pretensão de precedência, nenhum senhor e criado; é uma espécie de serviço divino, uma piedosa obra cristã, um comunismo moral, uma fraternização verdadeiramente nobre, espiritualizada! Todos os homens se tornam irmãos, todos tomam mate em comum! Quem o compartilha pela primeira vez, julga estar numa loja maçônica. O erudito clássico vê, na pequena cuia, a edição in-doze da *mystica vannus* dos tempos pré-cristãos e o domínio da loura Ceres"... "Mate, mate e mais mate! Essa a senha no planalto, a senha nas terras baixas, na floresta e no campo. Distritos inteiros, aliás, províncias inteiras, onde a gente desperta com o mate, madraceia o dia com o mate e com o mate adormece. As mulheres entram em trabalho de parto e passam o tempo de resguardo sorvendo mate e o último olhar do moribundo cai certamente sobre o mate. É o mate a saudação da chegada, o símbolo da hospitalidade, o sinal de reconciliação. Tudo o que em nossa civilização se compreende com amor, amizade, estima e sacrifício, tudo o que é elevado e profundo e bom impulso da alma humana, do coração, tudo está entretecido e entrelaçado com o ato de preparar o mate, servi-lo e tomá-lo em comum. A veneração do café e o perfumado fetichismo do chá nada são, nem sequer dão uma ideia da profunda significação do mate, na América do Sul, que não se pode descrever com palavras, nem cantar, nem dizer, nem pintar, nem esculpir em mármore. Comparativamente, nada é o célebre *There none of beauties daughters* de Byron. Sim, tivesse Moore conhecido o mate, a sua amável Peri teria reconquistado as portas do paraíso e a felicidade dos imortais com o mais belo que há, com um maravilhoso diamante, uma gota de mate!"

VIAGEM PELO SUL DO BRASIL, 1º, 191; 2º, 251-252, Rio de Janeiro, 1953. Tradução de Teodoro Cabral.

– O SABIÁ CANTANDO...

O sol da tarde derramava maravilhosas luzes e espessas sombras sobre a água e a floresta. Os cimos das árvores abrasavam-se no arrebol do poente; brilhavam os japus com mais fulgor nas suas habitações aéreas, e por toda a parte trauteava o sabiá a melodia de seu saudoso canto. O sabiá! Este é para o Brasil o pássaro cantor da elegia, do amor e da saudade, ele e as palmeiras são o símbolo da Terra de Santa Cruz, da qual diz o poeta inspirado:

Minha terra tem palmeiras
onde canta o sabiá!

O sabiá é uma espécie de melro, que faz ouvir por toda parte melodioso canto; fala ao ouvido e ao coração, conforme o humor deste, quando a melodia penetra no primeiro. A melodia é a seguinte, conforme anotei na canoa:

cujo *leitmotiv* é assobiado "com graça *ad infinitum*" ou interrompido e repetido depois muitas vezes, como se o pássaro cantasse em sonhos ou uma ideia o tivesse interrompido.

Não tardam, porém, a misturarem-se outras vozes da floresta aos jambos flauteados do pequeno cantor. Muitos anus ou crotófagos saltitavam, gritando dum lado para outro; pica-paus praticavam seus últimos bate-bates nos troncos; as araras atrasadas gritavam aos pares no ar; o macuco, um *cripturus*, fez ouvir seu assobio estridente. E, quanto mais escuro ficava, parecia que toda a floresta queria ficar acordada durante as próximas horas.

VIAGEM PELO NORTE DO BRASIL, 1º, 97. Rio de Janeiro, 1961. O viajante ouve o sabiá ao anoitecer de 28 de dezembro de 1858, descendo o Rio Pardo, na Bahia. Tradução de Eduardo de Lima Castro.

– O ÓCULO DEVASSADOR.

Em cima, diante da maloca mesmo, estava enfileirada toda a "indiana", homens, mulheres e crianças. Acenavam, saudavam e riam, contentes e desembaraçados. Quando, porém, assentei meu óculo para elas, todas as mulheres meteram as saias entre as pernas apertando-as com as mãos em cima, a maioria acocorou-se mesmo em fila, como uma linha de atiradores em exercício. E quando eu, no meio duma risada geral, perguntei aos meus companheiros de viagem o que significava aquilo, disseram-me que tinham feito crer às mulheres ticunas, que se podia ver com um óculo através das roupas das raparigas e das mulheres. Por isso procuraram tornarem-se quanto possível invisíveis quando me viram assentar o óculo. A cena foi realmente divertida e provocou o riso de ambos os lados, tanto em terra como a bordo. Gente simples e realmente ingênua! Acreditavam em tudo o que lhes impingiam, até mesmo o mais inverossímil.

Opus cit., 2º, 171-172. O episódio verificou-se no rio Içá, Amazonas, julho de 1859, numa aldeia dos ticunas "civilizados", com o pudor na possível visão indiscreta do corpo nu. Seria mesmo uma insinuação dos companheiros de Avé-Lallemant ou crença já existente? A. C. Simoens da Silva informa semelhantemente entre a população mestiça de Cuiabá, em Mato Grosso; "Cartas Mato-grossenses", Rio de Janeiro, 1927.

– O Bumba de Manaus (1859).

Vi um outro cortejo, logo depois de minha chegada, desta vez em homenagem a S. Pedro e S. Paulo. Chamaram-no bumba.

De longe ouvi de minha janela uma singular cantoria e batuque sincopados. Surgiu no escuro, subindo a rua, uma grande multidão que fez alto diante da casa do Chefe de Polícia, e pareceu organizar-se, sem que em nada se pudesse reconhecer. De repente as chamas dalguns archotes iluminaram a rua e toda a cena. Duas filas de gente de cor, nos mais variegados trajes de mascarados, mas sem máscaras — porquanto caras fuscas eram melhores — colocaram-se uma diante da outra, deixando assim um espaço livre. Numa extremidade, em traje índio de festa, o tuxáua, ou chefe, com sua mulher; esta era um rapazola bem proporcionado, porque mulher alguma ou rapariga parecia tomar parte na festa. Essa senhora tuxáua exibia um belo traje, com uma sainha curta, de diversas cores, e uma bonita coroa de penas. O traje na cabeça e nos quadris duma dançarina atirada teria por certo feito vir abaixo toda uma plateia em Paris ou Berlim. Diante do casal postava-se um feiticeiro, o pajé; defronte dele, na outra extremidade da fila, um boi. Não um boi real, e sim um enorme e leve arcabouço dum boi, de cujos lados pendiam uns panos, tendo na frente dois chifres verdadeiros. Um homem carrega essa carcaça na cabeça, e ajuda assim a completar a figura dum boi de grandes dimensões. Enquanto o coro acompanha o compasso do batuque, entoando uma espécie de *bocca chiusa* monótona, o pajé, o feiticeiro, avança em passo de dança para o seu par e canta:

O boi é muito bravo
Precisa amansá-lo.

O boi não gosta disso e empurra com os chifres seu par, também dançando, para trás, para o lugar do tuxáua. Mas, com a mesma fórmula amansadora, o pajé dança e empurra o boi novamente para trás; e depois este o pajé, e assim durou a singular dança, em meio de toda sorte de voltas e trejeitos de ambos os atores, diante de cuja exibição, mesmo o mais mal-humorado dos solteirões não poderia ficar sério por muito tempo e indiferente ao ritmo do macará e ao canto dos circunstantes. Por fim, o boi fica manso, quieto, absorto, desanimado, cai por terra, e no mesmo instante tudo silencia. Reina em volta um silêncio de Morte! Que aconteceu ao boi? Está morrendo ou já morto, o bom boi, que ainda há pouco representava tão bem seu papel? Chamam depressa outro pajé para socorrê-lo; dantes iam mesmo buscar um padre, que devia meter-lhe na boca o santo viático. Isso, porém, é proibido agora, e tem de contentar-se com o pajé. Este começa a cantar diante do boi uma melodia muito sentida que, porém, não produz efeito. O boi não se mexe. Ensaia uma melodia esconjuratória ainda mais eficaz, mas em vão; o boi, imóvel! E depois de sozinho, nada ter conseguido, toda a companhia ajuda, infelizmente, porém, com o mesmo resultado. O boi está morto.

Irrompeu então, acompanhada de cânticos, uma dança de roda, em saltos regulares e cadenciada, que exigia certamente apurado estudo e ensaios. As mãos na cintura, formando uma longa cadeia, todos os dançarinos dão a um tempo um passo para a frente e outro para trás com o pé direito, fazem então a pausa dum compasso inteiro, e repetem os mesmos movimentos com o pé esquerdo, com graciosos meneios do corpo para o lado que faz os movimentos. Dançam assim em volta do centro, perto dos archotes atirados junto do boi, o que faz com que os variegados vultos animados produzam maravilhosos efeitos de luz. Cantam particularmente sobre a palavra *lavandeira*, como pronunciam o vocábulo lavadeira, que lhes dá um lenço limpo, para que se possam fartar de chorar, e que provavelmente deverá lavar também o boi. O pajé, porém, canta sempre, nos intervalos, versos aparentemente improvisados, exatamente como num descante vienense, levando nisso muito tempo. E como, por fim, todos devem estar convencidos da triste realidade da morte do boi, decidem-se, como último grande ato, por uma intimação geral cantada:

......................chora
O boi já vai-se embora.

isto é, vai ser enterrado.

E partem, cantando e batucando, com o seu boi, enquanto este, exatamente como um herói morto de teatro, depois de cair o pano, resolve, por uma louvável consideração, acompanhá-los com os próprios pés, isto é, com os que o tinham trazido; para na primeira esquina, e assim repetidamente, até altas horas, correndo cinco ou seis vezes na mesma noite.

Até onde se vislumbram aí, o espírito e alusão ou reminiscência duma antiga festa na selva, não posso dizer. Para mim, porém, representava, com seus coros e saltos cuidadosamente cadenciados, algo atraente, algo de lídima poesia selvagem. Se o boi parece representar um papel prosaico, então aconselho ir a Paris, pelo carnaval, e procurar lá o *boeuf gras*, atrás do qual toda Paris corre, sobretudo os Faubourgs St. Marceau e St. Antoine, onde a alta sociedade olha pelas janelas, tensa, como se aguardasse a passagem de um herói, dum César. No carnaval, porém, o parisiense contenta-se em deixar viver o *bouef gras*, enquanto em Manaus, na véspera de S. Pedro e S. Paulo, o que agrada é o *boi bravo*. A propósito devo consignar que o odor do povo de Paris, por ocasião dessas aglomerações, é extraordinariamente penetrante, e se deve chamar fétido, ao passo que o do bom povo de Manaus, sobretudo das raparigas fuscas, com os cabelos escorrendo, cheira à água do Rio Negro ou a uma odorífera flor do jenipapeiro, presa atrás da orelha.

Opus cit., 2º, 104-107. Comparar com *Bumba meu boi*, registrado por Lopes Gama em 1840, Recife. Notável a projeção do folguedo, já tradicional em 1859 em região estranha à pastorícia, como Amazonas e ainda fiel ao movimento inicial, sem a massa de figurantes indispensável no nordeste. Em vez dos vaqueiros negros, agem o tuxáua e o pajé e o maracá substituindo violas, rebecas e pandeiros. Ver BUMBA MEU BOI no "Dicionário do Folclore Brasileiro"(*).

(*) Edição atual – 12. ed. São Paulo: Global, 2012. (N.E.)

CH. FRED. HARTT

Charles Frederik Hartt nasceu em Fredericton, New Brunswick, Canadá a 25 de agosto de 1840 e faleceu no Rio de Janeiro a 18 de março de 1878. Acompanhou Agassiz em 1865-66 ao Brasil como geólogo. Professor no Vassar College, Poughkeepsie, New York, e Universidade de Cornell, Ithaca, New York, regressou ao Brasil em 1867, pesquisando geologia. Voltou em 1870, chefiando a "Morgan Expedition", em pesquisas geológicas. Diretor da Comissão Geológica do Império em 1874, visitou longamente o Amazonas. Trabalhador de excepcional capacidade de investigação, inteligência ágil, observador admirável, Hartt fixou muitos elementos do folclore brasileiro, especialmente do domínio da mística indígena. Foi o primeiro estrangeiro a recolher e comentar os contos tradicionais indígenas. Sua autoridade como geólogo foi decisiva. Na "Aurora Brasileira", em Cornell, outubro e novembro de 1873, publicara pequenos estudos sobre o Jabuti, Curupira, etc.

Bibliografia:

AMAZONIAN TORTOISE MYTHS. Rio de Janeiro, William Scully, Publisher, 1875. OS MITOS AMAZÔNICOS DA TARTARUGA, tradução e notas por Luís da Câmara Cascudo, ed. Arquivo Público Estadual de Pernambuco, Recife, 1952.

CONTRIBUIÇÕES PARA A ETNOGRAFIA DO VALE DO AMAZONAS. Arquivos do Museu Nacional, tomo IV, Rio de Janeiro, 1885. É um soberbo estudo na espécie etnográfica e, pp. 134-174, fixa uma preciosa "Mitologia dos Índios do Amazonas", reunindo também o material publicado em 1873 em Cornell. O coordenador desta Antologia anotou demoradamente essa "Mitologia" quase ignorada e de necessária divulgação. Sobre a bibliografia geral de Hartt ver BIBLIOTHECA EXOTICO-BRASILEIRA, de Alfredo de Carvalho, vol. II, 300-309, Rio de Janeiro, 1930.

No Amazonas, o geólogo que não se interessar por algum outro ramo da ciência perderá muito tempo; porque, distanciadas, como são ali as localidades geológicas, terá de viajar dias consecutivos sem poder fazer uma observação importante.

Em 1870 achei-me no grande rio revendo o trabalho do Professor Agassiz e ocupado em procurar provas confirmadoras ou negativas à sua hipótese da origem glacial do vale amazonense.

Encontrando-me em íntimo contacto com a população indígena do país, interessei-me pela Língua Geral, ou Tupi moderno, como falam em Ereré, Santarém e no Rio Tapajós, e empreguei as horas de ócio em aprendê-la, fazendo certo progresso na aquisição de material esclarecedor da sua estrutura.

Mr. Henry Walter Bates, no interessante esboço de sua vida no Amazonas(*) e Mme. Agassiz, na sua obra JOURNEY IN BRAZIL(**) chamaram-me a atenção para os numerosos mitos existentes entre os indígenas do Amazonas. Estes mitos nunca tinham sido estudados e, prevendo eu o seu grande interesse, dei-me ao trabalho de colecioná-los.

Fui por muito tempo malogrado porque os brancos, em regra geral, desconheciam o Folk-Lore indígena, e nem com pedidos e nem com ofertas de dinheiro pude persuadir um índio a narrar um mito. O narrador de histórias na localidade era sempre representado por uma velha indígena que fazia arrebentar de riso a gente com as curiosas aventuras do Kurupira e do Yurupari e de todas as espécies de animais que costumavam falar e divertir-se uns dos outros no velho tempo, quando a palavra não era ainda privilégio exclusivo do homem. Invariavelmente, porém, essa mulher velha estava ausente ou era inacessível. Só uma vez, no Ereré, encontrei uma índia idosa, que diziam ser um prodigioso arquivo de histórias, mas nada pude obter dela.

Uma noite, subindo a remo, monotonamente, o Paraná Mirim de Ituqui, perto de Santarém, o meu fiel piloto, Maciel, começou a falar para os canoeiros indígenas em tupi, a fim de evitar que eles adormecessem. Prestei toda a atenção e, com grande prazer, percebi que repetia uma história do Kurupira. Segui-o como melhor pude, escrevendo no meu caderno de notas as principais passagens da história, enquanto me associava de bom grado ao riso dos homens, para animar o narrador. No dia seguinte, aproveitei a primeira oportunidade para dizer a Maciel quanto apreciara a sua história, e para pedir-lhe que a ditasse para mim na Língua Geral. Ele já tinha uma longa prática de ditar, e o meu primeiro mito tupi ficou logo registrado, porém, por muito tempo, pedi-lhe em vão que me contasse outro.

(*) Henry Walter Bates, THE NATURALIST ON THE RIVER AMAZON, dois volumes, Londres, 1863. O NATURALISTA NO RIO AMAZONAS, tradução, prefácio, notas do prof. Cândido de Melo Leitão, dois volumes, Col. Brasiliana, São Paulo, 1944. (CC).

(**) Boston, 1866. Tradução francesa, 1869, Paris. Desta edição há versão brasileira, anotada, de Edgar Sussekind de Mendonça, VIAGEM AO BRASIL, Col. Brasiliana, 1938 (CC).

Vi logo que o mito indígena era sempre contado sem esforço mental, sendo o seu fim simplesmente agradar, como uma balada, e não comunicar informação; e que quando o índio, não estando perto da fogueira, cercado de ouvintes noturnos, nem de posse de todas as circunstâncias que tornam a narração conveniente e agradável, é friamente convidado a relatar uma história mitológica mostra-se incapaz do esforço mental necessário para lembrar-se dela e, por isso, pronta e obstinadamente alega ignorância. Assim, o colecionador de mitos nada conseguirá se esperar tudo de uma simples pergunta. O único meio é procurar e criar ocasiões em que a narração seja espontânea, e quando necessário, tomar a iniciativa, repetindo algum episódio indígena com o qual estejam familiarizadas as pessoas presentes, tendo o cuidado de não mostrar demasiada curiosidade pelas histórias que forem contadas.

Ce n'est que le premier pas qui coûte. Depois de obtido o primeiro mito, e de ter aprendido a repeti-lo com exatidão e espírito, o resto é fácil. Observarei aqui, de passagem, que se deve evitar no Amazonas, como em qualquer outra parte, entre selvagens ou povo de baixa cultura, de fazer sobre este assunto perguntas que insinuem as respostas, porque um índio inconscientemente concordará sempre com o interrogador, que pode deste modo ser enganado. Em uma ocasião, falando desta particularidade com o comandante do meu pequeno vapor, repentinamente voltou-se ele para o piloto, que era indígena e, apontando para uma palmeira à margem do rio, disse: – Aquela palmeira chama-se Urubu, não é? – Sim, senhor! – respondeu o índio gravemente, sem mover um músculo. A pergunta foi repetida com o mesmo resultado. O comandante perguntou em seguida: – Qual é o nome daquela palmeira? – Ele então respondeu: – Jauari!...

Se o colecionador de mitos quiser obter o mito em sua pureza e evitar que a sua personalidade entre nele, deve, antes de tudo, inibir-se de formular perguntas de modo que insinue as respostas, já quando escreve o mito pela primeira vez, já quando o revê posteriormente.

Os mitos indígenas, tanto quanto pude observar, são raras vezes ouvidos em português, sendo os da população que fala tupi invariavelmente narrados na Língua Geral. A sua forma é constante, e o mesmo mito pode ser encontrado, apenas com pequenas variantes, desde as proximidades da foz do Amazonas até Tabatinga, nas fronteiras do Peru.

Enquanto alguns mitos têm sido certamente introduzidos, e outros têm sofrido com a civilização maior ou menor modificação, a generalidade dos que ainda se conservam no tupi são, creio eu, de origem indígena.

Uma questão tem sido levantada, se muitas das lendas que tanto se assemelham com as fábulas do Velho Mundo, não podiam ter sido introduzidas pelos Negros; eu, porém, não vejo razão para entreter esta suspeita, porque elas estão muito espalhadas; a sua forma é inteiramente brasileira, são mais numerosas justamente nas regiões em que não há negros ou em que os há em pequena quantidade, e além disso, elas aparecem, não em português, mas na Língua Geral.

Entre os mitos que colecionei estão aqueles em que figura o PAITÚNA, o milagroso filho de uma mulher pertencente a uma tribo de mulheres com um só marido, lenda da qual talvez fosse originada a lenda das Amazonas; o demônio das florestas ou Kurupira; o malvado Yuruparí, espécie de lobisomem; a Oiara ou gênio das águas, e outros seres antropomorfos. Os mais interessantes, porém, são os que constituem as lendas de animais, nas quais se recordam as proezas dos macacos, dos tapires, dos jabutis, dos urubus e de uma porção de outros animais.

Proponho-me tratar aqui de uma classe de histórias de animais, da qual os indígenas são muito apaixonados, isto é, as que se referem à tartaruga terrestre do Brasil.

O jabuti, como lhe chamam os portugueses, ou YAUTI, como o denominam na Língua Geral, é uma pequena espécie de cágado[(1)] muito comum no Brasil e de grande apreço como alimento. É um animal de pernas curtas, vagaroso, débil e silencioso; entretanto, representa na mitologia do Amazonas o mesmo papel que a raposa na do Velho Mundo. Inofensivo e retraído o jabuti, não obstante, aparece nos mitos da Língua Geral como vingativo, astucioso, ativo, cheio de humor e amigo da discussão. – *É verdade!*, disse- me um índio em Itaituba ao terminar um mito do jabuti – *É o diabo, e tem feito estragos!*

Em 1870, o meu guia, Lourenço Macial Parente, ditou-me em Santarém, na Língua Geral, a seguinte lenda: – *O Jabuti que venceu o Veado na carreira.* NA CORNELL ERA, de Itaca, New York, publiquei uma versão desta lenda, que chamou a atenção de um escritor da "NATION", de New York, dando ele uma variante do mesmo mito encontrada entre os negros de uma das Carolinas.

Em 1871, voltando ao Amazonas, dei-me ao trabalho especial de tomar informações sobre esse mito, tendo o prazer de ouvi-lo contado pelos índios em toda a parte por onde passei. O meu amigo Dr. Joaquim Xavier de

---

(1) Iestudo terretris, tabulata, Schoeff Emys faveolata, Mik, depressa. Merr. V. Martius, Woertersammelung, etc., S. 455, sub voce Jaboti.

Oliveira Pimentel, Capitão de Engenheiros do Exército Brasileiro, mandou-me uma variante da mesma lenda, encontrada em Tabatinga, e o Dr. Couto de Magalhães achou recentemente o mesmo mito no Pará, de modo que ele parece ser conhecido em todos os lugares onde é falada a Língua Geral. Em 1870, em Santarém, informaram-me que o mito era de origem Mandurucú; agora, porém, tenho dúvidas a este respeito, parecendo ele estar inseparavelmente ligado à Língua Geral.

A lenda é a seguinte:

COMO O JABUTI VENCEU O VEADO NA CARREIRA

Um jabuti encontrou um veado e perguntou: – Ó veado, o que está fazendo?

O veado respondeu: – Vou passear em procura de alguma cousa para comer.

E acrescentou: – E você, jabuti, aonde vai?

– Vou também passear; vou procurar água para beber.

– E quando espera chegar ao lugar onde há água? – perguntou o veado.

– Por que me faz esta pergunta? – replica o jabuti.

– Porque suas pernas são muito curtas.

– Sim? – respondeu o jabuti. – Eu posso correr mais do que você. Mesmo com as pernas compridas você corre menos do que eu.

– Muito bem! Apostemos uma carreira...

– Está certo. – respondeu o jabuti. – Quando correremos?

– Amanhã.

– A que horas?

– De manhã muito cedo...

Eng-eng[2] assentou o jabuti, que foi em seguida ao mato e chamou todos os seus amigos, os outros jabutis, dizendo: – Venham, vamos matar o veado!

– Como você vai matá-lo?

– Eu disse ao veado – respondeu o jabuti –, apostemos uma carreira! Quero ver quem corre mais. Agora vou enganar o veado. Vocês espalhem-se pela margem do campo, no mato, sem ficarem muito distantes uns dos outros e conservem-se quietos, cada um no seu lugar! Amanhã, quando começarmos a aposta, o veado correrá no campo, mas eu ficarei sossegadamente no meu lugar. Quando ele chamar por mim, se vocês estiverem adiante dele, respondam mas tenham o cuidado de não responder se ele tiver passado adiante de vocês.

(2) Sim! O *eng* representa uma nasal.

Desta forma, na manhã seguinte, muito cedo, o veado saiu ao encontro do jabuti: – Venha! disse o primeiro, corramos! – Espere um pouco! disse o jabuti, eu vou correr dentro do mato!...

– E como é que você, tão pequeno e com pernas tão curtas, há de correr no mato? – perguntou, surpreendido, o veado.

O jabuti teimou que não podia correr no campo mas estava habituado a correr no mato, de modo que o veado concordou e o jabuti entrou no mato, dizendo: – Quando eu tomar a minha posição farei um barulho com uma vara para você saber que estou pronto.

Quando o jabuti, tendo chegado ao seu lugar, deu o sinal, o veado saiu lentamente, rindo-se e pensando que não valia a pena correr. O jabuti ficou atrás sossegadamente. Depois de ter andado uma pequena distância, o veado volveu-se e chamou: – U'i Yuatí! (Ó Jabuti!). Então, admirado, ouviu um jabuti gritar um pouco adiante: – U'i suaçú! (Ó Veado!). – Pois, disse o veado a si mesmo, aquele jabuti corre mesmo! – E amiudando os passos depois de alguma distância gritou novamente mas a voz de um jabuti ainda respondeu adiante.

– Como assim? – exclamou o veado, e correu um pouco mais até que supondo ter seguramente passado o jabuti, parou, voltou-se e chamou outra vez, porém o grito "U'i suaçú!" veio da margem da floresta adiante dele. Então o veado começou a assustar-se e correu velozmente até que julgando estar distante do jabuti parou e chamou; porém um jabuti respondeu ainda em frente.

Vendo isto disparou o veado, e pouco depois, sem parar, chamou pelo jabuti, que ainda gritou adiante "U'i suaçú!". O veado redobrou as forças, mas com o mesmo insucesso. Por fim, cansado e desorientado, atirou-se de encontro a uma árvore e caiu morto.

Tendo cessado o ruído que faziam as patas do veado, o primeiro jabuti escutou. Não se ouvia nenhum som. Então o jabuti chamou pelo veado mas não recebeu resposta. Saiu do mato e encontrou o veado estendido e morto. Reuniu o jabuti todos os seus amigos e festejou a vitória.

O mito como foi encontrado em Tabatinga parece ter a mesma forma que acabo de relatar. A seguir transcrevo-o com as próprias frases do Dr. Pimentel[3].

---

(3) "Um jabuti apostou com um veado a ver quem corria mais. Marcado o dia, o jabuti empregou o seguinte meio para vencer:

Reuniu muitos jabutis e os foi colocar pelo mato, beirando o campo designado para o lugar da corrida. Chegado o veado, somente viu o jabuti, com quem tinha feito a aposta: – Então, está pronto, Jabuti – Pronto, disse ele, mas você há de correr pelo caminho e eu por dentro do mato, que é por onde sei correr.

O Dr. Pimentel informou-me que foi encontrada no Amazonas uma variante do mesmo mito, na qual a carreira era entre um veado e um carrapato[4].

O último no começo da carreira agarrou-se à cauda do veado[5]. Durante a contenda, quando o veado chamava pelo inseto, a resposta vinha de tão perto que o veado, esforçando cada vez mais, sucumbiu pela fadiga.

O mito da corrida entre o jabuti e o veado, encontrado entre os negros do Estado da Carolina do Sul[6] é o seguinte[7]:

"Era uma vez, assim a história começa, o mano Veado (Brudder Deer) e o mano Jabuti (Brudder Coutah)[8] estavam apaixonados pela mesma senhorita que não escondia, contudo, suas preferências pelo primeiro. É bem verdade que ela amava igualmente o Brudder Coutah, mas ao Brudder Deer fazia-o de uma maneira toda especial... Para evitar ressentimentos, propôs a moça aos seus dois pretendentes uma corrida de dez milhas em que se deveriam empenhar, recebendo o vencedor, como prêmio, a palma da sua mão.

Feito isto, o Brudder Coutah desafiou o Brudder Deer dizendo: – Embora você tenha pernas maiores que as minhas, mesmo assim, o vencerei... Você correrá as dez milhas por terra e o mesmo farei eu por água!

O veado aceitou, e colocados, um na beira do mato e outro no campo, partiram ao sinal dado. O veado correu a toda a força e o jabuti deixou-se ficar.

O veado no meio da carreira gritou pelo jabuti para saber onde estava. A resposta foi-lhe dada um pouco adiante por um dos jabutis colocados de vedeta no mato. O veado redobrou de esforços e de vez em quando gritava pelo seu competidor e tinha a resposta sempre adiante. Afinal, o veado caiu morto de cansaço e o jabuti ficou vencedor."

(4) *Yatiyũka*, língua geral. Espécie e Ixodes, muito comum no Brasil, infestando especialmente as ervas e arbustos dos campos. Ataca todos os animais, mesmo o jabuti, e enterrando o seu ferrão na carne, torna-se logo do tamanho da semente da mamona, com a qual muito se assemelha na forma e na cor.

(5) Isto faz lembrar a história do Pequeno Alfaiate, que pretendeu ajudar o gigante a carregar uma grande árvore, mas em vez de ajudá-lo assentou-se num dos ramos e foi carregado pelo gigante, O Valente Alfaiate, Grimm.

(6) Não posso lembrar-me se a história localiza-se em Carolina do Norte ou do Sul e aqui no Rio de Janeiro é impossível verificar.

(7) Riverside Magazine, novembro de 1868, The Nation, 23 de fevereiro de 1871, p. 127. Não posso garantir a exatidão do dialeto mas a história, como está apresentada, parece-me escrita no Norte no vocabulário familiar aos negros.

(8) A Terrapin é uma espécie de tartaruga abundante no sul dos Estados Unidos. A Terrapin propriamente dita (*Malacocklemys palustris*) é de espécie aquática ou dos brejos. A forma citada é provavelmente *wood Terrapin*, "Glyntemys inculpta", que é às vezes encontrada nas relvas. O nome Coutah é de origem africana.

Em seguida retirou-se, indo a casa, de onde trouxe nove membros de sua família os quais foram colocados em cada marco de milha, permanecendo Brudder Coutah defronte da casa da moça, sobre o gramado.

Na manhã marcada, às nove horas, encontram-se os dois no local da partida, sendo Brudder Coutah interrogado por Brudder Deer se estava verdadeiramente disposto para a disputa, ao que respondeu afirmativamente.

A um grito, "é tempo!", partem os dois rivais. Brudder Deer logo alcança o primeiro marco de milha e grita, chamando o Brudder Coutah: – Brudder Coutah! Respondendo ela: – Pronto! Insiste, ainda, o Brudder Deer: – Você está mesmo aí? Informa o Brudder Coutah: – Sem dúvida alguma...

No próximo marco que atingiu, pára e grita: – Alô, Brudder Coutah! – Respondendo ela: – Alô, Brudder Deer, também já chegou?

Meio intrigado exclama o Brudder Deer: – *Ki*! você vai empatar comigo, ficando desta forma com a garota!...

Ao chegar ao nono marco julgava ele ter sido o primeiro a alcançá-lo devido a dois saltos que dera. Chamou novamente, para certificar-se, pelo Brudder Coutah que por sua vez perguntou se ele já se encontrava também no local determinado. Por fim brada o Brudder Deer: – Parece que você empatará de fato comigo. Brudder Coutah replicou: – Adiante, Brudder Deer, pois quanto a mim fique certo, chegarei no tempo devido! E realmente assim aconteceu, sendo o Brudder Deer derrotado na corrida[*].

Grimm dá uma história semelhante de corrida entre a lebre e o porco-espinho. O último coloca sua esposa no fim do sulco feito pelo arado enquanto ele se põe na outra extremidade. A lebre, tomando um pelo outro, confessa-se vendida. Em Northamptonshire, na Inglaterra[9], a raposa substituiu a lebre, porém no mais o mito é idêntico ao da Alemanha.

Às vezes, na mitologia do Velho Mundo, é a lebre que aposta com o cágado e, confiada na sua velocidade, dorme, enquanto o cágado, com perseverança mas vagarosamente, chega primeiro à meta[10].

No Sião o mito toma a forma seguinte:[11] "O pássaro Kruth, sem dúvi-

---

(*) Joel Chandler Harris, UNCLE REMUS, HIS SONGS AND HIS SAYINGS, ed. Appleton regista a mesma estória, no lingô *in vogue on the rice plantations and Sea Island of the South Atlantic States, XIII – XIV*. Uma variante ocorre na Carolina do Sul, SOUTH CAROLINA FOLK TALES, 21, *Buddah Deer an Buddah Cootah run a race, Bulletin of University of South Carolina*, October, 1941 (CC).

(9) Notes and Queries, 4 de janeiro de 1951, p. 3.

(10) De Gubernatis, Zoological Mythology, Vol. II, p. 369.

(11) De Gubernatis, opus cit. II, p. 369.

da uma figura particular e limitada da Garuda(*), deseja devorar um cágado (talvez a lua) que se encontra deitado à margem de um lago. O jabuti consente em ser devorado com a condição do Kruth aceitar um desafio para uma prova de velocidade e chegar primeiro um ao outro lado do lago, indo o pássaro pelo ar e o cágado por água. O pássaro Kruth aceitou a aposta e o cágado chama milhões de cágados, e coloca-se de tal modo que circundam o lago, distantes alguns passos da margem. O jabuti faz sinal ao pássaro para começar a corrida. O Kruth levanta-se no ar e voa para o lado oposto mas quando desce já lá encontra o cágado". De Gubernatis sugere a ideia de que o mito do Sião pode representar a relação do sol para as lunações.

Na fábula dos índios orientais, em que figuram a formiga e o gafanhoto[12], dos quais a primeira representa a "nuvem ou a noite", ou Indra ou a aurora na nuvem da noite, ou a terra, e o último representa o salteador ou a lua; a formiga vence o gafanhoto na corrida, não porque ande mais depressa, mas porque os dois devem necessariamente encontrar-se, e portanto um deve passar o outro.

Na mitologia do Velho Mundo os mitos da corrida entre o jabuti e algum animal veloz, como entre a lebre e o porco-espinho, etc., têm sido explicados como referindo-se à corrida entre o sol, o vagaroso, e a lua, a veloz, e parece-me muito provável que os mitos semelhantes do Amazonas possam ter a mesma significação[13]. Talvez uma das razões por que se chama a lua de veado seja devido a ela ter cornos. Nos mitos sânscritos ela é representada por um veado ou uma gazela.

OS MITOS AMAZÔNICOS DA TARTARUGA, 9-18, tradução e notas de Luís da Câmara Cascudo, edição do Arquivo Público Estadual de Pernambuco, Recife, 1952. Sobre o conto, ver LITERATURA ORAL, 313-318, Rio de Janeiro, 1952.

(*) Garuda é uma espécie de milhafre ou águia, com a forma humana, rei dos pássaros e montada do deus Vixnu. Antiquíssima divindade hindu, furtou o fogo e o amrita, licor que dá a imortalidade, trazendo-o do céu para o conhecimento dos homens. Garuda é o inimigo tradicional das serpentes (CC).

(12) De Gubernatis, opus cit., vol. II, p. 244.

(13) Sugiro a comparação do mito do Jabuti e do Veado com a lenda de "Brama e da Cabra", na Hitopadesa e também com a do "Cisne Vernelho" nas lendas de Hiawatha. Depois de escritas as linhas acima, o coronel José Fulgêncio Carlos de Castro deu-me uma variante da história do jabuti e do veado, em que um sapo substituiu o jabuti. Esta variante foi obtida no Amazonas.

BURTON

• • • • • • •

Sir Richard Francis Burton nasceu a 19 de março de 1821 em Barham House, Hertforshire, Inglaterra, e faleceu a 20 de outubro de 1890 em Trieste onde era o cônsul geral do seu país. Foi uma das mais legítimas figuras da Era vitoriana, viajante, explorador, militar, diplomata, erudito, incansável de curiosidade. Conhecia vinte e cinco línguas e dialetos. Oficial da Companhia das Índias, visitou as Montanhas Azuis e o Sind onde residiu cinco anos. Foi o primeiro inglês a penetrar em Meca e Medina, 1853, e na Somalilândia. Partiu com Speke procurando as origens do Nilo e descobriu na África Central o lago Tanganyika enquanto Speke encontrava o Vitória Nianza. Estudou os Mórmons nos Estados Unidos e foi cônsul em Fernando Pó. De novembro de 1865 a junho de 1868 esteve no Brasil, em Santos, como cônsul da Inglaterra. Em 1867 viajou do Rio de Janeiro para Minas Gerais, indo a confluência do rio das Velhas com o S. Francisco (que ele denominou "o Mississipe brasileiro") descendo por este até Paulo Afonso e Penedo, acompanhado pela sua esposa, Isabel Arundell Burton. Narrou esplendidamente essa jornada nos dois tomos da sua clássica "Exploration of the Highland of the Brazil: with a full account of the gold and diamond mines. Also canoeing down 1.500 miles of the great river São Francisco, from Sabará to the Sea", London, Tinsley Brothers, 1869. Transferido para Damasco como cônsul percorreu o deserto da Síria, visitou Palmira e, encarregado pelo paxá do Egito, estudou as minas de ouro de Madian. Ainda em 1882, com Cameron, explorou a Costa do Ouro e daí passou a Trieste. Sua bibliografia é valiosa, fixando viagens, pesquisas, estudos, sugestões, etc. Publicou a coleção árabe das "Mil e uma Noites", edição limitada e atualmente raridade bibliográfica preciosa. Sua viúva publicou a biografia do marido, London, 1893, que a Enciclopédia Britânica diz ser *romantic and exaggerated biography of her husband.* Deve ser exagero da Enciclopédia.

Bibliografia:

VIAGENS AOS PLANALTOS DO BRASIL, 1868, em três tomos. I tomo. Do Rio de Janeiro a Morro Velho. Tradução de Américo Jacobina Lacombe, Brasiliana, n. 197, S. Paulo, 1941. Único volume publicado e referente a 1867.

– As Fogueiras de São João em Alagoa Dourada.

Era domingo, 23 de junho, véspera de S. João, talvez o primeiro *dia santo* mais antigo do mundo civilizado. Não é preciso quase lembrar que se trata da comemoração do solstício do norte, do *Mundi Oculus*, quando começa o "Dakhshanáyan". É a festa do poderoso Ball (ou Bool, 1. Reis, XVIII, 22-24), o grande *senhor*, o *marido* da lua, o poderoso *dominador* da luz e do calor, o sol deste grande mundo, olho e alma. Encontramo-lo com o nome de Bel e Belus na Assíria e na Caldeia, Beel na Fenícia, Bal entre os cartagineses, Moloch (i. é. Malik, ou rei) entre os amonitas, Hobal na Arábia (Drs. Dozy e Colenso), Balder (Apolo) na Scandinávia, Belenos em Avebury e Beal na Irlanda(1). A pira ardente é uma homenagem ao *Mundi Animus*, à luz solar. Assim, lemos no *Quatutor Sermones*, que "em honra de Sto. Antônio, o povo levantava-se em casa e fazia três espécies de fogueira: uma era de ossos limpos e sem madeira e se chama *bonfire*; outra de madeira limpa sem ossos, e se chamava *wood-fire* para em torno dela as pessoas se sentarem e andarem; a terceira era feita de madeira e de ossos, e esta se chamava a fogueira de Sto. Antônio". Os veneradores do sol no norte da Inglaterra, nos condados centrais e da Cornoalha, acendiam no mais alto de seus montes e torres, na época do solstício, imensos *feux de joie* e os chamavam *Bar-tine*. E neste momento, enquanto nós no coração do planalto do Brasil assistimos à preparação e ao acender da fogueira os irlandeses semipagãos em Connaught, mesmo no Condado da Rainha, dançam em volta de outra e seus filhos saltam sobre suas *Beal-tienne*(2) (fogueira de

(1) Bem sei que foi afirmado não serem quase todos os Bels, Bals e Bils, que vieram tão à mão em auxílio da teoria de Baal, mas que formas de Bil, Bom, Baly, cidade, Bile, árvore, Bealach, estrada, e Bil ou Beul, embocadura de rio. Mas os irlandeses veneravam certamente os corpos celestes juntamente com os morros, as árvores, os poços e as pedras. O ciclo de Bel, "pequeno ciclo de Belus" era o seu ano. Como poderiam eles ter omitido o sol, este objeto da adoração universal: Os "Baldersbad" da Escandinávia são descritos por muitos viajantes, e Leopold von Buch encontrou-os no norte da Noruega. São vistos em ambas as margens do Báltico e se estendem pela Prússia e Lituânia. Não posso compreender como um festival que é universal possa ser caracterizado como próprio dos celtas insulares. (Athaneum nº 2.073, 20 de julho de 1867). O ponto mais avançado ao sul em que encontrei fogos foi Guimar na linda Tenerife: aí todas as pessoas chamadas João devem no dia do meio de verão oferecer bebidas a todos os seus amigos. A festa do solstício fez provavelmente o nome de S. João tão popular nas pias batismais através da cristandade: daí também o nosso Jones (i. é, *John*, o mesmo que *Johnson*) e Evans, forma genitiva de um velho nome de Gales equivalente a João. S. João parece ter favorecido especialmente o país basco. Na sua fogueira coloca-se uma pedra que lhe serve de genuflexório: na manhã seguinte descobre-se que ela conservou alguns de seus cabelos que se tornam naturalmente relíquias. O fogo é de ervas e aqueles que o pulam não sofrem de sarna.

(2) Até bem pouco tempo as brasas da fogueira eram espalhadas pelos campos a fim de produzir boas colheitas.

Baal) comemorativas. E as torres redondas em que os sinais de fogo se acendiam, os contemplam.

Vimos aqui também a demonstração da influência, do clima sobre as grandes festas nacionais. O Natal – o *yeule* ou *yule* do norte –, a festa do solstício do sul, tem pouca importância nestas latitudes. Nesta época o tempo está quente e chuvoso e as estradas estão mais. O S. João é o tempo mais frio do ano, a temperatura está, então, agradabilíssima e as estradas em bom estado. O povo em toda a parte se reúne nas cidades e nas igrejas. Cada lugar tem a sua fogueira. Formam-se os grupos em passeio e o povo se senta durante toda a noite e renova alegremente o Mastro de S. João(3).

A festa se mantém com a mais completa ignorância de sua origem. Perguntei de fato frequentemente a eclesiásticos europeus o significado da fogueira, mas em vão(4). Há brasileiros educados que indagam como se explica que se ande sobre a fogueira de S. João sem queimar os pés(5).

Está claro que a explicação está em que aqueles que passam pelas chamas o fazem sempre depressa e frequentemente com as solas úmidas. As moças jogam o conteúdo de um ovo dentro de um copo d'água e observam na forma que ele toma as possibilidades do seu futuro(6). Todas julgam de sua sorte na vida matrimonial torcendo papeizinhos que são abertos ou não

(3) O Mastro de S. João é um tronco alto e fino. Às vezes deixa-se plantado e é somente enfeitado; na maior parte das vezes, porém, é arrancado, descascado e replantado. Isto é feito mais ou menos uma semana antes da festa. Amarrado ao tope fica um cata-vento de cerca de dois pés quadrados de moldura leve com pano de algodão em que está pintada a imagem do santo. Entre os negros ele é frequentemente preto. Este mastro lembra ao viajante inglês nosso *shaflt* ou *Maypole*. A fogueira de alegria era conhecida pelos indígenas do Brasil que a chamavam *Toriba*, de *Tori*, feixe de lenha.

(4) Os equinóxios como os solstícios eram comemorados com fogos festivais comemorativos. *Easter day* ou *May-day*, o *Holi* da *Índia* e o *La Beal teinne* irlandês e também o *All-hallow-een* (31 de outubro). E se o cristianismo tem uma origem astronômica assim também a têm outras crenças adiantadas. Pois a religião ou a crença de coisas invisíveis começou na terra pelos assuntos materiais e terminou nos céus com o Grande Desconhecido.

(5) Trata-se visivelmente do legítimo *Bil teine* irlandês através do qual se conduz o gado e se passam as crianças para resguardá-las das doenças do ano.

(6) Na Irlanda, *Brideogh*, de Sta. Bridget (Brígida), ou melhor Brihid, virgem vestal. Era feito na véspera dessa santa apócrita pelas moças solteiras para o fim de descobrir seus futuros maridos. Assim as raparigas na Alemanha procuram ver os seus destinos na véspera de Sto. André, de Sto. Tomé, de Natal e do Ano-Novo. Antes da meia-noite, na vigília de Sto. André, espalha-se chumbo derretido através das partes abertas de uma chave cujas guardas formam uma cruz dentro d'água, tirada de um poço na mesma noite e o metal toma o formato de ferramentas, denotando a profissão do futuro esposo.

pelo frio. Os homens incultos creem que S. João dorme durante sua festa, e felizmente assim é, pois se ele acordasse destruiria o mundo. Pobre santo! Cantam longas canções começando com estes versos:

> São João se soubera que hoje é seu dia
> Do céu desceria com alegria e prazer[7].

E a festa de fogo é mais agradável no campo do que na cidade, onde o bimbalhar de sinos começa antes de romper o dia. Fica-se surdo com os ridículos foguetes. Os moleques e negrinhos tornam as ruas desagradáveis atirando buscapés com que fazem o possível para ferir as pernas.

– A Congada no Morro Velho (1867).

Certa vez os negros mostraram-nos o que no Hindustão se chama *tamaska*, na Espanha e Portugal uma *folia*, no Egito e Marrocos uma *fantasia* e aqui uma *congada*. Um grupo de homens, após passear pelo estabelecimento veio à Casa Grande. Vestiam-se, ou imaginavam estar vestidos segundo o estilo da Casa da Água Rosada[*] descendente do grande Manicongo, senhores hereditários da terra do Congo. Mas as *toilettes* ainda que vistosas com sedas e cetins de cor eram puramente fantasiosas, e alguns usavam o canitar ou coroa de plumas na cabeça, a Arasvia ou a franja da cintura e traziam o Tacape ou *tomahawak*, de origem vermelha. Todos estavam armados com espada e escudo, exceto o rei que, em sinal de dignidade, trazia cetro, um pau grosso e forte. Este velho, mascarado, de barba

---

(7) A gente do campo aprecia enormemente tanto o metro quanto a rima; o fim da primeira linha rima com a sílaba que termina o terceiro menistíquio, mas a quadra termina sem rima. Deste modo são geralmente composta as "Modinhas", que podemos traduzir como "baladas" e quando recitadas, como é costume, e não cantadas, aquela peculiaridade na consonância favorece uma queda da voz poética ou sentimental, adequada ao tema. É interessante notar que o mesmo gênero de *couplet* ou *tripet* também se pode encontrar entre os Sindhis selvagens. Dei alguns exemplos no "Sindh e as Raças que habitam o Vale dos Hindus" (*Sindh and the Races that inhabit the Valley of the Indus*, p. 88 e 116).

(*) Parece brincadeira este título de Água de Rosas adotado por negros retintos, mas é legítima história. Uma interessante narrativa da dinastia e um esboço sobre "Nicolau, Príncipe do Congo" foram publicados ultimamente por M. Valdez (Vol. II, cap. 2, "Seis anos da vida de um viajante na África ocidental". *Six years of a Travellers Life in Western Africa*. Hust Blackett, 1861).

branca, maxilar trêmulo, voz vacilante e modos rabugentos era habilmente representado por um jovem negro de Sabará. À sua direita sentava-se o Capitão da guerra, Primeiro-Ministro; à sua esquerda o jovem príncipe, seu filho e herdeiro, um negrinho sem interesse. Está visto que havia palhaço da corte Daomã e a patuscada consistia em dar nele pontapés e cachações como se fosse um dos nossos palhaços ou arlequins.

A peça era a representação das cenas que mais agradam esta pacífica e afável raça negra: ordens para uma caçada de escravos; marcha acompanhada de muita correria em torno e ruído de espadas, que todos empunhavam como facas de açougueiro; surpresas, arrastamento de prisioneiros, instruções para matar ministros e guerreiros poltrões, envenenamento e antídotos – enfim a "África selvagem". Sua Majestade usava largamente de seu bordão malhando todo o mundo realisticamente. Os discursos eram feitos em tom meio cantado: a língua era Luso-Hamítica, e havia um esboço de cadência e rima. A matança do inimigo e o beber o seu sangue eram os tópicos prediletos, variados com alusões ocultas ao superintendente e seus hóspedes. Após meia hora receberam uma gratificação e se foram mostrar as habilidades em outro lugar.

VIAGENS AOS PLANALTOS DO BRASIL, 242-246, 379-381. Sobre a primeira parte ver "Anúbis e outros Ensaios", X. Ferônia e XXVI, Adivinhas de São João, Rio de Janeiro, 1951. O verso sobre S. João foi mal ouvido ou chegou deturpado ao conhecimento de Burton. É um dos mais populares no Brasil.

Se São João soubesse
Quando era o seu dia,
Descia do céu à terra
Com prazer e alegria.

Acorda, João!
Acorda, João!
João está dormindo,
Não acorda, não!

Alagoa Dourada, Lagoa Dourada, hoje cidade, sede municipal em Minas Gerais.

HERBERT H. SMITH

Herbert Huntington Smith nasceu em Manlius, New York, a 21 de janeiro de 1851 e faleceu em Tuscaloosa, Alabama, a 22 de março de 1919. Surdo, ao atravessar a estrada de ferro para ir ao Museu da Universidade onde era "curator" apanhou-o o comboio, esmagando-o. Aluno da Cornell University, trouxe-o C. F. Hartt para o Brasil onde, de 1873 a 1886 H. H. Smith realizou cinco excursões científicas. Suas coleções, no mínimo de meio milhão de espécimes, espalham-se pelos principais museus do mundo. Esteve no México e nas Índias ocidentais. Sua viagem e estada em Mato Grosso foram relatadas no volume "Do Rio de Janeiro a Cuiabá", tradução de J. Capistano de Abreu na "Gazeta de Notícias", 1886-87 e publicados em volume em 1921. Seu livro essencial, "BRAZIL, THE AMAZONS AND THE COAST", Charles Scribner's Sons, New York, 1879, é delicioso pela variedade e clareza das observações. O capítulo XVIII, "Myths and Folk-Lore of the Amazonian Indians", reuniu uma série preciosa de lendas e histórias, a maior da época, de onde traduzimos a página subsequente.

Bibliografia:

BRAZIL — THE AMAZONS AND THE COAST; Sampson Low, Marston & Co., London. O prefácio é datado de New York, 1879. Rodolfo Garcia cita uma edição do ano anterior, impressa em New York, com o título incompleto.

– De como a esperteza da Cutia enganou o Jaguar.

Uma Cutia põe-se a correr pelo mato com toda a rapidez possível. Daí a pouco encontrou-se com um jaguar.

– Olá, Cutia, gritou o Jaguar. Aonde vai tão depressa?

– Ora, disse a Cutia, não sabe? Aí vem uma grande tempestade que está acabando com todos os animais do mato. Corro velozmente para minha toca onde ficarei a salvo.

– Espere um minuto, exclamou o Jaguar em grande aflição. – E que vai ser de mim? Eu não tenho nenhum esconderijo para me abrigar e o vendaval de restroçará! Oh! minha amiga, amarra-me a uma árvore senão morrerei.

– Bem, disse a Cutia – vou amarrá-lo.

Assim ela amarrou o Jaguar à uma árvore e foi-se embora, rindo-se da estupidez do outro.

Após um dia, veio um Cupim e roeu o cipó, libertando o Jaguar. Enquanto isso a Cutia que estava passeando em volta e divertindo-se tomou a liberação de ir ver o que tinha acontecido com o prisioneiro. Trepou-se sorrateiramente numa árvore. Neste momento o Jaguar foi libertado pelo Cupim.

– Oh! Cupim – exclamou o Jaguar – oh! rei dos Cupins! Ficarei sempre grato por tudo quanto me fez. Venha à minha casa sempre que quiser e o alimentarei do melhor que possua, e darei a melhor cama, tratando-o como a um Rei!

A Cutia quando viu isto resolveu enganar mais uma vez o Jaguar. Encontrou uma ótima colmeia numa árvore e com o seu mel lambuzou-se, e em seguida foi a um ninho de cupins, espalhou uma porção desses insetos no chão e espojou-se sobre eles até que ficassem presos ao mel, cobrindo-a inteiramente deles. Deste modo disfarçada, caminhou altivamente para a casa do Jaguar. Quando ela se aproximava, o filho do Jaguar avistou-a e gritou para o pai: – oh meu pai! aqui está o rei dos cupins, todo coberto desses animaizinhos!

Então o Jaguar apressou-se em receber o seu hóspede e convidá-lo a entrar. Ofereceu-lhe um excelente jantar e deu-lhe atenção durante todo o dia e, quando a noite veio, reservou para ele o melhor canto para dormir. A Cutia deitou-se e adormeceu. Por volta da meia-noite caiu uma chuva.

– Oh meu filho! – disse o Jaguar – vá ver o rei dos cupins e observe se ele não se está molhando. A Cutia que estava num lugar enxuto, dormia muito bem. Havia, porém, uma pequena goteira no teto e por ela entrou a chuva, lavando o mel e desprendendo do seu corpo os cupins, fazendo aparecer o pelo vermelho. O filho do Jaguar viu isto e correu para onde estava seu pai, dizendo:

– Este não é absolutamente o rei dos cupins e sim a miserável Cutia...

Ouvindo isto o Jaguar pulou doido de raiva e encontrando a Cutia ainda adormecida, agarrou-a e prendeu-a a uma árvore.

– O que farei com esta malandra? – exclamou. – Amanhã pela manhã levá-la-ei ao rio e a afogarei!

Aí deixou a Cutia sob a guarda do filho e voltou para dormir novamente. Logo após a Cutia começou a dançar e a cantar, mostrando-se muito satisfeita.

– Olá, Cutia – disse o filho do Jaguar –, de que você está rindo?

– Eu estou rindo – respondeu a Cutia – porque fiquei muito contente por seu Pai ir-me atirar dentro do rio e é disto justamente que gosto! Nasci para nadar. Se ele, em verdade, fosse jogar-me numa touceira de mato bem fechado, eu estaria por isso muito triste porque de lá não sairia, vindo a morrer!

Pela manhã, o filho do Jaguar contou a seu pai tudo quanto a Cutia havia dito. Desta forma, o Jaguar em vez de atirar sua inimiga ao rio, jogou-a no mato de onde a Cutia saiu rindo...

BRASIL – THE AMAZONS AND THE COAST, Cap. XVIII, 549-551. Cutia, roedor da família Cavidas, *Daysprocta aguti*, Lin.

KARL VON DEN STEINER

Karl von den Steiner nasceu em Mühlheim-an-Ruhr a 7 de março de 1855 e faleceu em Cronberg, na Alemanha Central, a 4 de novembro de 1929. Médico, especialista em psiquiatria, apaixonou-se pela etnografia, fazendo a volta ao Mundo em 1878-79, conhecendo no Havre Adolfo Bastian, que o animou. Participou, em 1882, de uma expedição meteorológica à Geórgia Antártica, decidindo-se, de regresso passando por Montevidéu (1883), a explorar o rio Xingu, no Brasil. Com alguns auxiliares técnicos, partiu de Cuiabá, no Mato Grosso, em maio, alcançando Belém do Pará em outubro de 1884, descendo o Xingu de suas nascentes à foz, jornada de alta significação cultural pelos resultados científicos. Publicou, Leipzig, 1886, o monumental "Durch Zentral Brasilien", fixando, em outras conclusões, a filiação dos indígenas Bocairis à raça Caraíba e não aos Tupi-Guaranis, como se pretendia. Voltou em 1887, para estudar os afluentes do Xingu, dando atenção à parte etnográfica dos Bacairis, desempenhando-se magistralmente. Deu contas de suas pesquisas noutro volume. "Unter den Naturvölkern Zentral Brasilien", Berlim, 1894, além de ensaios e conferências sobre o idioma e aspectos parciais dos indígenas que observara. Professor na Universidade de Marburgo, presidente da Sociedade Geográfica de Berlim, estudou igualmente as ilhas Marquesas, no Pacífico, publicando trabalhos que reputam definitivos na época.

Bibliografia:

ENTRE OS ABORÍGINES DO BRASIL CENTRAL — prefácio de Herbert Baldus, tradução de Egon Schaden, na "Revista do Arquivo Municipal", ns. XXXIV a LVIII, com separata de p. 713. São Paulo, 1940.

O BRASIL CENTRAL – Expedição em 1884 para a exploração do rio Xingu, tradução e notas de Catarina Baratz Canabrava. Col. Brasiliana. São Paulo, 1942.

– CRENDICES POPULARES DE CUIABÁ.

A nossa casa em Cuiabá era uma "casa assombrada", na boa e na má acepção do termo; uma casa de um frescor "sombroso", na qual, além disso, havia duendes; a cozinheira preta, também muito sombreada, quis abandonar-nos, continuando a nosso serviço só porque à noite podia voltar para a sua própria residência. Constatando-se que a cidade de Cuiabá e seus arredores são, ao que parece, uma zona preferida pelos espíritos e pelas bruxas, não se deve esquecer que a população da camada social inferior recebeu de três partes do mundo contingentes para constituir o seu corpo de crendices populares; os índios, os negros e os europeus contribuíram na formação. Embora precisamente estes últimos tenham fornecido enorme profusão de material, sobretudo os negros são considerados necromantes de primeira categoria; à feitiçaria, muitas vezes, chama-se simplesmente "mandinga" e ao feiticeiro "mandingo", termos provenientes duma tribo africana de Senegâmbia, de onde se trouxeram muitos escravos. Não raro podem-se ver negros idosos que caminham murmurando consigo mesmos, agachando-se e riscando sinais na areia; dão, a quem os observa, a ideia de que estão afugentando maus espíritos. E sempre aparece algum negro que se torna célebre pelos seus remédios contra as cobras. Falaram-se de dois aldeamentos de escravos fugidos (quilombos), que ficam no caminho para Goiaz, e cujos habitantes, de tempos em tempos, se enfeitiçavam mutuamente de aldeia para aldeia. De um dos quilombos enviou-se certa vez um sapo, em cujo dorso se pendurava uma bolsinha (uma pequena "bruaca") com veneno para matar alguém do povoado vizinho; o destinatário, no entanto, notando a chegada do animal, gritou "vai-te embora" e acrescentou alguns versinhos que, por sua vez, deviam produzir algum mal na outra aldeia. O sapo, carregando a pequena mochila de veneno, caminhava, assim, de uma aldeia para a outra, até que o mais forte, disparando, ainda, um tiro de espingarda na direção do inimigo, venceu sobre o outro, que morreu. A Ásia, por seu turno, fornece representantes em forma de ciganos. Diz-se que até não são muito raros entre os moradores da região. Regista-se também, de vez em quando, a visita de armênios, que ficam em Cuiabá durante o intervalo entre dois vapores; o fato desperta sempre muito interesse, porque os enfeites e as relíquias correspondem perfeitamente à índole do povo.

Com o tempo tão limitado de que pude dispor para recolher material referente ao assunto em questão, não me é possível apresentar algo de uniforme e completo; o leitor encontrará preponderantemente velhos conhecidos, ficando admirado de vê-los arraigados em lugar tão afastado. Obtive o material, em parte de compatrícios residentes em Cuiabá há mais de quinze anos e aí casados com mulheres de cor mais ou menos acentuada, um dos quais estava mesmo convencido da verdade intrínseca dos fatos que relatava, acreditando sobretudo firmemente nos poderes mágicos dos negros – e em parte de brasileiros, especialmente de um sacerdote católico, cuiabanato.

MÃE DE OURO – É hábito das mulheres colocarem objetos de ouro no primeiro banho que dão ao recém-nascido, isto para que este, mais tarde, chegue a ser um homem rico. Não é mais do que justo falar em primeiro lugar da Mãe de ouro, em que tanta gente pôs as suas esperanças nessa cidade fundada em atenção às minas de ouro. É da palavra portuguesa *meteoro* que se formou a denominação *Mãe de ouro*. A esfera luminosa representa uma mina de ouro em movimento. Para designar o mesmo fenômeno emprega-se igualmente o termo tupi *boitatá* = cobra de fogo; o "diabo" passa pelo ar em forma de bola luminosa deixando cair o ouro para aquele com que fez o pacto. Existe, também, uma mina de ouro, que é frequentemente ferida pelo raio. Quando cai um meteoro costuma-se dizer "mãe de ouro mudou". Surge da terra uma bola de fogo, e 2-5 léguas adiante a bola entra novamente no chão. Houve gente que correu atrás, encontrando, no dia seguinte, até 1/4 de arroba (4 kg) de ouro.

A mulher a que se refere a denominação *mãe de ouro* é uma *realidade*. Em Rosário, a montante do rio Cuiabá, morava, no lugar em que agora está a capela, um senhor cruel, cujos escravos diariamente tinham de entregar ouro. Um negro velho, Pai Antônio, durante uma semana inteira não havia encontrado nenhum; vagueava cabisbaixo pela zona, temendo o castigo. Viu, então, subitamente uma mulher, sentada, branca como neve, e com linda cabeleira loura. Perguntou-lhe a mulher pelo motivo de sua tristeza, e disse-lhe: "Vai comprar-me uma fita azul, vermelha e amarela, um pente e um espelho". O preto arranjou as coisas pedidas e voltou com elas. A mulher indicou-lhe um lugar, e ele tomou a bateia, encontrando muitíssimo ouro, que foi entregar ao seu dono. A mulher, porém, lhe proibira revelar o lugar em que achara o metal. Pai Antônio foi então maltratado e açoitado todos os dias, até que, desesperado, foi novamente à procura da mulher. E, de fato, encontrou-a com seu lindo cabelo reluzente como ouro, e ela permitiu-lhe denunciar o lugar do achado; mandou dizer ao dono que cavasse aí com todos os seus homens e haveria de encontrar um grande pedaço de ouro. O patrão trabalhou com 22 escravos; acharam grande quantidade de ouro, que continuava para o fundo como um tronco de árvore, de tal modo que até nem foi possível alcançar a base. A mulher, porém, mandou ao escravo que no dia seguinte pouco antes do almoço pedisse licença para se retirar um pouco antes do meio-dia. O patrão e seus homens, que foram cruelmente açoitados, trabalharam desesperadamente para tirarem o tronco de ouro; pouco antes do meio-dia disse Pai Antônio "estou com dor de barriga", e afastou-se. Dentro de pouco ruiu tudo, o patrão e seus homens foram soterrados e nunca mais foram vistos. Pai Antônio viveu ainda muito tempo e chegou a mais de cem anos de idade. Baseando-se na sua narração, uma sociedade anônima de Cuiabá realizou grandes escavações.

PATUÁ – Em tupi, *patuá* quer dizer caixa, caixão, designando-se com essa palavra todas as modalidades de magia que dão sorte. Na noite de quinta para Sexta-feira Santa vai-se, entre as 11 e 12 horas, buscar patuá numa encruzilhada, p. ex., junto à cruz que fica na estrada que leva a Coxipó. Pode-se, então, fazer um pacto com o diabo e pedir sorte nas cartas ou com as mulheres, talento para tocar violino, certeza no tiro e outras coisas mais. Os negros vão armados dum grande sabre. Às vezes são assaltados por um animal feroz mas quando prosseguem no seu caminho, encontram o diabo-mor, em forma de bode, boi, sapo ou rã. Permite que beijem o traseiro, concede-lhes a realização do desejo por determinado tempo, e ordena-lhes que venham uma vez por ano à assembleia geral. Não adianta pedir dinheiro. É proibido proferir o nome dalgum santo. Também há mulheres que vão buscar patuá. Uma viu um grande bode preto, perdeu a coragem de fazer o seu pedido e gritou "Maria Santíssima!". Desde aquele momento, ela julgava sempre estar queimando e sacudia as roupas como se visse fogo, e morreu após pouco tempo.

Patuás são igualmente os amuletos "de santos ou do diabo", os primeiros, na maioria, trabalhados pelos italianos, assim os de Santa Lúcia contra a vista fraca, coração de Jesus, os do Espírito Santo contra todos os males, e a *"figa"* (v. mais abaixo) contra o mau-olhado. Mais preciosas, no entanto, são as *pedras de sapo*, que não se podem comprar a dinheiro. Havia um italiano que tinha um anel com três pedras de sapo, que ele não teria vendido nem a troco duma fortuna; colocando-se na mesa uma série de pratos cheios de comidas, algumas das quais envenenadas, o anel ficava escuro e sujo quando era segurado sobre algum dos pratos com veneno. Com um pano pega-se um sapo que se põe em cima de um poste que esteja exposto ao calor do sol. Em torno da base do poste coloca-se um pano vermelho de bandeira, e fere-se o animal por meio duma vara pontuda. Irritado pelos raios solares e pela vara, o sapo deixa cair da boca algumas gotas de veneno, que se transformam em pedras duras.

Afirma-se ser proveniente dum cigano o seguinte preceito: Na Sexta-feira Santa prega-se numa tábua nova um sapo feio e corcunda na posição de um crucificado, e deixa-se o animal no sol desde a manhã até a noite; o sapo grita horrivelmente e morre. O corpo do animal fica secando ao sol, durante mais três dias, permanecendo, em seguida, perto do fogo até que possa ser pulverizado. Soca-se todo o sapo. Tomando-se um pouco de pó, soprando-o, por meio dum tubo, num buraco de fechadura, esta se abre imediatamente.

Havia um negro que tinha o poder de abrir qualquer porta, e servia-se dele para as suas aventuras amorosas. O dono prometeu-lhe uma roupa se lhe desse uma mostra de sua arte; imediatamente o preto abriu a porta da sala, que estava bem fechada. À força de chicote foi-lhe extorquido o segredo: tinha, penduradas ao pescoço, três folhas que recebera do pica-pau, que abre as árvores. Prega-se uma tabuinha no ninho dum pica-pau, quando a fêmea está fora, e limpa-se cuidadosamente o chão em derredor. O pica-pau vem, não pode abrir o ninho, desaparece novamente, voltando depois com uma folha no bico; começa a picar e deixa cair a folha, que se deve pegar antes que tenha tocado o solo. Repete-se isso três vezes, e com a terceira folha a tábua se afasta para o lado. Batendo-se com esse "breve" (!) de folhas em qualquer porta, ela logo se abre.

Para livrar-se de quaisquer vínculos ou prisões basta que, na noite da quinta para a Sexta-feira Santa, se pegue uma jiboia (*Boa Cenchria*), que se estica entre duas árvores. A cobra não morre, mas desaparece durante a noite. Toma-se a corda com que esteve amarrada, e ata-se esta em torno da cintura. Assim é fácil livrar-se de toda espécie de vínculos.

Para tornar-se invisível, recorre-se a um processo semelhante ao do pica-pau. No ninho dum urubu-rei (*Sarco ramphus papa*) mata-se o pai ou um filhote quando a mãe estiver ausente, e deixa-se o animal morto no ninho. A mãe busca uma pedra, deixando-a cair do bico sobre o cadáver. Com a mão levanta-se a pedra, que não se pode ver, mas apenas sentir e ouvir. Obtém-se, com isso, patuá. Guarda-se a pedra nalgum lugar, agarrando-a quando se quer ficar invisível. A vista dos que estiverem presentes ficará ofuscada, do mesmo modo como se dá com o possuidor da pedra em relação a esta.

Por meio duma oração dirigida a Deus é possível, igualmente, subtrair-se à vista dos homens; também neste caso trata-se de deslumbramento, e não de transformação propriamente dita. Os iludidos veem, então, um tronco de árvore, um formigueiro ou coisa semelhante, mas nunca algum animal. No campo cerrado uma mulher vinha ao encontro de dois cavaleiros; desapareceu subitamente. Os homens apearam-se; um deles pôs-se a carregar o seu cachimbo, enquanto o outro fez as suas necessidades junto a um formigueiro que antes não havia visto. Olhando, depois, para trás, viram novamente a mulher, mas o formigueiro desaparecera.

Em S. Mateus, na Bolívia, um soldado perdera o seu cavalo. Viu-se obrigado a carregar o arreio na cabeça. Caminhando assim, deparou com um esqueleto de cavalo; o sr. corregedor murmurou algumas frases mágicas, e eis que se levantou, arreado, o cavalo mais lindo que se pode imaginar;

o soldado montou nele, não conseguindo apear-se antes que alcançasse o fim da viagem; quando tirou o arreio do animal, este se desfez em pó.

CURUPIRA – Para os tupis, *caypora* – "habitantes do mato" – é um espírito da selva que rapta crianças, dando-lhes de comer em árvores ocas, e que se apresenta em forma de jaguar ou outro animal; com forma diferente, de espírito zombeteiro, igualmente habitante da floresta, cabe-lhe a denominação *gurupira*, *corubira* (Martius, ur Ethnographie Amerika's, p. 468, nota no fundo da página). Em Cuiabá chama-se Curupiras a anõezinhos nus, claros, quase louros, que vivem em colinas ou em barrancos. Uns os descrevem como indivíduos bonitos, ao passo que outros os dão como feios; aparecem no tempo da lua cheia ou de dia, em número de 2, 3 ou 5, e raptam crianças. Atravessam a montanha com a mesma facilidade com que nós atravessamos o ar. Não se sabe qual seja a língua que falam; foram vistos centenas de vezes, mas nunca ninguém os conseguiu pegar. As crianças que conseguem voltar, têm a mente turvada e não sabem contar nada.

Há um arbusto que faz a gente perder-se no mato quando se roça por ele. É elétrico.

Os FANTASMAS povoam, mormente, sítios abandonados. Quem assobia de noite, atrai-os para o interior da casa. Não convém lavar os pratos de noite, para que os espíritos encontrem o que comer, e só na manhã seguinte, quando eles se serviram, é que se devem lavá-los.

Em certa casa havia fantasmas: entravam pedras pela janela, a luz apagava-se, todas as noites ouviam-se os passos de alguém que arrastava os pés, as portas fechavam-se subitamente, alguém batia, e, quando se ia abrir, não se encontrava ninguém. O sogro, um caboclo, não tinha medo do diabo, e certa noite, estando de visita naquela casa, pôde observar as coisas que aí se passavam; gritou, então, com voz forte: "Irmão, irmã, quem quer que seja, deixe em paz a família, e vá à chácara que eu moro!". No dia seguinte, alguém se sentou ao lado dele na rede; era seu defunto irmão que vinha pedir que Joaninha, a irmã dos dois, lhe perdoasse uma palavra, que não o deixava sossegado. O caboclo correu logo, chorando, à casa assombrada; Tia Joaninha chorou também e perdoou o extinto; a pobre alma não voltou mais.

LOBISOMEM – Das pessoas anêmicas admite-se frequentemente que, na noite de sexta-feira vão ao cemitério, desenterrando e comendo defuntos. Transformam-se num "lobisomem". Este tem a aparência dum grande cão, tendo as pernas traseiras muito mais compridas que as dianteiras; corre – e muito depressa com as pernas dianteiras (como quem apoia a cabeça nos cotovelos) dobradas para cima, na direção das orelhas. Há lobisomens pretos, brancos, amarelos, conforme a cor do homem. Se uma mulher dá à luz sete filhos homens, o primeiro ou o último se transforma em lobisomem. Ele mesmo não tem culpa disso, é o seu destino. Come imundícias em riachos e canais, voltando à forma humana para tornar a vomitá-las; daí o aspecto pálido e descorado.

Certa vez um homem, suspeitando de outro que fosse lobisomem, convidou-o a tomar um trago: *"quer matar um bicho?"*. Estando com ele a sós, coçou-o subitamente atrás das orelhas como se faz com cachorros. O outro ficou furioso e correu embora; estava, pois, reconhecido.

Desencanta-se o lobisomem: primeiro, por meio duma facada, que, para ser eficaz, precisa provocar a perda de uma gota de sangue apenas; segundo, por meio dum golpe desferido com uma lasca de bambu ou uma faca (não se deve empregar o facão); terceiro, por meio duma pedrada. O desencantado torna-se, porém, inimigo figadal de seu libertador; procura matá-lo, prometendo-lhe, ao mesmo tempo, muito dinheiro, em recompensa do benefício.

CAVALOS SEM CABEÇA – Durante a semana santa, entre as 10 horas da noite e o primeiro cantar do galo, às duas horas da madrugada, vêm-se andar cavalos sem cabeça pelas ruas de Cuiabá, ou mesmo no campo(1). Onde eles pisam, saltam faíscas; brigam uns com os outros, mordem-se, formando um amontoado em rebuliço; uivam e relincham horrivelmente. Uma criança que se aproxime demais é levada por eles. Correm ao encontro de tudo que reduz. Quem os quiser observar sossegadamente, deve manter cuidadosamente escondidas as unhas, os dentes, os cravos dos sapatos, os botões de metal e coisas semelhantes, sendo, por isso, conveniente deitar-se com a barriga para baixo. Esses *cavalos sem cabeça* são mulheres que, em vida, tiveram relações com sacerdotes; o castigo, porém, ameaça apenas as que anteriormente já tiveram outro compromisso e que viveram com o sacerdote durante sete anos. As mulheres de padre não vão para o céu, nem para o inferno, mas têm de errar pelo mundo. Por isso não é tão fácil, aos padres, encontrarem moças que queiram viver com eles. Às vezes também se veem os *cavalos sem cabeça* em outra época do ano, mas sempre na noite de quinta ou sexta-feira. Quando alguma mulher de padre dorme, deixando aberta a porta, então vê-se pingar fogo na rede, parecendo álcool incandescente.

Aparição noturna, semelhante aos *cavalos sem cabeça*, e que se observa em ruas solitárias, é a *porca com leitões*. Trata-se então sempre da alma duma mulher que pecou contra o filho nascituro. Quantos forem os abortos, tantos serão os leitões.

---

(1) Até eu notei várias vezes que os cavalos comuns, de noite (quando andam pastando pelo campo), não têm cabeça.

Para que um morto não volte, ponha-se de noite uma tesoura aberta debaixo do travesseiro. É sempre recomendável ter uma tesoura aberta pendurada à parede.

Não se pendura a rede numa vara transversal, mormente no acampamento. Pois é assim que se carregam os defuntos, e a vara usada para o transporte fica em cima da sepultura. Não convém deitar-se com os pés voltados para a porta, senão vai-se morrer e ser levado para o cemitério.

Um *galo que canta à noite* indica que uma menina da casa pretende fugir durante a noite. O zangão canta as saudades de parentes.

Quando a *comida cai da colher, deve-se* jogá-la por sobre o ombro; é que algum parente está sofrendo fome. Querendo-se promover o regresso do filho, marido ou outra pessoa ausente, enche-se um prato na hora da refeição, e depois de comer levanta-se o prato sobre a cabeça, exclamando "Ó meu querido filho, etc., volte para casa!".

Zunidos no *ouvido* direito significam que alguém está falando mal de nós; dando-se o fato com o esquerdo, alguma pessoa fala bem, e quando se ouvem os zunidos nos dois ao mesmo tempo, há alguém que fala bem de nós, enquanto outro faz o contrário. Há também alguma pessoa falando mal, quando a gente morde a *língua*; neste caso deve-se bater por sobre o ombro em atitude de defesa.

Para fazer com que as visitas desagradáveis se retirem imediatamente, vira-se um chinelo ou uma cadeira de baixo para cima.

Sentindo-se *prurido* na mão, deve-se coçar somente de fora para dentro.

Na *"doença de Lázaro"*, chupam-se as orelhas até ficarem inchadas. Um curandeiro, recorrendo a este meio, retirou da boca do paciente gordos bichos, a causa da moléstia.

Como meio contra o *papo*, muito frequente, usa-se, em torno do pescoço, um barbante fiado num domingo. Assim como o trabalho de domingo não faz ninguém progredir, o papo também não vai adiante. Não se retira o fio até que esteja podre.

A fim de evitar o *aborto*, o pai da criança lava as mãos, e a mãe bebe água. Demorando a saída das *secundinas*, raspa-se madeira do lado interno da soalheira da porta, juntando a raspagem à bebida da parturiente.

Na viagem, Januário curou *dor de dente* do nosso Peter; com sua faca traçou na areia uma circunferência, desenhando um homem no círculo; ajoelhou-se, e, murmurando algumas palavras – infelizmente não sei dizer quais foram, porque não estive presente –, deu várias facadas no coração do homem do círculo.

Quando a *lua nova* aparece, as mulheres que têm dor de dente dirigem-se a ela com orações.

O bambu e a madeira para a *construção* de casas devem ser cortados somente na *lua minguante*. As pessoas mais esclarecidas receiam que, em caso contrário, o madeiramento da casa se torne podre, ficando bichado. Na mudança há maior número de cobras pelo caminho.

Quando ameaça uma grande trovoada, acende-se, como medida de precaução, uma vela preta que serviu na procissão da sexta-feita santa.

No domingo de ramos o bispo benze e distribui ramos de palmeiras buriti ainda novas; as pessoas gradas recebem-nos enfeitados de fitas e rosas. Uma única tira de folha colocada em torno do pescoço, faz desaparecer o *papo*. Havendo forte trovoada, queima-se uma folha dos ramos cuidadosamente conservados, para que o raio não incendeie a casa.

As *cobras* ficam imóveis quando uma mulher torce a extremidade da saia.

Os caçadores enterram, perto da casa, uma *cabeça de veado*, a boca dirigida para baixo. Quando os cachorros levantarem algum veado, este tomará o caminho para o lugar em que se encontra a caveira. Pode acontecer mesmo que o animal venha sem ser acossado pelos cães.

Quando um pobretão roubou uma *cabeça de gado*, ele enterra a língua com a ponta para cima, de tal sorte que apareça um pouco na superfície do solo. O dono do animal roubado não descobre, então, que este desapareceu.

Aquele que, com intuitos de vingança, quer fazer debandar um rebanho, põe *sal* no fogo.

MAGIA ECLESIÁSTICA – Desejo contar, preliminarmente, tal como me foi relatada em Cuiabá, a lenda do *bem-te-vi Tyrannus sulfuratus*, que é espalhada por todo o Brasil. "Na fuga para o Egito, a Virgem, perseguida pelos soldados de Herodes, quis refugiar-se na casa do João-de-barro, *Furnarius rufu*; os ninhos do João-de-barro, que solicitamente socorreu à Virgem, são conhecidos de todo mundo, porquanto se encontram nos telhados, nas vigas e nos cruzeiros altos. O curioso bem-te-vi gritou zombeteiramente atrás de Maria o seu eterno *'bem-te-vi'*. Ela o amaldiçoou; desde esse momento o bem-te-vi não tem carne, consistindo apenas de bichos, de que está cheio".

"Lavadeira de Nossa Senhora" é o nome com que o povo designa um gafanhoto verde que dá sorte quando pula na gente. A denominação provém certamente do ortóptero *Mantis*, o *louva-a-Deus*, se não é que se trata do mesmo animal. O nome *Louva-a-Deus* é devido à atitude do gafanhoto, que lembra a de um indivíduo em oração.

BATISMO – Adotar crianças não batizadas dá sorte em casa. Os nascidos mortos são batizados a 2 de fevereiro, festa da Candelária. O padrinho e a madrinha despejam água sobre a sepultura. Crianças que, na fazenda, morrem pagãs, são enterradas junto à porteira do curral. As vacas se encarregam do batismo! E não há nisso nenhuma frivolidade por parte dos moradores.

O *culto dos santos* representam um fetichismo extremamente grosseiro para a camada inferior da população e todas as mulheres de Cuiabá.

Ídolos domésticos em forma de imagens e estatuetas de santos de toda espécie, e cheias de enfeites e adornos, não faltam mesmo no rancho mais pobre. Quando se pratica um ato reprovável, encobrem-se todas as figuras de santos. O visitante, que se queira sentar num caixote, tem o cuidado de perguntar primeiro: "Aqui dentro não há quadro de santos?".

O santo é recompensado e punido, conforme a eficiência de sua atuação por ocasião das *promessas*. Santo Antônio, do qual, aliás, se afirma receber no Rio de Janeiro o ordenado que lhe cabe como tenente-coronel – o que se acredita geralmente, quer seja lenda ou verdade – é o padroeiro invocado com mais frequência. Quando desaparece algum cavalo, então cobre-se o santo com um cabresto, acendendo um par de velas e pronunciando, solenemente, a promessa de lhe pagar um vintém (20 réis), se fizer voltar o cavalo. Santo Antônio não aceita mais do que isso. Moças casadouras fazem-lhe promessa para que lhes arranje marido. No caso de não obterem resultado, colocam o santo atrás da porta, metendo-lhe na cabeça, de modo que fique bem fixo um chapéu de cera de malignas abelhas silvestres. E se tal estímulo ainda não faz efeito, amarram-lhe um fio ao colo, fazendo-o descer ao poço. O grau seguinte: o santo é colocado, junto ao fogo, debaixo do tacuru, trempe de pedras em que se assenta a panela, e aí fica assando alguns dias. E se, apesar de tudo isso, ainda não puder ou não quiser prestar o auxílio pedido, o santo é amassado no pilão.

Mas quando o santo cumpre os desejos, faz-se-lhe uma festa alegre, toma-se cachaça e dança-se o *cururu*, e ele fica, numa caixa, sobre a mesa, constituindo o centro de tudo isso. Mais alegria, ainda, reina naturalmente nos dias de festa, eclesiásticos, sobretudo nos de *S. João*, *Santo Antônio*, *Nossa Senhora da Conceição*, *São Pedro* e *Sant'ana*. A comemoração principal realiza-se sempre na véspera, sendo feita em determinadas casas, onde o santo se encontra num altar, entre duas velas; já um ano antes constituem-se sociedades, tira-se a sorte para a distribuição dos cargos: rei, rainha, juiz, juíza, capitão da haste da bandeira, tenente da bandeira, etc. Assim levanta-se, p. ex., um "mastro" na noite de 12 de junho (Santo Antônio: 13 de junho), içando-se, com grande solenidade, a bandeira, em que está pintada a imagem do santo. Nos dias dos três santos, São João, Santo Antônio e São Pedro, acendem-se *fogueiras de alegria*, e na brasa assa-se batata-doce, mandioca e cará. Cachaça em quantidade; banquetes. Uma semana mais tarde retira-se o mastro, fazendo-se a entrega da bandeira ao tenente eleito para o ano seguinte. Pula-se sobre a *fogueira de São João*, e podem-se meter brasas na boca sem perigo de se queimar. A São João não se dirigem promessas, pois ele dorme até o dia do Juízo, e até lá não faz milagres. Se ele soubesse o dia em que é celebrada a sua festa, o mundo todo seria destruído pelo fogo. Sendo o santo do fogo, ele é o único que tem bandeira vermelha, a dos outros é branca.

O *cururu* é a dança preferida do Mato Grosso, da qual só participam os homens. Instrumentos de música: *Koschó*, violino com poucas cordas de tripa que os próprios moradores fabricam de madeira de salgueiro; *Krakaschá*, um pedaço de bambu ou uma cuia comprida com entalhos, o qual se toca com outro pedaço de bambu *"krakascha..."*; *Adufe*, um tamborim com velhas moedas de cobre em vez de guisos; *Viola*, o violino com cordas de arame; às vezes também a *Marimba* dos negros. O início da festa é um jogo em que todas as pessoas da festa tomam parte. Dança-se e canta-se em roda do santo, e quem passa diante dele faz uma genuflexão. Em seguida canta-se em honra do rei e da rainha, os dois entram no círculo munidos da garrafa de cachaça, oferecendo um trago a cada um e juntando-se depois ao círculo, que passa a cantar para outra personagem, a qual, por sua vez, oferece cachaça, e assim por diante. Há versos em quantidade, sempre em quadras, e sobre os mais variados assuntos; no cururu, os cantos de devoção são seguidos pelos de amor, de zombaria e outros inventados conforme as inspirações do momento; as quadras adaptam-se ao humor da festa, e as conhecidas são substituídas, dentro em pouco, pelas improvisadas. Chama-se *Tambaque* a um tambor formado de um tronco de árvore escavado e aberto com um pedaço de couro, bem como à dança com que se acompanha o instrumento. Canto monótono, p. ex.: *"Cágado trepado no telhado é coisa que nunca se viu"*.

Absolutamente não é raro executar-se "danças de animais" nas festas de santos, só que não correspondem à maneira indígena. Trata-se, sobretudo, de danças circulares, e quem as executa são as mulheres. Assim, p. ex., uma dança de jacaré com as seguintes palavras: *"Deixe estar, jacaré, sua lagoa há de secar"*. Outra dizia respeito a abelhas e pirilampos: *"Abelhinha, come pão! Quando come, não me dão"*, e *"Vamos tirar mel! Eu cago fogo! Dona Maria quer lamber"*. Cada dançante tem uma vara, e, quando vem o compasso *fogo*, ela se vira e bate na vara da seguinte. Gosta-se imensamente de dançar a dança do *peru*; três mulheres, duas das quais representam perus, e a terceira uma perna, estendem as saias e imitam a voz da ave. A perna corre, procurando esconder-se no meio das pessoas presentes; os dois perus começam a persegui-la e aquele que conseguir postar-se exatamente diante da perna, será considerado vencedor. *"Avoa, peru, avoa!"* Trata-se, pois, de gracejos muito inofensivos, que não podem magoar o santo.

Contra os costumes que vigoram no dia de São João dirige-se o bispo[(2)] D. Carlos de Cuiabá, com palavras severas, numa carta pastoral de 27 de maio de 1888. Contém a carta os seguintes dados. Na véspera "pequenas imagens do santo são levadas, com verdadeira palhaçada, aos rios, às fontes, e mesmo à torneira, onde são mergulhadas na água com acompanhamento de cantos e música, e tudo isso com a convicção de se estarem praticando atos piedosos; no dia seguinte levam-se as imagens à igreja, onde são colocadas no altar, durante a missa". Este "abuso extremo deve ser removido por intolerável". Mas por que não se dirige também principalmente contra as promessas e a magia de cura que se pratica com o santo, e contra as *fórmulas* de oração, escritas e impressas, que estão espalhadas por toda parte e às quais se atribuem resultados mais exorbitantes que a mais extraordinária medicina patenteada da América do Norte?

Protege-se a criança contra o feitiço quando se medem o comprimento e a largura das figuras de santos, a fita vermelha que ela traz ao pescoço. Promove-se o parto rápido por meio das rosas de Jericó, importadas pelos Armênios, pois assim como se abre o útero, fá-lo também o útero.

As fórmulas de oração são empregadas mormente pelas mulheres. Um judeu se havia retirado secretamente da cidade, deixando dívidas e uma cuiabana com filhos atrás de si. A mulher rezou uma novena em honra de Santo Antônio, durante nove noites, servindo-se, para isso, da fórmula: *"Santo Antônio se vestiu, suas alpercatas calçou, cingiu-se com uma corda, pegou o seu bastão e foi andando pelo caminho. Encontrou-se com Jesus Cristo, que lhe perguntou: Aonde vais, Antônio? Santo Antônio respondeu: Senhor, vou pelo mundo afora. Jesus Cristo, porém, respondeu: Volta para casa, e arranja-me o Marcos Rietsch".*

Contra *dor de dente*: São Pedro estava sentado numa pedra, com dor de dente, lamentando-se e soluçando. Passou, então, Nosso Senhor Jesus Cristo, que lhe perguntou: – "Que tens, Pedro?" – "Dor de dente, Senhor." – "Pedro, se for bicho, que morra; se for sangue, que abrande, se for o mar, que seque. (Ortografia do original: *Pedro se for bixo que mora se for sangre*

(2) D. Carlos Luís D'Amor, Bispo de 1879 a 1921, quando morreu.

que a brande se for o mor que seque). Pois, Pedro, quem trouxer esta oração ao pescoço não terá dor de dente (*dordedente*)". Reze-se: *"Um padre nosso Uma ave maria Um santo maria a sagrada morte paxão de noço çenhor Jezus christo. Pertence esta Oração para Senhora Silveriana Maria da Sus".*

É muito generalizada a longa *"oração do Santo Selpucro"*, que se usa ao colo principalmente para conseguir um parto fácil; "impressa em Roma por ordem do Santo Padre", levando o título: "Cópia de uma carta e oração encontrada no Santo Sepulcro de Nosso Senhor Jesus Cristo e guardada por Sua Santidade e pelo Imperador Carlos II no seu oratório numa caixa de prata". Diz o texto que Cristo apareceu à Santa Isabel da Hungria, à Santa Matilde e à Santa Brígida, comunicando-lhes uma estatística de seus sofrimentos, p. ex.: "Na cabeça recebi 150 pancadas, no peito 106, nos ombros 80, cuspiram-me no rosto 30 vezes, bateram-me no corpo 666 vezes, dei então 129 suspiros, perdi 38.430 gotas de sangue", etc. Outra cópia, escrita em letra de ouro, foi encontrada a 2 de janeiro de 1650, a três milhas de Marseille, e traduzida por uma criança de sete anos. Com sete Padres-Nossos, sete Ave-Marias, etc., proteção contra peste, raio, calúnia, etc., parto fácil, e libertação de uma alma do purgatório, todas as vezes que se recite a oração. Quem trouxer a oração consigo, não morrerá sem confissão: numa viagem marítima alguém foi decapitado; a cabeça, em que ainda estava presa à oração, foi lançada ao mar, onde encontrou um navio que levava um padre a bordo, e pôde confessar-se.

ENTRE OS ABORÍGINES DO BRASIL CENTRAL, pp. 701-713. Separata da "Revista do Arquivo", ns. XXXIV a LVIII. São Paulo, 1940. Apêndice III, 701-713, S. Paulo, 1940.

COUDREAU

Henri-Anatole Coudreau nasceu em 1859 em Charente Inférieure, França, e faleceu em novembro de 1899 nas margens do rio Trombetas afluente esquerdo do rio Amazonas no Estado do Pará. Depois do curso na Escola Normal Especial de Cluny veio ser professor no Colégio da Cayenne, nas Guianas Francesas. A partir de 1881 explorou o território da colônia, especialmente a região contestada então entre o Brasil e a França, publicando livros interessantes com a geografia e etnografia indígena locais. De 1895 em diante passou a trabalhar contratado pelo Estado do Pará até sua morte, visitando e estudando rios paraenses e dando conta dessas jornadas em volumes esplêndidos, com desenhos e mapas, registando um documentário rico de novidades etnográficas e folclóricas. Assim "Voyage au Xingu" (A. Lahure, Paris, 1897) e sucessivamente Tocantins-Araguaia, (Paris, 1897), Tapajós (idem, 1897), Itaboca e Itacaiúna, (idem, 1898), Jamundá, Cuminá, Curuá, Maecuru, Mapuera, Trombetas, todos editados em Paris por Lahure, de 1895 a 1900, no final dirigido por Mme. Coudreau (1900). Destes sei haver tradução brasileira, Brasiliana, n. 208, São Paulo, de A. de Miranda Bastos, anotações de Raimundo Pereira Brasil, "Viagem ao Tapajós", de 27 de julho de 1895 a 7 de janeiro de 1896, que não consegui ler.

Bibliografia:

VOYAGE AU TAPAJOZ, 28 Juillet 1895 — 7 Janvier 1896. A. Lahure. Paris, 1897, pp. 152-154.

– PRÊMIO MUNDURUCU AOS GUERREIROS FERIDOS E À VIÚVA DOS BRAVOS.

A Festa do *Periná-te-ran*. A tribo dos Mundurucus, a mais guerreira do Amazonas, é também aquela que mais solenemente festeja suas vitórias e chora seus bravos. Os bravos têm duas recompensas: a primeira consiste no direito de colocar-se no posto mais avançado no campo de batalha; a segunda lhes é concedida pelo chefe como distinção quando, desastradamente feridos, não podem obter a primeira.

A primeira é o *pariná-á* indicando que o portador é um guerreiro vitorioso, e a segunda é uma cinta ("écharpe") de algodão que o tuxáu (chefe) tece e orna com os dentes maxilares duma cabeça inimiga. Esta insígnia não é dada somente aos feridos, ela distingue também as famílias: banda de algodão ou *banda d'inimigos* é igualmente concedida à viúva de um guerreiro morto em combate, e, nos dois casos, seja o ferido ou seja a viúva que receba a cinta, a regra é a mesma: quem possui a cinta deixa de trabalhar e é mantido pela tribo como um imposto pago por aqueles que gozam a paz assegurada pelos que sucumbiram no campo da batalha. Este privilégio de ser mantido pela tribo o portador do *"pariná-á"* tem igualmente, mas para ele dura apenas cinco anos, isto é, o tempo que decorre entre a batalha onde foi conquistada a cabeça inimiga e a festa comemorativa do *pariná-te-ran*, cinco anos depois. A festa terminada, a cabeça não mais tem o valor de insígnia e o privilégio finda; mas para aqueles que possuem uma cinta *d'inimigos* ("écharpe d'ennemis") o privilégio continua a vida inteira.

Estas festas guerreiras têm um singular caráter de grandeza.

Após a campanha, quando regressam todos os guerreiros e as mulheres que os acompanham, o tuxáu determina a grande caça. Finda a caçada no dia marcado a população se reúne para assistir à confecção, pelo tuxáu, das cintas onde ele insere dentes inimigos, previamente lavados e perfurados pelos subalternos. A confecção das bandas é acompanhada de cantos onde a vingança é evocada sob as cores sedutoras, fazendo-se apelo ao patriotismo o poeta-cantor que faz notar que para cada morto da tribo é necessário um morto nas fileiras adversas. Eis aqui uma estrofe na forma de refrão:

Beque bequiqui otêgê
Ochê urupanum rane egê
Ochê urubê am aun egê
Beque mum ochê capicape nansum.

(Lembremo-nos, meus amigos, que este serviço que fazemos agora nos foi legado por nossos pais).

Durante este tempo toda a tribo está presente nua, assentada, e a cerimônia finda se dirige para o *exça* (quartel-general) onde toma suas armas e os vestidos de festa. Formados em alas, próximo ao quartel-general, o tuxáu com as cintas coloca-se numa extremidade e para ele se dirigem, nus, de cabelos crescidos, aqueles que vão ser recompensados. Durante este tempo ressoam as modulações estridentes da trombeta de guerra, o *ofuá* e, à medida que o tuxáu com suas próprias mãos vai cingindo as cintas os já premiados se dirigem para o quartel. Quando foram premiados todos os feridos, apresentam-se três viúvas designadas pelo tuxáu, uma de cada divisão social, para receber também sua recompensa. Elas trazem em lugar do colar de dentes inimigos, o *cururape* de seu marido e em cada mão um *putá*, de um ancião e de morto em combate ("achirau"). Terminada a cerimônia, soam os *caruqu*, grandes instrumentos de som apavorante, e todas as mulheres, precedidas pelas premiadas e seguidas dos homens, acompanham em coro nas batidas de pés cujo rumor se ouve ao longe. Durante esta cerimônia servem de comer e também a *maniquera*. A festa que começa às seis horas da tarde termina ao amanhecer. Reúnem-se então no quartel onde o chefe corta o cabelo dos feridos que retomam seus ornamentos, não voltando às fileiras senão no dia seguinte quando a festa continua e se prolonga enquanto existir feridos para recompensar.

KOCH-GRÜNBERG

Theodor Koch-Grünberg, nasceu em Grünberg, Hesse, a 9 de abril de 1872 e faleceu na fazenda "Vista Alegre", Rio Branco, Estado do Amazonas, a 8 de outubro de 1924. Grande etnógrafo, pesquisador incansável, desde maio de 1903, com breves pausas de estudos na Alemanha, onde dirigiu o Linden Museum de Stutgart, professor universitário, viajou e observou, superiormente, zona considerável do Amazonas, o rio Negro e afluentes, deixando uma bibliografia preciosa, clara e documentada sobre os aspectos da vida indígena. Os ensaios em que fixou caça, pesca, organização tribal, residência, alimentação, situação social da mulher selvagem, danças, utensílios domésticos, guerreiros, regime de trabalho, são modelares.

Bibliografia:

ZUM ANIMISMUS DER SUDAMERIKANISCHEN INDIANER — publicado no "Arquivos Internacionais de Etnografia", Leyde, Holanda, 1900.

ZWEI JAHRE UNTER DEN INDIANERN — Berlim, 1910. Dois volumes. É a viagem de 1903-5 pelo noroeste brasileiro.

VON ROROIMA ZUM ORINOCO — Viagem ao norte do Brasil e Venezuela em 1911-13. Dois volumes. Berlim, 1916-1917.

INDIANERRSMARCHEN AUS SUDAMERIKA — Jena, 1920. Coleção de contos e comentários sobre as narrativas tradicionais dos indígenas sul-americanos notadamente brasileiros.

A história do Noé indígena foi contada a Koch-Grünberg pelo velho chefe Inácio, no rio Uraricuera, alto Rio Branco, no Amazonas. É uma lenda onde elementos católicos e ameríndios se sobrepõem numa convergência perfeita, realizando o tipo do chamado conto etiológico, explicando a origem de espécies animais.

– A Árvore da Vida e o Dilúvio.

Indígenas Taulipangues – (Caraíbas). Guiana Brasileira.

Em tempos antigos viveram ao pé do Roroima cinco irmãos, que sofreram muito com a fome e não tinham nada a comer.

Então um deles, Aculi, que em tempos imemoráveis era homem,[1] achou no mais denso mato uma árvore gigantesca, que se chamava Vazacá e que dava todas as frutas boas: toda qualidade de bananas, mamão, acaju, laranjas e milho.

Comia cada dia das frutas da árvore, mas não disse nada aos outros.

Quando um dia chegou outra vez para casa com a barriga cheia, disse-lhe um dos irmãos, Macunaíma:

– Vamos dormir.

Quis ele descobrir o que Aculi comia que todos os dias voltava com a barriga cheia.

Aculi dormiu. Macunaíma, porém, fingiu só que estava dormindo e levantou-lhe os beiços para ver o que comera.

Achou ainda um pedacinho de fruta na boca de Aculi, provou-o e viu que era banana.

Aculi acordou sem nada perceber.

No dia seguinte Macunaíma mandou a Cali, que outrora foi homem, com Aculi para ver onde este tinha encontrado as bananas.

Chegaram às proximidades da árvore e viram muitos papagaios e periquitos comendo frutas.

Cali quis ver a árvore, mas Aculi não lhe quis mostrar.

Voltaram para casa.

No dia seguinte, Macunaíma disse ao seu irmão Manape, o maldito:

– Fica ao pé desta árvore e colhe frutas. Nós outros queremos procurar outra árvore.

A árvore era um zau (agutitripa, árvore de frutas ruins, pasto predileto do aguti).

Os dois outros foram-se. Aculi mostrou a Cali a árvore das frutas e disse-lhe.

– Come as frutas que estão embaixo, no chão.

Cali respondeu:

– Vou trepar à árvore. Nela há mais e melhores.

Aculi disse:

– Não trepes! Ali há muitas vespas que te hão de picar.

Cali teimou, dizendo:

– Não te incomodes por minha causa! Vou trepar.

Havia, porém, muitas vespas lá em cima. Por isso Aculi comeu escondido as frutas do chão. Cali subiu e pegou na banana mais bela. Vieram

(1) *Aculi* é o nome taulipangue por *agutí*. Cali é o esquilo *agutipurú*.

duas vespas e picaram-lhe as pálpebras. Cali caiu da árvore e disse:

– Tinhas razão, amigo! Não quis aceitar teu conselho e fui castigado.

Desde esse tempo Cali tem as pálpebras inchadas.

Macunaíma desconfiou dos dois por chegar Cali com os olhos inchados. Por isso enviou no dia seguinte seu irmão mais velho, Manape, atrás deles, dizendo-lhe:

– Esconde-te no caminho, e quando os dois trouxerem bananas e se esconderem, podes logo comê-las, se tiveres fome.

Manape escondeu-se. Os dois passaram, mas sem bananas, porque já as tinham escondido antes.

Assim, todos os dias.

Mandou então Macunaíma que seu irmão mais velho Manape fosse com os dois. Eles mostraram a árvore com as frutas. Disse-lhes Manape:

– Vós sois bonitos amigos! Comeis aqui todos os dias e não nos dais nada.

Então disse Aculi:

– Eu enchi aqui a barriga todos os dias, e nada vos disse, e dei-vos só coisa ruim.

Manape comeu muitas bananas, até encher a barriga.

Depois fez uma alcofa para levar bananas a seu irmão.

Disse-lhe Aculi:

– Cuidado! Aí há vespas!

Manape, porém, replicou:

– As vespas não me picarão.

Colheu muitas bananas que mui maduras estavam no chão; encheu a alcofa e foi para casa. Narrou o acontecido a seu irmão. Macunaíma fez um guisado de bananas e comeu com os irmãos.

Então falou Manape, o maldito, a seu irmão:

– Amanhã vamos cortar a árvore para apanhar as frutas.

Aculi, que era mui prudente e previu tudo, disse:

– Não, não vamos cortá-la! Vamos somente procurar frutas no chão. Se derrubares a árvore, haverá grande água.

Mas Manape teimou, pegou num machado e golpeou o tronco da árvore, dizendo à mesma:

– *Mapazá-yeg*! (árvore de tronco).

A madeira tornou-se mole, e o machado penetrou mais. Aculi preveniu-o ainda:

– Não a derrubes, não a derrubes! Senão, virá muita água.

E tomando todas as cascas de fruta, e cera, tapou todas as fendas que Manape abrira. Manape continuou a cortar. Quando disse *Palulú-yeg*! (árvore mole), tornou-se o tronco muito mole, e o machado penetrou mais.

Ainda ficava uma parte do tronco para cortar. Então disse o outro irmão, Anzikilan:

– *Waina-yer*! (árvore muito dura).

Logo ficou duríssimo o pedaço do tronco, e o machado não entrou. Mas Manape disse outra vez:

– *Palulú-yeg*! (árvore mole).

Então o tronco tornou-se outra vez muito mole, e a árvore foi derrubada.

Se a árvore tivesse caído para este lado (Sul do Roroima), haveria, muitas bananas no nosso mato. Ela caiu, porém, para o outro lado (Norte), e muitas bananas caíram para lá.

Por isso ainda hoje há muitas bananeiras, que ninguém plantou, naquele mato, e lá não falta nada.

Essas bananeiras pertencem aos Mauari (demônios da serra). Todas as montanhas de lá, o Roroima e outras, são suas casas. Assim dizem os pajés, que são os únicos que podem ver os Mauari e falar com eles.

O toco que ficou da árvore, é o Roroima.

Tendo Manape derrubado a árvore, saiu muita água e inundou tudo! Vieram muitos peixes, uma espécie de traíras muito grandes, porém todas foram para o outro lado. Ali há ainda outros muitos e grandes peixes: piraíba, sorubim e outros. Do nosso lado só há poucos e pequenos.

do VON ROROIMA ZUM ORINOCO, conto traduzido por Clemente Brandenburger, in "Revista de Arte e Ciência", n. 9, março de 1925, Rio de Janeiro.

– O Noé dos Majongongs.

Nuá mandou construir uma grande barca e avisou todos os animais, o jaguar, o cervo, a anta, a capivara e outros, todos os animais da terra. Avisou também todos os homens. Perecerá tudo n'água!

Os homens, porém, diziam: É mentira! Nuá edificou uma grande barca e mandou que embarcassem todos os animais, plantou também todas as frutas, especialmente bananas, caju e outras.

A barca ainda hoje se pode ver no outro lado do Roroima, uma grande rocha com uma bananeira ao lado.

Nuá disse à gente: Sereis transformados em golfinhos, peixes e cobras aquáticas e tartarugas. A gente Majongongs, Macuxi, Taulipangue, Vapisxana, Saparã, Uaiumará, Macu e outras acreditaram o que Nuá lhes disse. Todos os outros tornaram-se animais aquáticos. Depois veio muita água do Roroima e inundou tudo.

Os homens que Nuá tinha acautelado, disseram: Não queremos fazer barcos, mas treparemos às árvores. Foram transformados em formigas, tocandiras, talvez também em borboletas. Agutipuru subiu a uma árvore Inajá e por isso ainda hoje gosta das frutas desta palmeira. Outros homens subiram em árvores e foram convertidos em todas as sortes de monos, guaribas, macacos-de-cheiro e outros. Por isso ainda hoje os monos se parecem com os homens.

Outros foram mudados em aves. O tamanduá, que então ainda era homem, disse: Que serei eu agora? cutia, paca, anta, todos esses animais são comidos. Isto não quero. Então começou a ser tamanduá, que os homens não comem. Outro fez o mesmo, tornando-se jaguar; outro raposa, todos animais que se não comem. Estes eram os astuciosos! Os outros, a anta, a cutia, o cervo e outros eram os imbecis!

Todas as aves foram para o céu, o mutum, o urubu, o passarão, a garça e outras. Dizem que lá no céu havia um furo, a porta para esses animais. Tudo ficou inundado e se fez noite; o sol não saiu mais por muito tempo.

– Então, disse Nuá: Quando amanhecer, deveis cantar! Ele o disse aos papagaios, araras, cotias, antas, a todos os animais, aos guaribas e outros...

Agutipuru atirou na água uma fruta da inajá, para ver se baixara. A fruta fez *ting*, sinal de que havia ainda muita água. Assim fazia Agutipuru todas as noites por muito tempo.

Um dia a fruta fez *pong*. Então percebeu Agutipuru que a água baixava. Depois a água baixou tanto que a fruta da inajá, quando a atirou n'água, fez *pau*. Então conheceu Agutipuru que a fruta caíra em terra enxuta.

Então cantou primeiro o mono urrador, depois o galo, o mutum e todas as aves que cantam de manhã pela madrugada.

Apontou o dia. O Sol reapareceu. Nuá mandou ao urubu, que naquele tempo era ainda uma pomba, que fosse ver se a terra era enxuta. A ave demorou muito e comeu muitos animais, especialmente peixes que jaziam ali podres. Sujou-se, ficou preto na lama e fedorento e começou a ser urubu.

Então enviou Nuá, após ele, uma pequena pomba, para ver o que fazia, demorando-se tanto tempo. Ela não fez como o urubu, mas voltou e contou tudo. Nuá, então, disse ao urubu: Eis-te sujo demais. Não quero mais ver-te aqui! Podes agora sempre viver assim! Então continuou a ser urubu.

A pequena pomba disse: A terra está enxuta. Então veio Nuá com sua canoa do céu. Antes enviara ainda o gavião, o corocoró, a garça, todas as aves que ainda hoje gostam de andar na lama e de comer carne podre e peixes. Todas ficaram e não voltaram mais. Depois enviou o cervo dizendo-lhe: Cuidado, lá há muitas formigas! Espera até que se afastem! Mas o cervo teimou dizendo: Isto não faz mal! Naquele tempo tinha ainda carnes nas pernas acima das mãos e dos pés.

As formigas comeram-lhe as carnes e assim ainda hoje corre com pernas delgadas. Nuá disse que se apressasse. Por isso ainda hoje o cervo corre.

Nuá disse aos animais: Esperai até que tudo fique seco, até que as formigas se vão embora! Mas os animais, cervos, antas, não esperaram e por isso comeram-lhe as formigas as carnes das pernas.

Depois disse Nuá aos cervos, antas e a todos os animais de caça: Quando encontrardes homens, não deveis fugir deles, mas falar com eles! Não deveis ter medo!

Então disse o macaco: Não lhe acrediteis; mas fugi dos homens! Os animais seguiram o conselho do macaco e por isso são mortos pelos homens até hoje, aliás seriam ainda hoje amigos.

do "VON ROROIMA ZUM ORINOCO" conto traduzido pelo padre Carlos Teschauer, incluído no seu livro "Avifauna e Flora nos Costumes, Superstições e Lendas Brasileiras e Americanas", edição da Livraria do Globo, Porto Alegre, pp. 239-242. Terceira edição, 1925.

ROOSEVELT

Theodoro Roosevelt nasceu a 27 de outubro de 1858 em New York e faleceu a 6 de janeiro de 1919 em Oyster Bay, New York. Diplomou-se em Harward, 1880, tomando parte ativa na política do Partido Republicano sendo deputado estadual em New York, subsecretário da Marinha, etc. Durante a guerra hispano-americana organizou um regimento de cavalaria voluntário, "Roosevelt's Rough Riders" de que era coronel, participando na campanha em Cuba. Governador do Estado de New York em 1898. Vice-presidente dos Estados Unidos em 1900, assumiu a presidência quando o presidente Mac Kinley foi assassinado em 1901. Reeleito para o seguinte quatriênio, 1905-1908. Foi para a África caçar, 1909-1910. Candidatou-se à presidência da República em 1912, derrotado por Woodrow Wilson. Arrebatado, eloquente, infatigável, era popularíssimo o *old Teddy*. Recebeu o Prêmio Nobel da Paz em 1906. Desejando vir ao Brasil, o Museu de História Natural de New York oficializou sua viagem, dando-lhe os naturalistas George K. Cherrie e Leo Miller como assistentes técnicos. Com outros elementos, inclusive seu filho Kermit, partiu em fins de 1913. Chegou ao Rio de Janeiro em novembro, fazendo conferências também em São Paulo. O Governo Brasileiro criou a "Exposição Roosevelt-Rondon" encarregada de investigar o curso de "Rio da Dúvida" cuja foz era ignorada, não se sabendo desaguar no Gí-Paraná, Tapajós ou Madeira. Roosevelt viajou para o Uruguai, Argentina e Chile, indo de Buenos Aires para Assunção de onde desceu o Paraguai, encontrando-se com o então coronel Cândido Mariano da Silva Rondon, de quem não mais se separou, a 12 de dezembro de 1913. A 5 de janeiro estava em Cáceres, depois de haver caçado em vários pontos e daí para Tapirapoã, partindo a 21 de fevereiro para o altiplano ocidental brasileiro, o *sairtown*, pronúncia inglesa de sertão. Visitou o chapadão dos Pareci e dos Nambicuaras e a 27 de fevereiro, com 7 capoas, 16 remeiros, Rondon, o oficial Lira, o médico Cajazeira, Cherrie, Miller e Kermit, alcançou o Rio da Dúvida e desceu por ele 60 dias, uma jornada tormentosa, até verificar que se tratava do chamado dos seringueiros, no terço médio, rio Castanha e no final Aripuanã, depois da confluência com este. Nesse ponto do Aripuanã-Castanha, tomaram a 27 de abril o naviozinho que os aguardava e desembarcou no rio Madeira. O rio da Dúvida ficou oficialmente denominado "Rio Roosevelt" e é um dos principais afluentes do Madeira, com 1.500 quilômetros de extensão. Roosevelt chegou a Manaus a 30 de abril e a Belém do Pará a 1º de maio de 1914, regressando a New York no dia 5. No mesmo ano narrou a viagem no "Through the Brazilian wilderness", New York, livro entusiasta, compreensivo e humano, exaltando a resistência e valor do homem brasileiro.

Bibliografia:
ATRAVÉS DO SERTÃO DO BRASIL, tradução de Conrado Erichsen, Brasiliana, n. 232, São Paulo, 1944.

– O Matañá-Ariti dos Parecis.

Pois o caso é que esses índios parecis jogam animadamente o futebol com a cabeça. O jogo é exclusivamente deles, pois nunca ouvi ou li que fosse usado por outra tribo ou povo.

Usam uma bola oca e leve, de borracha, por eles mesmos fabricada. É esférica, com cerca de 20 centímetros de diâmetro. Os jogadores formam dois partidos, colocados de modo semelhante aos do *rugby* e a bola é colocada no solo, ao ser iniciado o jogo, como no futebol.

Então um jogador se adianta a correr, atira-se de barriga ao solo e com uma cabeçada atira a bola para o outro grupo. Esta primeira batida, quando a bola está no solo, nunca a levanta muito, e ela rola e pula para o lado dos contrários. Um destes corre para a bola, e, com uma marrada, a devolve aos da parte adversa. Em geral esta segunda cabeçada levanta a bola, e ela volta em curva alta em pleno ar; um jogador do lado oposto então corre e apara a bola com tal impulso do pescoço musculoso, e tão preciso de destreza, que ela volta para o outro lado como a de couro quando é chutada muito alta. Se a bola vai para um lado, é trazida de novo e recomeça o jogo. Muitas vezes é rebatida de um para o outro campo uma dúzia de vezes, até que seja impelida tão alto que passe sobre as cabeças dos adversários, caindo atrás deles. Ouve-se então a gritaria de alegre triunfo dos vencedores e o jogo recomeça com renovado prazer. É claro que não existem regras como num clássico jogo de bola dos nossos, mas não vi desavenças. Os jogadores podem ser oito ou dez, ou maior número, de cada lado. A bola não pode ser tocada com as mãos ou os pés, ou qualquer coisa exceto o alto da cabeça. É difícil saber o que seja mais digno de admiração, se o vigor e destreza com que a bola é devolvida, quando vem alta, ou a rapidez e agilidade com que o jogador se projeta de cabeça no solo para rebater a bola que vem baixo.

Não posso compreender como não esborracham o nariz. Alguns jogadores dificilmente falhavam a cabeçada para devolver a bola que chegava a seu alcance, e com forte impulso ela voava, numa grande curva, em distância realmente de admirar.

– A alma do morto acompanha o matador.

França, o cozinheiro, citando um provérbio que provém da triste filosofia do povo, dizia: – "Ninguém conhece o coração dos outros"; e em seguida afirmava com funda convicção, com uma crença entranhada no supranatural, que até então eu nunca encontrara: – "O Paixão está seguindo Júlio agora, e o seguirá sempre, até Júlio morrer; Paixão caiu de bruços, sobre as mãos e os joelhos, e, quando um morto cai assim, sua alma acompanha o assassino enquanto este viver."

ATRAVÉS DO SERTÃO DO BRASIL, 199-200, 308. Roosevelt denominou o jogo dos Parecis, *Head-ball*. Roquete Pinto registou o nome verdadeiro, *Matanã-ariti*. Ariti é sinônimo de Pareci.

MAX SCHMIDT

Nasceu em Altona, Schlesvig-Holstein, Prússia, a 15 de dezembro de 1874, falecendo em Assunção, Paraguai, a 20 de outubro de 1950. Diplomado em Direito pela Faculdade "Friedrich-Alexander", Universidade de Erlangen, Baviera, 1899, neste ano ingressou no Museu Etnológico de Berlim; diretor da secção sul-americana (1919), aposentando-se em 1929. A primeira viagem às nascentes do Xingu, 1900-1901, motivou informações antropogeográficas e o *Indianerstudien in Zentralbasilien* (Berlim, 1905), com tradução brasileira em 1942. Cursou Filosofia em Leipzig, 1916, obtendo o *venia legendi*, Berlim, 1917, conquistando o título professoral em 1918. Voltou várias vezes ao Brasil Central, visitando o Paraguai. Residiu em Cuiabá, 1930, fixando-se em Assunção no ano seguinte. Investigador honesto, consciencioso, alheio ao brilho da expressão, pesquisou a cultura material dos indígenas do Mato Grosso, do Chaco paraguaio, pré-história peruana, divulgando um compêndio de Etnografia (*Völkerkunde*, Berlim, 1924) e 70 obras atestam-lhe a capacidade profissional. É excelente o seu *Direito dos selvagens tropicais da América do Sul* (Stuttgart 1899, versão brasileira em 1900, ampliado em 1930). Devemos-lhe indicações indispensáveis para o conhecimento da técnica do trançado e tecido nativos.

– Cururu-Ciriri. Festa de Ano-Bom em Rosário, Mato Grosso.

Já no dia 31 de dezembro de 1900 a festa da Imaculada Conceição foi comemorada solenemente. Assim, para esse dia, uma das famílias transformou a sua mísera cabana em um local de reunião, para o qual em breve convergiu certo número de pessoas de todas as gradações de cor. No interior da casa foi erigida uma espécie de altar. Um caixote de vidro com diversas imagens de santos havia sido enfeitado com papel de cor e fitas de pano; diante dele ardiam duas grandes velas. Uma banda militar, que se pode caracterizar pelo fato de o regente da mesma ser ao mesmo tempo o tangedor dos pratos de cobre e o timbaleiro, começou o início da cerimônia. Seguiram-se longas orações com cânticos e música. Dois velhos negros ajoelhavam-se diante do altar orientando esses cantos e orações, ficando atrás deles muitas senhoras. Pouco depois fez-se um intervalo em que foi servida aguardente e, então, agrupou-se em torno do altar certo número de dançantes, formando semicírculo para começar a dança do *cururu*, tão conhecida em Mato Grosso. Parte dos que dançavam acompanhava na viola os versos ali mesmo improvisados pelos cantores. Outra parte dos presentes seguia o ritmo por meio de um pau que roçava numa ripa de bambu, instrumento que denominam *caracachá*. Os dançarinos dispuseram-se em duas filas e, depois, em círculo fechado. Assim foi indo, cada vez mais animadamente, até a madrugada, sendo apenas interrompido o movimento, de vez em quando, para se afinar os instrumentos de corda e dar aguardente aos cantadores, o que lhes emprestava novas forças.

Enquanto se dançava o *cururu* dentro de casa, lá fora se realizava outra espécie de dança, muito apreciada em Mato Grosso o *ciriri* acompanhado, também por música e versos cantados. Como não se dispunha de mais instrumentos, cobriram-se algumas cadeiras com couro à guisa de tambores e os pratos fizeram de *caracachá*, em que tocavam ritmicamente por meio de garfos.

Dançarinos e cantores formavam uma roda em que ia constantemente um par para o centro a dançar. A dança tinha muitas variações e os movimentos eram cada vez mais rápidos, principalmente no fim, quando os dançarinos já não vinham em par e sim cada um de per si. Um rapazola negro mostrou resistência excepcional, mas a sua companheira preta não ficava atrás em flexibilidade.

O tempo passou depressa em meio de festas, de modo que entrei no novo ano sem ter dado por isso.

Dou a seguir exemplos de alguns versos de *cururu* e *ciriri*, conforme são cantados em tais ocasiões. Estes, porém, não são dos que ouvi em Rosário e sim dos que tomei nota na localidade de Amolar no rio Paraguai, mas a sua essência é a mesma, pois são justamente as canções preferidas pela população escura de Mato Grosso. O sentido frequentemente vazio das tais estrofes é retirado da vida restrita dos próprios cantores, e não há que lhe acrescentar maior valor.

Exemplos de versos da dança do *Cucuru*:

Lá la lá la li la lão,
Lá la lá la li la lão.
Já fui, já vim eu só
Lá no caminho de saudade de você
Quando lembrava de vós.

Lá la lá la li la lão,
Lá la lá la li la lão.
Meu amor já foi embora
Eu não digo que eu não sinto
Não chora por ele não.

Ai menina
Quando mim ver em passeio
Me dá um aperto de mão.

Eáh, eu mesmo!
Ascende cigárro me dá.

– Exemplos de versos da dança do *Ciriri*.

Mim mandárão mim ésperar
Lá no pé da laranjeira
Esperei desésperêi
Mêu amor é Cravachéira.

Não tenho inveja de náda
Ném dos brazões da rainha.
Porque tenho a gravidade
De chamar minha mulatinha.

Fui andando pôr um caminho
Ramo vêrde mim puxou
Não mim puxa rámo verde
Nosso têmpo já acabou.

Láranjeira páu de spina
Árvore de muito ciência
Quêm amá amor alhéo
É preciso ter paciência.

Mé mandarão esperar
Na tranqueira do capim
Esperei desesperei
Quem quer bem não faça assim.

Lá encima daquele morro
Tem um pé de carapicho
Já botei a sela
Falta só botar rabicho.

Lá encima daquele morro
Tem um pé de melancia
Conversando com uma velha
Com sentido na filha.

Fui andando pela rua
Eu fui tomar café
Encontrei com uma bapúda
Tinha o papo mácumbé.

Lá encima daquele morro
Têm um pé de álfaváca
Um homem que não tem rêde
Dorme no couro da vaca.

Já no ano novo começara com um *dia santo*, isto é, o dia do Espírito Santo. Desde cedo ouviam-se ruídos de música que vinham de várias direções. Pela tarde, apareceu uma quantidade de negros fantasiados, cantando e tamborilando pelas ruas – iam dançar o *congo*. Fizeram parada em uma das ruas para uma demonstração teatral. Para isso dividiram-se em dois grupos, sendo que um deles apresentava o rei. Assim, surgiu um arauto de cada um dos grupos. Ambos começaram um diálogo animado em que o rei se intrometeu várias vezes em tom bombástico. Finalmente o partido oposto deu vivas ao rei e continuaram a caminhar.

Numa das noites seguintes pude assistir a uma festa que me interessou bastante, pois realizavam-se danças de animais exatamente como as descreve Avé-Lallemant quando fala do Rio Negro. Primeiro, dois grupos de seis figuras cada um, estando o primeiro vestido de cor vermelha e o outro de azul-celeste, com o principal dançarino à frente, executaram as mais diversas danças, entre as quais também uma dança de espadas. Havia, ainda, um bobo vestido de encarnado e pintado de preto, cuja principal tarefa era recolher as moedas que o público atirava, e bem assim distribuir lenços para que o mesmo público amarrasse neles algum dinheiro.

Repentinamente apareceu um jaguar, bem-vestido, de rabo e orelhas, que provocou terrível alarido entre as crianças negras presentes, de modo que as mães tiveram que sair com elas. O jaguar gesticulava furiosíssimo, mas sem sair do ritmo. O bobo, munido de duas bexigas de porco entumecidas, devia enfrentá-lo.

Depois que desapareceu o jaguar, entrou uma coisa negra de grandes proporções, com chifres e focinho pontudo, a representar um boi. Novamente as crianças presentes puseram-se a chorar. O boi começou logo a dançar comicamente, mas sentiu-se mal e foi preciso chamar um médico que o fez restabelecer-se.

Os detalhes correspondiam inteiramente aos relatos que Avé-Lallemant faz em passagens idênticas. Não pude estar presente quando se apresentou, depois, o cavalo, de forma semelhante.

ESTUDOS DE ETNOLOGIA BRASILEIRA. Peripécias de uma viagem entre 1900 e 1901. Seus resultados etnológicos. Tradução do *INDIANESTUDIEN IN ZENTRALBRASILIEN*, Berlim, 1905, de Catharina Baratz Canabrava, São Paulo, 1942, pp. 13-17. O autor, consultado, retirou vários trechos constantes do original alemão. Os livros de Avé-Lallemant, sobre as duas viagens ao sul e ao norte do Brasil, foram traduzidos e impressos pelo Instituto Nacional do Livro, em 1953 e 1961. Ver nesta *Antologia*. Max Schmidt estabelece confusão no registo dos *dias santos* ou recebeu informação errada. A *Imaculada Conceição* festeja-se a 8 de dezembro. O primeiro de janeiro é *Circuncisão de Jesus* e nunca dedicado ao *Espírito Santo*. Quarenta dias depois do domingo da *Ressurreição* é a quinta-feira da *Ascensão*. Dez dias depois, é que ocorre o domingo de *Pentecostes*, ou do *Espírito Santo*. São festas *móveis*, subsequentes à Semana Santa.

SÉCULOS XIX E XX
Os estudiosos brasileiros

LOPES GAMA

1791-1852

Miguel do Sacramento Lopes Gama nasceu no Recife a 29 de setembro de 1791 e faleceu nessa cidade a 9 de dezembro de 1852. Monge beneditino do mosteiro de Olinda, professor do Seminário e do Colégio das Artes, jubilou-se em 1839, secularizando-se. Foi diretor do Liceu e também da Faculdade de Direito, várias vezes deputado provincial em Pernambuco e deputado-geral à sexta legislatura, 1843-47, por Alagoas. Dirigiu jornais, escrevendo poemas satíricos, traduzindo celebridades da época, Destutt de Tracy, Torombert, Luranne, Lytelton, Géruzez, Carmignani, Sílvio Pelico, publicando uma crítica ao "Judeu Errante" de Eugéne Sue, livros didáticos sobre eloquência, etc. Sua obra típica e preciosa é O CARAPUCEIRO, *Periódico sempre moral*, e só per *acidens político*, com o moto "Guardarei nesta Folha as regras boas,/Que he dos vicios falar, não das pessoas". Veio de 1832·a 1847, com interrupções. Moralista implacável, com verve e coragem de fixar, seu periódico constitui um dos melhores documentários do tempo, com o registo do ambiente social e popular pernambucano na primeira metade do século XIX.

– O Bumba meu boi no Recife (1840).

De quantos recreios, folganças e desenfados populares há neste nosso Pernambuco, eu não conheço um tão tolo, tão estúpido e destituído de graça, como o aliás bem conhecido *Bumba meu boi*. Em tal brinco não se encontra um enredo, nem verossimilhança, nem ligação: é um agregado de disparates.

Um negro metido debaixo de uma baeta é o boi; um capadócio, enfiado pelo fundo dum panacu velho, chama-se o cavalo-marinho; outro, alapardado, sob lençóis, denomina-se burrinha: um menino com duas saias, uma da cintura para baixo, outra da cintura para cima, terminando para a cabeça com uma urupema, é o que se chama a caipora; há além disto outro capadócio que se chama o Pai Mateus. O sujeito do cavalo-marinho é o senhor do boi, da burrinha, da caipora e do Mateus.

Todo o divertimento cifra-se em o dono de toda esta súcia fazer dançar ao som das violas, pandeiros e de uma infernal berraria o tal bêbedo Mateus, a burrinha, a caipora e o boi, que com efeito é animal muito ligeirinho, trêfego e bailarino. Além disso o boi morre sempre, sem que nem para que, e ressuscita por virtude de um clister, que pespega o Mateus, cousa muito agradável e divertida para os *judiciosos* espectadores.

Até aqui não passa o tal divertimento de um brinco popular e grandemente desengraçado, mas de certos anos para cá não há *Bumba meu boi*, que preste, se nele não aparece um sujeito vestido de clérigo, e algumas vezes de roquete e estola, para servir de bobo da função. Quem faz ordinariamente o papel de sacerdote bufo é um bregeirote despejado e escolhido para desempenhar a tarefa até o mais nojento e ridículo; e para complemento do escárnio, esse padre ouve de confissão ao Mateus, o qual negro cativo faz cair de pernas ao ar o seu confessor, e acaba, como é natural, dando muita chicotada no sacerdote!

O CARAPUCEIRO, nº 2, Recife, 11 de janeiro de 1840. É a mais antiga descrição do folguedo.

PEREIRA CORUJA

1806-1889

Antônio Álvares Pereira Coruja nasceu em Porto Alegre, Rio Grande do Sul, a 31 de agosto de 1806, e faleceu no Rio de Janeiro a 4 de agosto de 1889. Professor primário em sua cidade natal, era deputado provincial em 1835, envolvendo-se na revolução "farroupilha", sendo preso e solto no ano seguinte. Fixou-se na capital do Império, fundando o Colégio Minerva, de grande reputação. Foi um dos grandes e venerados escritores didáticos do Brasil Imperial, publicando gramáticas, aritméticas, resumos de História, além de críticas e estudos sobre sua Província. O *velho Coruja* morreu ignorando a existência do Folclore mas fixou elementos preciosos de etnografia nos seus livros. Essa página deliciosa, sobre alcunhas na cidade de Porto Alegre do seu tempo, foi publicada no Rio de Janeiro em 1881. Não era possível dispensá-la nesta Antologia.

– As alcunhas de Porto Alegre e outras alcunhas.

1ª Epígrafe – *Veritas parit odium.* Isto é latim, que traduzido livremente quer dizer: Nem todas as verdades se dizem, senhora Torta.

2ª Epígrafe – em resposta à primeira – *Amicus Plato, sed magis amica veritas.* Isto também é latim, que traduzido livremente quer dizer: *Verdade, verdade.*

PRÓLOGO

O que aqui vai escrito bem merece o nome de *Tamanduá*, não só pela extensão do artigo, com a multiplicidade de §§ de que é composto, como porque fisicamente falando se assemelha ao quadrúpede deste nome que tem a cauda maior que o corpo: a cauda pois será a série de Notas de que vai acompanhado o *Texto*, que neste caso será o corpo: e vou começar a

EXPOSIÇÃO

Quando estudante não aprendi *História*, pois no meu tempo se não ensinava uma cousa, a que nos Liceus e Colégios de hoje se dá esse nome; e por isso não posso dizer se o uso das alcunhas se perde nas *trevas da antiguidade* (chapa), ou se houve época em que começasse.

Sempre ouvi dizer e tenho lido que Adão se chamava Adão, que Noé somente Noé, e Abraão somente Abraão, sem mais nada; porém na antiga Roma já reinava outro planeta; pois aí lemos certos nomes que mais parecem alcunhas que sobrenomes; por exemplo: Caio Múcio teve o nome de *Scaevola*, que é o mesmo que dizer *Canhoto* ou *Maneta*; Lúcio Júnio se chamou *Brutus* que corresponde a *Idiota*; Quinto Horácio se chamou *Flaccus* que corresponde a *Orelhudo*, e outro Horácio se chamou *Cocles* que quer dizer *Torto* da vista; Lúcio Quíncio chamou-se *Cincinnatus* que significa *Guedelhudo*; Púbio Cipião teve o nome de *Africano*, tendo nascido em Roma; um outro Cipião foi conhecido por *Nasica* que é o mesmo que dizer *Narigudo*; Públio Ovídio foi chamado *Naso* que significa *Narigão*(1); Semprônio se chamou *Longus* que corresponde a *Comprido*; e houve um *Strabo* ou *Strabão*, de onde vem a palavra *Estrabismo*, que corresponde a Vesgo ou Zarolho, que outros também chamam nordeste, piloto, ou como melhor nome haja. Todos estes nomes seriam mesmo sobrenomes? Ou seriam alcunhas? Eu opto pela segunda fazendo partir daí (ao menos até onde posso chegar) o uso das alcunhas, salvo melhor juízo dos doutos.

Se é certo os Santos do céu tiveram sobrenome, como São Felipe Neri e Santa Maria Madalena; também é certo que muitos dos Reis da terra eram conhecidos pelas alcunhas, inclusive um que até foi alcunhado depois de morto, e foi D. Sebastião o *Desejado* ou *Encantado*.

Entre os portugueses e no Brasil as alcunhas eram ou são ainda uma praga. Na costa da África tivemos um *Chacá* que era o primeiro comissário e principal agente dos contrabandistas de carne humana; no Rio de Janeiro sabem todos que houve um *Onça* que governou a capitania; um *Chalaça* que passava por favorito de D. Pedro I; o cônego *Pirão* que passou a monsenhor com a mesma alcunha e o *Piolho Viajante* que já não vive, et ceteri et ceteri etc.

---

(1) Não sei a propósito de que me lembre agora do cirurgião Gaspar, da Cachoeira, que já Deus levou há muitos anos.

Para os lados do Cristal morava o bom velho *Manuel das Canas* (Manuel d'Ávila), primeiramente, sogro do licenciado(2), Manuel Antônio Dias, e depois do capitão Morais (o meu filho sr. Capitão).

Na estrada de Mato Grosso tinha seu sítio o *Ressabiado*, pai de muitas filhas, aonde os moços da cidade em alguns dias de festa iam dançar, mesmo de dia(3). Mais adiante morava o *Velho Matraca*, que pela Semana Santa tinha a devoção de vir a pé à cidade para fazer na igreja o uso do seu instrumento favorito.

No caminho do meio ou estrada do meio, junto ao Capão da Fumaça, morava o velho *Fumaça* (José Silveira Pereira) que diziam uns ter ele dado o nome ao Capão e outros que o Capão o dera a ele: e junto dele seu filho *Chico Fumaça*.

Nessa mesma estrada junto à cerca de pedra morava o *Quarto de galinha*, Serafim (ou Miguel) dos Anjos cuja viúva D. Severina lhe sobreviveu muitos anos, morrendo já de idade avançada.

Outros ilhéus aí moravam entre os quais se contavam o *Vicente brabo* (Vicente Silveira Gonçalves) e seu filho *Miguel brabo*; o Inácio dos *dentes grandes* e o *Chico Ilhéu* (Francisco Silveira de Azevedo).

Entre esta estrada e a dos Moinhos morava o velho *Bogango* (José Silveira Fernandes) com seu filho o capitão José Mulher(4).

Não esquecerei que por essas imediações moravam as Senhoras Eusébias, as primeiras Beijueiras(5) dos nossos subúrbios.

Agora passarei ao centro da cidade, então vila de Porto Alegre. É aí que se achava destacado o quartel-mestre general das alcunhas, se é que não havia tantos quartéis-mestres generais quantas eram as povoações da capitania e do Brasil.

Tudo e todos tinham alcunha, desde a mais alta personagem até o sineiro ou aguadeiro.

---

(2) Naquele tempo dava-se o título *licenciado* aos cirurgiões, e se dizia – Senhor Licenciado, como hoje se diz – Senhor Doutor.

(3) Dizia-se que o nome de *ressabiado* era da herança paterna, e que seu pai tivera 30 filhos, 15 da primeira mulher e 15 da segunda. Chama-se José Jacinto, e padecia de *estrabismo* excêntrico.

(4) O leitor há de ter notado que todos estes ilhéus tinham – Silveira – no nome: assim também se encontram muitos Terras, Garcias, Rosas, Gulartes, Machados, Fanfas e Medeiros.

(5) Beijueiras é nome que se não encontra nos dicionários; fique-se porém entendido que aqui significa – fabricantes de beijus, onde os moços da cidade nos dias santificados iam assistir à sua fabricação.

Eram os Governadores e Presidentes, os Batalhões e Regimentos, as famílias, as senhoras, as mulheres, os empregados públicos, os padres, sacristas e funcionários de irmandades, as escolas, os jornalistas, os advogados, solicitadores do foro, escrivães e meirinhos, os cirurgiões e empregados no comércio, os sapateiros, os alfaiates, os taverneiros, os mascates, profissões diversas ou avulsas e também havia alcunhas em duplicata.

Governadores e presidentes – Tivemos em 1803 como governador o *Lentilha*(6); em 1809 como capitão-general o *Verruga*; em 1814 um marquês alcunhado por *Diabo Coixo*; em 1820 fez parte do Triunvirato governativo interino o *D. João Quinto*; em 1824 um presidente *Sinhá Rosa*, e em 1826 outro presidente *Cascudo*.

Batalhões e regimentos – Além dos Dragões e Voluntários (que nem todos o eram) tínhamos aquartelados na praça da Alfândega no edifício hoje denominado – Casa queimada, a *Legião dos Baetas*, que assim se chamavam os soldados Paulistas, onde era Ajudante o tenente Galinha e também tinham praça o cadete Chulé, e o tenente Nenê.

O batalhão que passou depois a ser o 8º e para onde eram recrutados os filhos desobedientes e os malsinados, era denominado – dos *Chimangos*, tendo tido em certo tempo por comandante o coronel *José Maria Maneta*. Os da legião portuguesa, do general Lecor, chamavam-se *Talaveras*. O contingente da artilharia da Corte tinha o nome de *Morcegos*. A infantaria de Santa Catarina (o regimento da Ilha era conhecido por *Padres Eternos*; os Milicianos de cavalaria da roça eram os *Galos*, de que foi sargento-mor *José Joaquim Atoa*; os da infantaria da cidade comandados pelo coronel Basaca eram *Queroqueros* e os do Rio Pardo da mesma arma eram os *Mandús*, porque todos os seus oficiais eram Manuéis). O torço de Ordenanças, até certo tempo comandado pelo capitão-mor *Conde da Cunha*, tinha o nome de *Ceroulas*; e a eles pertenceram como sargento-mor o *Sô Naço*(7), como capitães o *João dos Afetos* e *Guilherme Pescocinho* e cabo avisador o *Luiz Sujo*. A companhia dos pardos era conhecida pelo nome de *Rapaduras*, e era dela alferes o *José Moleque*(8); e a companhia dos pretos era comandada pelo major *Galo-piando*.

---

(6) Os daquele tempo não o chamavam Lentilha, davam-lhe mais um qualificativo menos docente, que diziam ter já trazido de Lisboa.

(7) O sargento-mor Inácio José de Abreu, como Juiz de Paz do Rosário, foi um dos signatários das representações de 9 de dezembro de 1835, em que se pedia à assembleia provincial o adiamento da posse do presidente José de Araújo Ribeiro.

(8) O alferes José Rodrigues do Vale, cômico gracioso, morreu no seu posto puxando uma guarda na praça do Palácio quando foi atacado de uma congestão cerebral.

Havia além destes na campanha os *Colorados*, que assim se chamavam os soldados do general Abreu por causa do fardamento encarnado; e os *Belendengues* que em ocasiões de guerra se arrebanhavam entre os gaúchos e vagabundos do campo para servirem de isca ao inimigo nas guerrilhas.

As Famílias – Entre as famílias que serviram de ornamento à sociedade porto-alegrense contavam-se as estimáveis senhoras *Pilotas* que em sua graciosidade e delicadeza não deixavam passar *camarão* pela malha; as senhoras *Araras* que deram duas professoras para Pelotas; as senhoras *Periquitas*, cuja última representante foi a viúva do italiano Pança; as senhoras *Cachoeiras* a que pertencia a respeitável viúva de um conceituado negociante, que no seu tempo fora *cavaleiro professo*(9); e as senhoras *Maravilhas*(10), onde casou Joaquim José Quadrado.

A estas podemos acrescentar as senhoras *Baroas* porque seu chefe se chamava José Vieira Barão de Matos; as senhoras Desidérias, pelo nome de seu irmão Desidério Antônio de Oliveira há poucos anos falecido na cidade do Rio Grande; e as senhoras *Galvoas* (cunhadas de Manuel Raimundo Galvão) que, da sua altura e graciosa altivez, sabiam corresponder com graciosas mesuras a quem na rua as cumprimentava.

As senhoras – Devo aqui apresentar em primeiro lugar a Sra. *Brigadeira*, a mais antiga e respeitável representante das famílias colonistas de Feijós e Azevedos(11). D. Josefa Eulália de Azevedo foi assim chamada e conhecida por ter sido casada com o brigadeiro Rafael Pinto Bandeira, não perdendo este nome nem mesmo casando depois com o desembargador Luiz Correia Teixeira de Bragança, de quem enviuvou. Era sogra do coronel Vicente Ferrer da Silva Freire.

---

(9) A propósito de cavaleiro professo: A profissão era um ato eclesiástico solene a toque de órgão. Eu fui testemunha ocular da profissão do finado Manuel José de Freitas Travassos, que ajoelhado nos degraus, do altar-mor da igreja matriz, recebeu do vigário-geral, Soledade o capacete, o manto e a espada, mediante certas orações apropriadas. Naquele tempo não era raro ler-se nos sobrescritos das cartas: Ao Ilmo. Sr. F. Cavaleiro professo na Ordem de Xpto, abreviatura que serve hoje de gracejo para indicar uma coisa *chic*.

(10) Os srs. Luiz e Guilherme Ferrreira de Abreu ainda se hão de lembrar que na sua infância tiveram por vizinhanças fronteiras na rua da Igreja umas senhoras muito *moças* e muito *formosas*.

(11) No Instituto Histórico por ocasião de se ler um trecho sobre o ataque do *ponto da brigadeira* (30 de junho de 1836) houve alguém que sorriu, supondo sem dúvida ter este nome outra origem.

Feitos estes primeiros cortejos, passarei de leve pela sra. d. Maria Antônia Vicência, conhecida por d. Maria *Pôpa redonda*[12], por ter sido seu marido comandante de um navio assim alcunhado; mencionarei a sra. d. *Inácia Rebeca* também por ter sido casada com outro capitão de navio deste nome; passarei de leve pelas senhoras d. *Ana Gorda*, d. *Ana Bolena*, e *Iaiá Pombinha*, para finalizar com a senhora d. Prosódia, pessoa de palavras escolhidas; dizia *equinomia* porque esta palavra da maneira que vinha nos dicionários era indecente; gostava muito das famílias que passavam uma vida *medíocre*; e como era pessoa de algumas posses mandou um seu sobrinho estudar à corte com o fim de ser *Doutor formado em bacharel.*

As mulheres – Além das *Potreiras* e *Tagarras* que se tinham encurralado no beco do Fanha, moravam para os lados do Portão as duas ex-atrizes Angélica *Lindeza* e a *Coxifã*, a *Cabra-roixa*, e a cisplatina *Fragata Imperatriz*; para os lados dos *Bagadús* residiam a *Antonica Talaverna*, e a *Botoa* (filha de Felício *Botão*); e na rua da Varzinha a *Jacaroa.*

Falta ainda uma que por ser histórica merece menção especial. Quem indo pela rua da Igreja para os lados do Arsenal e tivesse passado os Pecados Mortais que tem hoje a placa de general Bento Martins[13], subindo para o alto que já se chamou do Manuel Caetano, do Senhor dos Passos, da Conceição, e hoje com a placa do general Osório, encontraria à direita uma meia dúzia de casas de porta e janela, em uma das quais morava uma mulher que alguém me disse que se chamava Felizarda, mas que só era conhecida por *não sei que de Bronze*, e que por decência só era denominada – *Bronze*, nome que foi dado àquele lugar por ser ela a figura mais *notável* do bairro.

Os empregados públicos – Havia na Contadoria da fazenda o *Juca Lere, o Pinguinho*, o *Menclete* e o *Cajado*; na Alfândega o Juca *Aleijo*, o *Papa-hóstias* e o *Dorme a cavalo*, e na Secretaria do governo o *Manuel da espada*, o *Fidalgo pobre*, e o *Amor... em apuros*[14].

---

(12) Parece que não era mesmo *popa redonda*, e sim um outro nome técnico com que os marítimos costumam chamar os navios de certa construção e de que agora não me posso recordar.

(13) Eu escrevi placa, porque do nome é só o que existe: por mais que a municipalidade queira, os Pecados Mortais serão sempre *Pecados Mortais* e assim o *Alto da bronze sempre* será Alto da bronze.

(14) Parece que não era mesmo... em apuros. Quem conheceu o oficial-maior Manuel Joaquim Pires de Carvalho, todo empertigado, gravata alta, calças justas, botas rangedeiras, o rosto estudado ao espelho, talvez se lembre que qualidade de *Amor* era esse, que tanto o distinguia.

Padres e funcionários de irmandades – Quando ainda era raríssimo o uso do piano o padre *Antônio das Marimbas* (padre Neves) já o ensinava a tocar; e em sentido contrário havia o padre *Batalha* (padre Malheiros) incitador dos Chimangos; e seguiam-se os padres *Viracombota*, *Chiquinho* e *Mulatinho*, cujas missas eram ajudadas pelos sacristas *Mal-acabado* e padre Chiquinho ou *Chico Sacristão*.

Na irmandade do Rosário era tesoureiro o incansável devoto *Chico Cambuta* (Francisco Furtado) que acompanhou o templo desde os seus alicerces até ser elevado a paróquia; e era nela Andador o preto velho *José Cabelos*, que, nos dias festivos, calçado e mesmo preparado de calções, casaca e botas, não dispensava a sua touca.

Na irmandade das Almas era um dos primeiros funcionários o *Luiz da Ladeira*, e andador o Caixa de Óculos(15), gago, oficial de alfaiate, porém único e exclusivo preparador e atacador dos fogos-de-vista nas festas do Divino.

Na irmandade do Sacramento predominavam o *Saca-rolhas* e o *Boca-negra*(16); e era Andador o Joaquim *Parada* ou *Paradeiro*, por ter sido condutor de malas *ad hoc* às pressas por falta de correios(17).

As escolas – Além da escola do Amansa-burros ou simplesmente *Amansa*, tínhamos a do *Tico-Tico* ou escola do Paraíso (Antônio Paraíso Mariano), o desejo de *Ciência* de que foi professor Tomaz Inácio da Silveira, e a escola dos *Marimbondos*, de José Maria da Silveira.

Os jornalistas – Tivemos o "Constitucional" do *Carona*, o "Federal" do *Capororoca*, o "Inflexível" do *Mãos-grandes*, o "Comércio" do *Cara de cavalo*, "Idade de Ouro" do *Calchas*, "Idade de Pau", do *Pedro Boticário*(18) e no Rio Grande o "Noticiador" do *Chico da Botica*; e poderíamos também acrescentar o "Barbeiro" do Prosódia ou Galo-Piando, se tivéssemos certeza de quem era o chefe dessa *firma social*.

---

(15) Chamava-se José Teixeira Lopes: era pai (natural) do mulato *José Caixa*, cujo entusiasmo pirotécnico o fez ir a pé de Rio Pardo a S. Gabriel ou Alegrete para ter o prazer de atacar o fogo de uma festividade.

(16) Joaquim Pereira do Couto deixava de cair pela testa abaixo uns cabelos enroscados artificialmente; e o sargento-mor Antônio de Azevedo Barbosa (Boca-negra) era irmão do *João dos Cachorros*, major reformado dos Chimangos.

(17) Naquele tempo eram muito usadas as *Paradas*, isto é, comunicações oficiais trazidas à pressa por um próprio.

(18) O Inflexível chamava ao redator da Idade de Pau — *Mágico de sete signos*. Perguntando-se-lhe pelos signos respondia começando por Calvo, Torto e Baixo... e acabando por Boticário e Pedro. Não me recordo agora dos dois que faltam.

Os advogados, solicitadores, escrivães e meirinhos – Tínhamos como advogado na rua da Igreja o *Rascada*, pai do alferes ou tenente cantador de lundus a viola; na rua de Bragança o *Chocolate das moças* ou simplesmente *Chocolate*, irmão do boticário *Titica*; na rua da Ponte o *Corvo Branco* e o dr. *Caiambola*(19). Entre os solicitadores contavam-se o *Arara* e o *João de Gatinhas* (João Antônio de Barros Silva) que por não ter nariz falava atrapalhadamente. Os escrivães eram conhecidos pelas alcunhas de Jangada (herança paterna), *João Baiano* e *Luiz Alto*, fazendo-lhes companhia o Guajuvira. E também eram desse tempo os meirinhos Papai Lelê(20) e o *Trinca Queijos*.

Os cirurgiões, curandeiros e boticários – Havia o *Cirurgião Torto*, o *dr. Cevadinha*, o *dr. Perdiz*, o *Cara-cará* de que diziam que curava sarnas com sabugo de milho queimado, e a *Luísa parteira* que também mezinhava, indo muitas receitas a aviar na farmácia do *Titica*.

Os poetas – Havia dois muito conhecidos: *O João dos Afetos* e o *Chico da Vovó*(21).

---

(19) Quem escrevia os *Provarás* do dr. Caiambola era um estudante daquele tempo apelidado por Coruja, que cada vez que lá ia escrever recebia um *Selo* em prata. O *selo* era uma moeda de 600 réis, tendo por meio um grande J com uma coroa por cima, de que ainda conservo um exemplar cunhado em 1754. Também as havia de 300 e 150 réis, todas com o J coroado.

(20) *Papai Lelê* era um crioulo alto, magro e direito, de quem se dizia que gostava de fazer citações a quem não era do seu sexo nem da sua cor, de cujas citações havia algumas ilustrações em miniatura. No antigo teatro representou de *África* em uma cena das 4 Partes do Mundo.

(21) Os versos de João dos Afetos, como poeta de água doce, são por demais conhecidos para as horas de melancolia; quanto a Francisco Pinto de Fontoura, teria 18 anos quando foi preso pela *reação* de 15 de junho de 1836. Alguém dentre seus companheiros de prisão pediu-lhe que descrevesse em verso aquela situação; o que ele fez em um Soneto de que extraíram muitas cópias, mas de que só me ficaram na memória as seguintes linhas.

> Nesta prisão existem aferrolhados
> Vinte quatro cidadãos gente mui boa,
> a cidade tornou-se uma Lisboa,
> e nós pelas custas envisgados.
> ....
> Há aqui um não sei que, que nos enjoa.
> ....
> Eis a vida que se passa na Cadeia
> Estreita, fria, escura e enfumaçada.

Os negociantes e empregados no comércio – Em geral os negociantes, com poucas exceções, moravam na rua da Praia; começarei pois por aí; mas antes de lá chegar indo ao Caminho Novo, lá se encontraria o *Salsa Parrilha*, e em frente ao porto do *Pelado* o alto e bojudo *Tragazana* com o seu jaquetão e calça larga de ganga azul a vigiar o seu negócio de madeiras. Subindo pela rua do Rosário e entrando na rua da Praia, estavam as lojas do *Fura-pipas*, e do Ferrabraz que alguns diziam – *Espalha brasas*; seguiam-se *o Bom de vela* e *Barriga me dói*. Na esquina da rua de Bragança era o José Inácio do *Arroio dos Ratos*[22], seguindo o *D. João Quinto*, o *Chaves dos Óculos* em frente a seu irmão o *Chaves moço*, o *Estanque* (do Chico do Estanque) o *João Baiano* antes de ser *Escrivão*. Havia cinco vizinhos contíguos: o *Joaquim do Bilhar*[23], o *Pescoço duro*, o Custódio *Ferrugem*, o *Fadú*, e o *Coalhada*, também conhecido por *Afoga-Rosa*.

Em frente a estes era o Beco da Ópera que hoje é a rua do Comércio onde moravam os dois íntimos amigos: o *Prosódia* e o *Juiz de Paz*, o primeiro morto na véspera da revolução, e o segundo que veio morrer no Rio de Janeiro com a alcunha de *Bacurau* que lhe puseram na ponta do Caju onde morava.

Seguiam-se na rua da Praia o *Cara linda*, o *Especulação*, o *Chico Inglês* e o *Abarrota* que não largava a sua casaca cor de pitada com o competente hábito de Xpto[24]. Passadas as duas esquinas, da Garapa e do Matias *Galego*, fronteira uma a outra, e já na praça da Alfândega morava o *Espada Preta*[25], negociante aposentado, mas pai de outro em atividade que, se ainda hoje vivesse, teria o prazer de ver bons netos e bisnetos para os lados de Belém. Seguia-se a loja do *Marquês dos Ananases*, e a do *Queima* (Antônio Alves Guimarães), e mais adiante o *Manuel Batuba* e o *Guilherme Pescocinho*; e na esquina do Roberto André no beco do Fanha chegava-se à loja do *João dos Afetos*, que antes de qualquer negócio mostrava aos fregueses a caixa de esmolas para as obras de N. S. de Belém.

---

(22) A casa da esquina com frente ao norte e nascente, pertencente ao tenente-coronel José Inácio da Silveira foi a mais antiga e por muitos anos o único sobrado de dois andares de Porto Alegre.

(23) Avó paterno do cônego Procópio.

(24) Vai esta abreviatura de Xpto para não esquecer o tempo em que também se escrevia Lxª Lisboa.

(25) O bom velho Correia (Espada-preta) saía habitualmente todos os dias com a espada preta debaixo do capote a procurar parceiros para o jogo da mesma.

Passada a esquina, via-se logo à esquerda o armazém de *Antônio Magro*[26] em frente à casa de negócio do *Pagará*, e mais adiante de um lado o *Custódio Pancas* e do outro o *Antônio Guarda-mor* e o *Chico das Botas*.

Eram empregados no comércio como caixeiros ou em misteres a ele inerentes o *Barbas de milho*, o *Carretão* (antes de ensinar meninos), o *Chicote da província*, o *João das caçambas*, o *Joaquim bonito*, o *Manuel dos Babados*, o *Pão de rala*, o *Pernambuco* (Antôni Duarte Rodrigues), o *Pax-vobis*, o *Ponilha*, o *Não tem perigo*, o *Sapeca*, o *Taborda*, o *Vinte sete contos*, e outros muitos de quem não é possível fazer menção.

Os sapateiros – Contavam-se o Filipe *mãozinha*, o Chico *calombo*, o Venceslau *grande* e o Venceslau *pequeno*[27].

Os alfaiates – Eram o *cerca-velha*, o *Caiala*, o *Juca Pepé*, e o *Narigão*[28].

Os taverneiros – Moravam, na rua da Praia, o *Grumatã*, na Ladeira, o *Angolista*, na da Ponte o *Zé das negras*, na de Bragança o *Manuel das Mulatas* e *João Marinheiros*, na Várzea o *Combra bicos*, e no Riacho o *Manuel Beribiri*; estando já aposentado o Filipe *Tatu*.

Os mascates – Além de um, já classificado como negociante, tínhamos o *Manuel da Fazenda*, o *Chega-chega*[29] e *Quimindu* (depois negociante).

Profissões diversas, ou avulsos – Moravam na rua Clara, o *Pisa-flores*, sobrinho ou o quer que seja da respeitável anciã a sra. Montojos e o *Mané-Silon*, ou por outro nome Manuel dos Passarinhos por ser esse o seu negócio; e nessa mesma rua nasceu um, que mais tarde no Rio de Janeiro foi conhecido por *Alabama*, nome que se dá hoje aqui aos informantes das casas de negócio pelas casas particulares.

---

(26) Contava-se que na casa denominada do Contrato havia dois caixeiros, ambos com o nome de Antônio José da Silva Guimarães, um gordo e outro magro, e que os patrões, para os diferenciarem, os distinguiam por Antônio Gordo e Antônio Magro. O gordo chegou a engordar até na bolsa e na família; o magro foi magro em tudo.

(27) O Venceslau grande chamava-se Venceslau Antônio da Silva; e o pequeno Venceslau José Machado, primeiro marido da sra. com quem depois casou Firmino Maria de Vasconcelos, irmão de Manuel Vaz Ferreira.

(28) A respeito deste contava-se ter ele tido uns *dares e tomares* de língua com um preto boçal vendedor de origones, porque, ao passar-lhe pela porta, apregoara: *Vai Narigão*; *Vai Narigão*.

(29) O Manuel da fazenda; e o *Chega-chega* (Antônio da Mota) casou com uma filha de Lauriano José Dias, antigo chaveiro do Histórico *Portão* por ele trancado aos vereadores de Viamão para assistirem às Ladainhas de maio por ordem do governador José Marcelino, que também os prendia na casa da Câmara, e que *para alguns* passa por ser o *fundador* de uma cidade que, desde 15 a 20 anos antes dele cá vir, já tinham moradores, enfermaria, capela e cemitério.

Para os lados do Bagadus morava o *Pedro Mandinga* e o *Inácio Babão* próximo à Igreja das Dores; mais adiante o Manuel de Jesus *Melado*, e tendo de um lado como vizinha contígua a Ana *Tecedeira* e do outro um pouco mais adiante a *Panajoia*. *No alto da Bronze* junto a casa do Inácio *Músico* tinha o Luiz *Nenhures* (Luiz Antônio Batista) a sua cocheira de cavalos de aluguel.

Na continuação dos pecados Mortais para a rua do Arvoredo morava o *Nabos a doze*, pelo que chamavam a esse pedaço da rua a *rua dos Nabos*; e era mesmo aí que morava o Pedro *Jacaré* (Pedro Lourenço), pessoa reputada como séria e modesta em suas palavras e notícias, mas que apenas tinha o pequeno defeito de pôr-se à janela de mangas arregaçadas a contar aos transeuntes os defeitos da vida alheia; o que ele fazia com todas as cautelas concluindo no fim de tudo com as seguintes palavras: *Isto é o que contam por aí os maldizentes, porque quanto a mim...* (e apertava os beiços com os dedos polegar e índice).

Na praia do Riacho era a residência do *Mil Onças*, o maior *cacetista* de todos os tempos presentes, pretéritos e futuros: não caceteava só por palavras e sim também por escrito; eu cheguei a ter em minhas mãos uma carta escrita dos quatro lados de uma folha de papel de peso, desculpando-se de não poder ir ao convite de um batizado. As insônias da senhora, os gritos da criança, os cuidados da ama e outras minúcias não só enchiam as quatro páginas, como ainda as margens laterais. Se bem me recordo, existe na colônia do Alto-Uruguai pessoa em cujas mãos esteve também essa carta.

Na praça do Palácio tinha seu quartel o alferes depois tenente *Dunga*, que era filho ou enteado do *Calhamaço*.

Nessa mesma praça, mas já na rua da Ponte, eram as casas do *Grazina*, pai da *Iaiá Pombinha*; mais adiante morava *d. Ana Gorda*; e junto dela o *Siô Francisco*[30]; mais adiante o entrevado Luiz *Gato* quase em frente ao Conde da Cunha, e ainda mais para diante era o armazém do *Toma-largura*.

Na rua da Igreja, via-se quase sempre à janela o *Corneta do Despotismo*, e mais adiante era a moradia de Joaquim Pintor, a quem também chamavam Pinta-ratos[31].

---

(30) O *Siô-Francisco* era tatibitatibi e giboso em um dos lombos; tinha a mania de ser querido de todas as moças, pois dizia, *eu não sei por que é, todas as moça me quele*. Devia ter por sobrenome Faria e Costa, pois era filho ou sobrinho de d. Florinda com este cognome.

(31) Joaquim Pintor ou Pinta-ratos não perdia missa todos os dias com o seu capote azul preso ao pescoço por um colchete ou encaixe. Tinha um pequeno livro com certas estampas, entre as quais mostrava ele uma que estava um pai castigando o filho com um azorrague, tendo por baixo o dístico: *Castigatur ne perdatur*; ele mostrando, dizia: "Aqui está: Castigar e não perdoar". Dizendo-lhe um menino estudante que aquilo significa: *Castiga-se para que se não perca*, disse ele logo; Não há tal, você não sabe mais do que eu!

Na travessa do Poço, além do Barbudo Robalo também conhecido por *Pedro Penacheiro* (fabricante de penachos) morava por aí algures um pardo baixinho, quase anão, de nome Valentim, cabeleiro, conhecido por Carapatú: pelo que chamavam a mulher e as filhas *Carapatús*.

Na rua de Bragança morava um negociante a quem chamavam *Corre com o saco*; em frente a este morava a família a que pertencia o *Chulinga*; mais abaixo na esquina da rua do Poço o *Nariz de Papelão*, que ia sempre à missa todo de preto e com sapatinhos de mulher que então os usavam sem salto; e ainda mais abaixo nesta mesma rua o velho *Miséria*, que ainda era dos tempos da casaca alvadia de gola em pé e dos calções, meias e sapatos com fivelas de charneira.

Igual em tudo a este, tanto na casaca como nos calções, morava na praça do Paraíso, o *Faz tudo*. Chamava-se Manuel José de Oliveira Guimarães, pai de João Caetano de Oliveira Guimarães muito conhecido no foro do Rio de Janeiro como *Partidos de Órfãos*.

Na rua Nova, na casa em que muitos anos morou depois o advogado A. J. S. Maia, morava o capitão Domingos Martins Pereira que todos conheciam por *Sota de Ouros*. Fora o antigo Escrivão da antiga Câmara de Viamão. Criara e educara paternalmente como filhos a d. Dina e a seu marido Domingos Martins Pereira de Sousa, que fora administrador da Santa Casa, ou do seu hospital.

– E não esqueçamos o Barbosa *Mineiro* (Antônio Martins Barbosa) que deu o nome ao beco hoje denominado Rua da Aurora.

Alcunhas em duplicata: Na rua da Igreja esquina do beco do Jaques, na casa em que morou o capitão José Cesário de Abreu, quando era tenente, e onde depois morou por muitos anos o tabelião Campos, tinha morado um *Pão de Rala* que aí foi assassinado em uma noite. Eis que surge logo um outro *Pão de rala* empregado no comércio.

Na praia do Arsenal quase onde é hoje a Detenção, morou um *Manuel Tamanca*, sogro de um boticário que fez *brilharetur* nos tempos da Independência com a leitura dos decretos das *Cortes gerais extraordinárias e constituintes da Nação Portuguesa*, e avô de outro que também fez *brilharetur* na guerra do Paraguai; e ao mesmo tempo no Largo da Forca morava o *Chico Tamanca*, que também fazia *brilharetur* (sem grifo) no *Pau da paciência* com os seus amigos à passagem, enterrando vivos e desenterrando mortos nas noites de luar e de verão.

Havia, como é sabido, o *Fanha* (Francisco José de Azevedo) que deu o nome ao beco assim chamado; e havia ao mesmo tempo na Rua Nova entre a da Ladeira e o beco do Leite o botequim do *Pinto Fanha*, na casa imediata ao bilhar do *Bexiga* que se suicidou.

Na rua da Ladeira ou do Ouvidor[32] havia ao mesmo tempo o Domingos da *Ladeira* e o Luiz da *Ladeira*[33].

Ao mesmo tempo que havia um Secretário do Governo com a alcunha de Manuel Espada, o senado da câmara que depois se chamou Câmara Municipal tinha por porteiro um mulato velho fanhoso geralmente conhecido por *Manuel da Espada*. Se um era Freire, o outro Ferreira.

Havia um coronel José Jacinto[34] que era autor conhecido de muitos gracejos, entre os quais o de usar de baeta preta sobre a mesa e ensopá-la de tinta para tingir as mangas dos cacetistas: era por isso denominado *José Moleque*; ao mesmo tempo que no teatro representava como ator gracioso José Rodrigues do Vale, a quem ninguém conhecia senão por *José Moleque*.

– Eu disse acima que as alcunhas não só subiam a altura das grandes personagens, como desciam aos sineiros e aguadeiros. Eis pois o que vou mostrar.

Em havendo qualquer reunião pública, como procissão, bando ou arruamento, etc., finalizava sempre com um *Moleque qui qué*, dirigido pelo *Farofa* que era um mulato bem penteado, de fraque, calção, sem meias e sapato achinelado, que conduzia a molecagem até o armazém da *garapa* pertencente a seu senhor ou ex-senhor.

Nas ruas era raro não encontrar o cego Vaca-braba a gritar em altas vozes descompondo a quem lhe não dava esmola, e atirando borboada de cego aos moleques que lhe davam vaia.

---

(32) Não sei se este nome de rua do Ouvidor provém de ter aí morado o ouvidor Joaquim Bernardino de Sena Ribeiro da Costa, pai de José Borges Ribeiro da Costa, do Rio Grande ou Pelotas.

(33) O primeiro deste era o capitão-mor Domingos José de Araújo Bastos, que no tempo da reação (15 de junho de 1836) era juiz Municipal; o outro era Luiz Inácio Pereira de Abreu, que como Juiz de Paz suplente do distrito da Madre-de-Deus também fora um dos signatários da representação de 9 de dezembro de 1835 para se adiar a posse do presidente Araújo Ribeiro. Tendo sido nos priscos tempos *juiz ordinário*, de tal maneira se houve, que em um doido conhecido por Luiz Doido, e que mansamente percorria as ruas da cidade, puseram-lhe nas costas um grande cartaz que dizia:

Eu também sou Luiz
Também posso ser Juiz

(34) Não era o tenente-coronel José Jacinto que casou com a viúva do tal *Pão de rala* assassinado, e que era sogro do coronel *Tenente Coelho*: era um outro José Jacinto. Coronel *Tenente Coelho* não é erro tipográfico nem de redação: era o tenente Coelho de primeira linha, que, elevado ao posto de coronel da guarda nacional, nem mesmo assim perdera para o vulgo o posto de tenente.

– *O Trabuco e a Vareta*, pedintes em duplicata, também grunhiam quando os vaiavam, mas não com as insolências do Vaca-braba.

– O preto Miguel, ex-escravo do *Vigário velho*, era o sineiro da matriz, e conhecido por *X-a-Xá*; e o preto aguadeiro *Pauachio* era conhecido por este nome, porque ao chegar a alguma esquina fazia-se anunciar cantando com voz forte o seguinte:

Dindim, dindim, dindim,
Dindim, dindim, dindim,
No dia do mar feio
Ardeu o Pau-achio.

Outras vezes finalizava com o seguinte:

No dia do mar feio,
Maria caiu no valo.

E vou finalizar esta série de amigos ou parágrafos com a epígrafe de um jornalito denominado – *Barbeiro* que se publicava em 1834 e 1835 sob as vistas do Prosódia e do Galo-piando, e é a seguinte:

Memoria, hominis scorregabilis est, sicut untun porqui per barbas nostras.

Isto é um latim macarrônico que bem traduzido, quer dizer que "se algum foi omitido, não foi por *falta de esquecimento*" como costumam dizer.

Boletim Municipal, ano IV, nº 10, Vol. 5. Porto Alegre, janeiro-abril de 1942, pp. 94-96, Rio Grande do Sul.

KOSERITZ

1830-1890

Karl von Koseritz nasceu a 3 de fevereiro de 1832 em Dessau, capital do Ducado de Anhalt, Alemanha, e faleceu a 30 de maio de 1890 em Porto Alegre, Rio Grande do Sul. Veio para o Brasil em 1851 engajado como canhoneiro no 2º Regimento de Artilharia na tropa mercenária contratada para o serviço do Império. Viajou para o sul, ficando no Rio Grande do Sul onde se naturalizou brasileiro, participando ativamente na vida jornalística e política da província. Um dos jornais fundados e dirigidos por ele (e foram mais de dez) o "Koseritz Deutsche Zeitung", (1864-1885), foi prestigioso órgão da colônia alemã do Brasil meridional. Escreveu sobre muitos assuntos e também dois dramas e quatro novelas. Foi deputado provincial ardoroso. Seus livros essenciais são: "Bosquejos Etnológicos", Porto Alegre, 1884 e "Bilder aus Brasilien", Leipzig, traduzido por Afonso Arinos de Melo Franco, "Imagens do Brasil", Livraria Martins Editora, São Paulo, 1943. *"Prestou Carlos von Koseritz notável serviço ao nosso folclore, qual o de colecionar as quadras populares sul-rio-grandenses, estampando-as em folhetins de jornais que dirigia ou em que colaborava. Foram essas trovas que formaram o II dos "Cantos Populares", de Sílvio Romero, ed. de Lisboa, feita em 1883 por Teófilo Braga, que, conforme confessou em carta a Fran Paxeco ("O sr. Sílvio Romero e a literatura portuguesa", pág. 193), se adstringiu a cortar as numerosas repetições que nelas se lhe deparam. São as mesmas que se acham às páginas 284-349, da 2ª ed. melhorada, feita aqui* (Rio de Janeiro) *em 1897, por Sílvio Romero, sob o título "Silva de quadrinhas" e com a indicação da procedência "Rio Grande do Sul', sem que, todavia, declinasse o escritor sergipano, aí, ou, no prefácio, o nome do paciente e prestimoso colecionador delas;* Basílio de Magalhães, "O Folk-Lore no Brasil", 40, nota-55, ed. Quaresma, Rio de Janeiro, 1928. Sílvio Romero analisou a contribuição de von Koseritz, especialmente sobre os romances tradicionais, no seu "Estudos sobre a Poesia Popular do Brasil", 196-207, Rio de Janeiro, 1888. *"A coleção de Koseritz foi a primeira amostra de nossa poesia popular que pôde ser apreciada na Alemanha, a terra clássica destes estudos"*, informa Sílvio Romero, à p. 197 do citado "Estudo".

– Quadrinhas populares do Rio Grande do Sul.

Que São José e Maria
São filhos da Conceição,
Que eu também sou afilhado
Da Virgem de Viamão.

A cachaça é meu parente,
O vinho é meu primo-irmão;
E não há função nenhuma
Que meus parentes não vão.

Quem me dera estar agora
Onde está o meu pensamento:
De Porto Alegre para fora,
De Cachoeira para dentro.

Meu tatu de rabo mole,
Meu guisado sem gordura,
Eu não gasto o meu dinheiro
Com moça sem formosura.

Eu era aquele tunante
Que andava pelas coxilhas
Errando tiros de laço
Com vinte e cinco rodilhas.

Adeus Queromana ingrata,
Qu'inda te pretendo ver
Abrazada de saudade
Ninguém há de te valer.

As moças de Taquari
Usam uma tal saia-balão;
Cousa feia, amigo Juca,
Por Deus e um patacão.

Há bom encosto e abrigo,
E mui regular aguada;
Para um homem da coxilha.
Prá que melhor invernada?

Meu lacinho é de correntes
E as correntes são de prata,
Minhas bolas de metal
Onde batem logo matam.

Vou-me embora, tenho pressa,
Tenho muito que fazer;
Tenho que parar rodeio
No peito do bem-querer.

Quem quiser que eu cante bem
Dê-me um mate de cangonha.
Para limpar este peito,
Que está cheio de vergonha.

A mão lhe quis apertar
Estirando bem o braço,
Caramba! que estava longe
Num cumprimento de laço.

Sou soldado, sentei praça,
Sentei-me numa guarita;
Sou chefe, sou comandante
De toda china bonita.

Amanhã eu vou-me embora,
Hoje estou me aviando,
O cavalo que vou nele
Está no campo se criando.

Eu fui aquele que disse,
E depois de dizer não nego.
Que achando amor de meu gosto
Morro seco e não me entrego.

A moda da Chimarrita
Veio de Cima da Serra,
Pulando de galho em galho
Foi parar em outra terra.

Vou cantar galinha morta.
Água no fogo fervendo;
A galinha foi para outro,
Eu fiquei chorando e vendo.

Caranguejo não é peixe,
Caranguejo peixe é,
Se não fosse o caranguejo
Não se dançava em Bagé.

Costa de Camaquã,
Costa de sinceridade,
Onde vão filhos alheios
Padecer tanta saudade.

Amanhã vou galopar
O meu velho redomão,
Para passar gauchando
Na porta do meu coração.

A tirana é mulher brava
Que mora no Faxinal,
Socando sua canjica.
Comendo feijão sem sal.

Tenho o meu cavalo baio,
Crioulo de Jaguarão,
Para ver as mulatinhas
No serro dos Três Irmãos.

Moça bonita é veneno,
Mata tudo o que é vivente,
Embebeda as criaturas,
Tira a vergonha da gente.

Papagaio, pena verde,
Emprestai o teu vestido,
Quero ir aos castelhanos,
E não quero ser conhecido.

COUTO DE MAGALHÃES

1836-1898

José Vireira Couto de Magalhães nasceu na cidade de Diamantina, Minas Gerais, a 1º de novembro de 1836 e faleceu no Rio de Janeiro a 14 de setembro de 1898. Bacharel em 1859, doutor em Direito em 1860, chegou a General de Brigada no Exército. Presidiu as províncias de Goiás, 1862, Pará, 1864, Mato Grosso, 1867, por ocasião da guerra com o Paraguai, prestando altos serviços, São Paulo, 1889, onde o surpreendeu a proclamação da República. De suas iniciativas civis, destacam-se a navegação nos rios Araguaia, Marajó e Tocantis, organizações da Companhia Minas and Rio Railway, Sociedade de Imigração São Paulo, etc. É o iniciador dos estudos folclóricos no Brasil. Seus principais ensaios, publicados em vários anos, foram reunidos num único volume.

Bibliografia:

O SELVAGEM — Curso da língua geral segundo Ollendorf, compreendendo o texto original de lendas tupis. Origens, costumes, região selvagem. Impresso por ordem do Governo. Rio de Janeiro. Tipografia da Reforma, 1876.

– As lendas encaradas como método de educação intelectual.

Na coleção que se segue, além do sentido simbólico que as lendas possam ter, assunto esse que eu não trato de investigar, porque me faltam ainda estudos de comparação, é muito claro o pensamento de educar a inteligência do selvagem por meio da fábula ou parábola, método geralmente seguido por todos os povos primitivos.

A coleção das lendas do jabuti que não sei ainda se é completa, compõe-se de dez pequenos episódios.

Todos eles foram imaginados com o fim de fazer entrar no pensamento do selvagem a crença na supremacia da inteligência sobre a força física.

Cada um dos episódios é o desenvolvimento ou desse pensamento geral, ou de algum que lhe é subordinado.

Com a leitura da coleção o leitor verá isso claramente: sem querer antecipar o juízo do leitor, direito geralmente que:

Como é sabido, o jabuti não tem força; à custa de paciência ele vence e consegue matar a anta na primeira lenda; a máxima pois que o bardo selvagem quis com ela plantar em seu povo foi esta: a constância vale mais que a força.

Como é sabido também, o jabuti é, dos animais de nossa fauna, o mais vagaroso; os próprios tupis têm este prolóquio: *Ipucúi aúti maiaué*, vagaroso como um jabuti; no entretanto, no terceiro episódio, o jabuti, a custa de astúcia, vence o veado na carreira; quiseram pois ensinar, mesmo pelo contraste, entre a vagareza do jabuti e a celeridade do veado, que a astúcia e a manha podem mais do que outros elementos para vencer-se a um adversário.

No quinto episódio a onça quer comer o jabuti; ele consegue matá-la, ainda por astúcia. É o desenvolvimento do mesmo pensamento, isto é, a inteligência e o *savoir-faire* valem mais do que a força e a valentia.

No nono episódio, o jabuti é apanhado pelo homem, que o prende dentro de uma caixa, ou de um patuá, como diz a lenda; preso, ele ouve dentro da caixa o homem ordenar aos filhos que não se esqueçam de pôr água no fogo para tirar o casco ao jabuti que devia figurar na ceia; ele não perde o sangue-frio; tão depressa o homem sai de casa, ele, para excitar a curiosidade das crianças, filhos do homem, põem-se a cantar; os meninos aproximam-se; ele cala-se; os meninos pedem-lhe que cante mais um pouco para eles ouvirem; ele lhes responde: ah! se vocês estão admirados de ver cantar, o que não seria se me vissem dançar no meio da casa? Era muito natural que os meninos abrissem a caixa; que crianças haveria tão pouco curiosas que quisessem deixar de ver o jabuti dançar? Há nisto uma força de verossimilhança cuja beleza não seria excedida por La Fontaine. Abrem a caixa, e ele escapa-se.

Esta lenda ensina que não há tão desesperado passo na vida, do qual o homem se não possa tirar com sangue-frio, inteligência, e aproveitando-se das circunstâncias.

O que principalmente distingue um povo bárbaro é a crença de que a força física vale mais do que a força intelectual.

Napoleão I, por exemplo, nos refere que os árabes no Egito muito custaram a acreditar que fosse ele o chefe do exército, por ser um dos generais de mais mesquinha aparência física.

Ensinar a um povo bárbaro que não é a força física que predomina, e sim a força intelectual, equivale a infundir-lhe o desejo de cultivar e aumentar sua inteligência.

Cada vez que reflito na singularidade do poeta indígena de escolher o prudente e tardo jabuti para vencer aos mais adiantados animais de nossa fauna, fica-me evidente que o fim dessas lendas era altamente civilizador, embora a moral nelas ensinada divirja em muitos pontos da moral cristã.

Não será evidente, por exemplo, que a concepção aparentemente singular de fazer um jabuti apostar uma carreira com o veado, é muito engenhosa para gravar em cabeças rudes esta máxima: que a inteligência e prudência são mais importantes na luta da vida do que a força e as vantagens físicas?

Qual seria o selvagem que depois de compreender a vista da lenda, que um jabuti pôde por astúcia alcançar vitória apostando carreira com o veado, qual seria o selvagem, perguntamos, que não ficaria antevendo a superioridade da inteligência sobre a matéria?

– Como a noite apareceu.

Mai pituna oiuquau ãna

Esta lenda é provavelmente um fragmento do GÊNESIS dos antigos selvagens sul-americanos. É talvez o eco degradado e corrompido das crenças que eles tinham, de como se formou esta ordem de cousas no meio da qual nós vivemos. e, despida das formas grosseiras com que provavelmente a vestiram as avós e as amas de leite, ela mostra que por toda parte o homem se propôs resolver este problema: de onde é que nós viemos? Aqui como nos VEDAS, como no GÊNESIS, a questão é no fundo resolvida pela mesma forma, isto é, no princípio todos eram felizes; uma desobediência num episódio de amor, uma fruta proibida, trouxe a degradação. A lenda é em resumo a seguinte: (*o autor resume a lenda*) substituindo a fruta de tucumã pela árvore proibida, a curiosidade de saber pela tentação do espírito maligno, parece-me haver no fundo do episódio tanta semelhança com o pensamento asitico que vacilo e pergunto se não será um eco degradado e transformado desse pensamento?

No princípio não havia noite – dia somente havia em todo tempo. A noite estava adormecida no fundo das águas. Não havia animais; todas as cousas falavam.

A filha da Cobra-Grande, contam, casara-se com um moço. Este moço tinha três fâmulos fiéis. Um dia ele chamou os três fâmulos e lhes disse:

ide passear porque minha mulher não quer dormir comigo. Os fâmulos foram-se, e então ele chamou sua mulher para dormir com ele. A filha da Cobra-Grande respondeu-lhe:

– Ainda não é noite.

O moço disse-lhe: Não há noite; somente há dia.

A moça falou: Meu Pai tem noite. Se queres dormir comigo manda buscá-la acolá, pelo grande rio.

O moço chamou os três fâmulos; a moça mandou-os à casa de seu pai para trazerem um caroço de tucumã. Os fâmulos foram, chegaram em casa da Cobra-Grande, esta lhe entregou um caroço de tucumã, muito bem fechado, e disse-lhes: Aqui está, levai-o. Eia! Não o abrais, senão todas as cousas se perderão.

Os fâmulos foram-se, e estavam ouvindo barulho dentro do coco de tucumã, assim: ten, ten, ten... era o barulho dos grilos, e dos sapinhos que cantam de noite.

Quando já estavam longe, um dos fâmulos disse a seus companheiros: – Vamos ver que barulho será este?

O piloto disse: Não; do contrário nos perderemos. Vamos embora, eia, rema!

Eles foram-se e continuaram a ouvir aquele barulho dentro do coco de tucumã, e não sabiam que barulho era. Quando já estavam muito longe, ajuntaram-se no meio da canoa, acenderam fogo, derreteram o breu que fechava o coco e o abriram. De repente tudo escureceu.

O piloto então disse: – Nós estamos perdidos; e a moça, em sua casa, já sabe que nós abrimos o coco de tucumã. Eles seguiram viagem.

A moça, em sua casa, disse então a seu marido: Eles soltaram a noite; vamos esperar a manhã.

Então todas as cousas que estavam espalhadas pelo bosque se transformaram em animais e em pássaros. As cousas que estavam espalhadas pelo rio se transformaram em patos; e em peixes. Do paneiro gerou-se a onça; o pescador e sua canoa se transformaram em pato; de sua cabeça nasceram a cabeça e bico do pato; da canoa o corpo do pato; dos remos as pernas do pato.

A filha da Cobra-Grande quando viu a estrela-d'alva, disse a seu marido: – A madrugada vem rompendo. Vou dividir o dia da noite.

Ela então enrolou um fio, e disse-lhe: Tu serás cujubim. Assim ela fez o cujubim; pintou a cabeça do cujubim de branco, com tabatinga; pintou-lhe as pernas de vermelho com urucu, e então disse-lhe: Cantarás para todo sempre quando a manhã vier raiando.

Ela enrolou o fio, sacudiu cinza em riba dele, e disse: – Tu será inambu, para cantar nos diversos tempos da noite e da madrugada.

De então para cá todos os pássaros cantaram em seus tempos, e de madrugada para alegrar o princípio do dia.

Quando os três fâmulos chegaram, o moço disse-lhes: Não fostes fiéis, abriste o caroço de tucumã, soltastes a noite e todas as cousas se perderam, e vós também, que vos metamorfoseastes em macacos, andareis para todo sempre pelos galhos dos paus. (A boca preta e a risca amarela que eles têm no braço, dizem que é ainda o sinal do breu que fechava o caroço de tucumã, e que escorreu sobre eles quando o derreteram).

Notas – TUCUMÃ, uma palmeira, *Astrocaryum tucuma*, Mart. CUJUBIM, ave da família cracida, *Cumana cujubi*, Pelz. INAMBU, denominação genérica para as aves da família Tinamida, gênero *Crypturus*. A COBRA-GRANDE, *Bota-uaçu*, é tratada pela filha como *ce rúba*, meu pai. (C).

– O Jabuti e o Veado.

Jauti çuaçu

O pequeno Jabuti foi procurar seus parentes e encontrou-se com o Veado, que lhe perguntou: Para onde tu vais? O Jabuti respondeu: Eu vou chamar meus parentes para virem procurar minha caçada grande, a anta. O Veado assim falou: Então você matou anta? Vá! Chame a gente toda; quanto a mim eu fico aqui porque quero olhar esse caso. O jabuti assim falou: Então eu não vou mais, volto daqui mesmo e vou esperar que apodreça a anta, e eu vou tirar um osso dos seus para minha gaita (*cerememí*). Está bom, Veado, eu já vou. O Veado assim falou: Tu mataste anta, agora eu quero experimentar correr com você. O Jabuti respondeu: – Então você espere por mim aqui. Vou ver por onde hei de correr. O Veado falou: – Quando tu correres por um lado eu correrei por outro e quando eu gritar, responderás. O Jabuti falou: Me vou ainda. O Veado falou a ele: Agora vá demorar-se. Eu quero ver tua valentia. Jabuti assim falou: Espere um pouco ainda; deixe-me chegar na outra banda.

Ele chegou ali, chamou todos seus parentes. Ele emendou (*omuapire*) todos pela margem do rio pequeno, para responderem ao Veado tolo. Então assim falou: – Veado? Você já está pronto? O Veado respondeu: Eu já estou pronto. Jabuti perguntou: Quem corre adiante? O Veado riu-se e disse: – Tu vás adiante, Jabuti miserável!

O Jabuti não correu, enganou o Veado e foi ficar no fim. O Veado estava tranquilo, por fiar-se em suas pernas. O parente do Jabuti gritou pelo Veado. O Veado respondeu para trás. Assim o Veado falou: Eis-me que vou, tartaruga do mato! (*iũrarã caapôra*).

O Veado correu, correu, correu, depois gritou: Jabuti! O parente do Jabuti respondeu sempre adiante. O Veado disse: Eis-me que vou, oh macho! (*apgâua*). O Veado correu, correu, correu, e gritou: Jabuti! O Jabuti sempre adiante respondeu. O Veado disse: Eu vou ainda beber água. Aí mesmo o Veado se calou.

O Jabuti gritou, gritou, gritou... Ninguém respondeu a ele. Então disse: – Aquele macho pode ser que tenha morrido já. Deixa ainda que eu o vá ver. O Jabuti disse assim aos seus companheiros: Eu vou devagarinho vê-lo.

Quando o Jabuti saiu na margem disse assim: – Nem sequer eu suei!... Então chamou pelo Veado: Veado! Nem nada o Veado respondeu. Os companheiros do Jabuti olharam e disseram: – Em verdade o Veado já está morto.

O Jabuti disse: Vamos nós tirar seu osso. Os outros perguntaram: Para que é que tu queres?

O Jabuti respondeu: Para eu assoprar nele por todo o tempo.

Agora vou-me embora daqui até algum dia...

Notas – JABUTI, *Testudo tabulata*, Spix. ANTA, *Tepirus americanus*, Briss. Sobre a universalidade desse conto ver o meu CONTOS TRADICIONAIS DO BRASIL, "O Sapo e o Coelho"(*). (C).

– O Jabuti e o Gigante.

Iaati caapora-uaçu

O Jabuti chegou a um buraco de árvore, tocando sua flauta. O *Caapora-assú* (grande morador da mata) ouviu e disse: Ninguém é aquele senão o Jabuti. Eu vou apanhá-lo. Chegou junto à porta do buraco da árvore. O Jabuti tocou sua flauta: fin, fin, fin culó, fom, fin...

Caapora chamou: Ó Jabuti! O Jabuti respondeu: – Vem Jabuti, vamos experimentar nossa força. O Jabuti retorquiu: Vamos nós experimentar assim como quiseres. O Caapora foi ao mato, cortou cipó, trouxe cipó da beirada do rio, e disse ao Jabuti: Experimentemos Jabuti tu n'água e eu em terra. O Jabuti disse: Bom, Caapora. O Jabuti saltou n'água com a corda e foi amarrar a corda na cauda da baleia (*pira-uaçu*). O Jabuti voltou para terra, escondeu-se debaixo do cerrado. O Caapora puxou a corda. A baleia fez força e arrastou o Caapora pelo pescoço até n'água. O Caapora fez força

(*) Edição atual – 13. ed. São Paulo: Global, 2004. (N.E.)

puxando a cauda da baleia até a terra. A baleia fez força e arrastou o Caapora pelo pescoço até n'água. O Jabuti, debaixo do cerrado, via, rindo-se. Caapora, quando já estava cansado, disse: Basta, Jabuti! O Jabuti riu-se, saltou n'água e foi desatar a corda da cauda da baleia. O Caapora puxou-o com a corda. O Jabuti chegou em terra. O Caapora perguntou a ele: – Tu estás cansado, Jabuti? O Jabuti respondeu: – Não! Que é de que eu suei? O Caapora disse: Agora é certo, Jabuti eu sei que tu és mais macho do que eu. Vou-me embora, adeus...

Nota – Nos CONTOS TRADICIONAIS DO BRASIL(*) registrou-se o documentário da simultaneidade desse ciclo na América e na África.

– Não faças bem sem saber a quem.

Inti remunhã catú auá çupé requau

Um dia a raposa estava passeando, ouviu um ronco: u... u... u...

– O que será aquilo? Eu vou ver.

A onça enxergou-a e lhe disse: Eu fui gerada dentro deste buraco, cresci, e agora não posso sair. Tu me ajudas a tirar a pedra? A raposa ajudou, a onça saiu, a raposa perguntou-lhe: – O que me pagas?

A onça, que estava com fome, respondeu: Agora eu vou te comer. E agarrou a raposa, e perguntou: Com o que é que se paga um bem? A raposa respondeu: O bem paga-se com o bem. Ali perto há um homem que sabe todas as cousas; vamos lá perguntar a ele.

Atravessaram para uma ilha; a raposa contou ao homem que tinha tirado a onça do buraco e que ela, em paga disso, a quis comer.

A onça disse: Eu a quero comer porque o bem se paga com o mal.

O homem disse: Está bom. Vamos ver a tua cova. Eles três foram, e o homem disse à onça: Entra, que eu quero ver como você estava.

A onça entrou; o homem e a raposa rolaram a pedra e a onça não pôde mais sair. O homem disse: Agora tu ficas sabendo que o bem se paga com o bem.

A onça aí ficou; os outros foram-se.

Notas – ONÇA, *Felis uncia*. A raposa é chamada no texto tupi MICURA. Ver nos CONTOS TRADICIONAIS DO BRASIL.(**) – *O Bem só se paga com o Bem*, a extensa bibliografia e as variantes desse motivo em todos os folclores do Mundo.

I – Os trechos citados estão às pp. 155-158, 162-163, 172-174, 185-191, 215-218, 241-242, d'"O SELVAGEM", edição de 1876.

(*)(**) Edição atual – 13. ed. São Paulo: Global, 2004. (N.E.)

BARBOSA RODRIGUES

1842-1909

João Barbosa Rodrigues nasceu no Rio de Janeiro a 22 de junho de 1842 e faleceu na mesma cidade a 6 de março de 1909. Botânico, antropologista, etnógrafo, sem cursos regulares e oficiais tornou-se indiscutida autoridade. Dirigiu o Jardim Botânico do Amazonas (Manaus) e o do Rio de Janeiro. Completou as classificações de von Martius, Spruce e Wallace, descobrindo imensa quantidade de espécies novas de palmeiras. Seus trabalhos sobre orquídeas são clássicos, constando de 17 volumes (1869-72). Deixou cerca de 60 obras. Explorou os rios Capim, Tapajós, Trombetas, Urubu, Jatapu, Jamundá e o Jauaperi, onde pacificou os Crixanás. Seus comentários sobre o Muiraquitã despertaram interesse cultural na época, assim como memórias, relatórios das viagens científicas, vocabulários confrontados, etc., evidenciam o incansável pesquisador. O exame da vida e raças indígenas levou-o ao Folclore, escrevendo livros de vivo proveito para a demopsicologia brasileira.

Bibliografia:

RIO JAUAPERI — Pacificação dos Crixanás. I. Passado e presente dos Crixanás. II. Etnografia, arqueologia e geografia. III. Documentos. IV. Vocabulário. V. Apêndice. Rio de Janeiro, 1886, 275 pp. in-8-º, com um mapa do rio e a música e letra de quatro canções dos Crixanás.

O MUIRAQUITÃ — Estudo de origem asiática da civilização amazônica dos tempos pré-históricos. Manaus, 1899, 177 pp. in-4º, com a árvore monogênica dos povos que têm a tradição do culto da serpente, do sul e do Muiraquitã.

PORANDUBA AMAZONENSE — Volume XIV dos *"Anais da Biblioteca Nacional"*, Rio de Janeiro, 1890, XV-334 e música de um Cairé. Lendas mitológicas, contos zoológicos, contos astronômicos e botânicos e cantigas (cinco letras e uma música). Nos volumes XV (1892) e XVI (1894) da mesma publicação, saíram vocabulários e notas complementares da PORANDUBA.

O CANTO E A DANÇA SELVÍCOLA — Tomo 9º da REVISTA BRASILEIRA, p. 32, Rio de Janeiro, 1881.

LENDAS, CRENÇAS E SUPERSTIÇÕES — Tomo 10º da REVISTA BRASILEIRA, p. 24, Rio de Janeiro, 1881.

– Lendas, crenças e superstições.

As lendas entre todos os povos são a tradição viva do pensamento primitivo e do desenvolvimento intelectual das épocas de sua origem. Entre alguns constitui a base dos contos populares, com que se embala a infância, inoculando assim a superstição, que tarde ou nunca se apaga do espírito, quando uma instrução sólida e a observação não educam o daquele que tem o mais fraco. Quase sempre o mito origina a lenda, e em alguns povos esta caracteriza o seu desenvolvimento moral.

A superstição, companheira quase sempre inseparável da lenda, transforma esta, e em vez de deleitar o espírito, o acabrunha e o exalta.

As lendas, como as plantas transplantadas, também medram, e, conforme a civilização do povo, perdem-se, ou vigoram enfeitando-se com as cores locais. Entre a gentilidade não há lendas e sim crenças; a marandiba e a porandiba ocupam seus serões, mas essas só se referem às suas vitórias, aos seus guerreiros, às suas caçadas e seus amores. Com origem mitológica puramente indígena não conheço nenhuma. Alguns contos que tenho coligido, posto que tenham a singeleza infantil e mesmo uma poesia natural, não constituem lendas; são simples histórias quase todas eivadas de superstição e seladas com o cunho europeu, e raras vezes mesmo africano.

Entre o gentio o viajante não ouve uma lenda, não vê o pavor, nem pressente a influência do medo. Entretanto entre o tapuio, assentado à sua rede, passa o viajante as noites entretido, ouvindo histórias das crenças plantadas outrora pelos invasores, que o tempo modificou, coloriu e tornou romanescas, inutilizando a inteligência indígena. Não é uma história, não é um conto; é uma verdade, uma realidade. Aqueles efeitos, cujas causas ignoram, e não procuram descobrir, casam-se tão bem na imaginação, que passam a ser verdades incontestáveis.

A lenda deleita, encanta; mas não inutiliza o homem, não o amesquinha, não o torna covarde a ponto de muitas vezes repetir a fábula arrepiado e assombrado. Há crenças que se prendem a fatos de ordem sobrenatural, e as há baseadas em extravagâncias, posto que poéticas e divertidas. De umas e outras mui poucas temos nós. Historietas de animais, como a impropriamente chamada *lenda do Jabuti*, tão contada no vale amazônico e em outros lugares, não constituem, nem podem ser elevadas à categoria de lendas. Não tratarei aqui das muitas que correm como indígenas e que são por demais conhecidas; apenas apresentarei algumas para mostrar a influência que elas têm sobre o índio civilizado, e o grau do seu desenvolvimento intelectual, causado pelos efeitos da civilização empregada entre o gentio.

Entre as lendas que ouvi no Amazonas, existe a que se refere a uma serra próxima à vila de Monte Alegre, e que me foi narrada na povoação de Ereré.

Leva-me a isso a importância que os Americanistas europeus estão dando à tradição do *Pai Sumé* ou *Pahy Suma*, cuja lenda plantada no Peru pelos jesuítas do Paraguai nos dá S. Tomé evangelizando a gentilidade em época antecolombiana.

Com o nome de *Pahy-tuna* ou *Pahy-tunau* é figura no sistema orográfico do Amazonas uma serra, a que se refere a lenda, recordando-nos uma tribo de mulheres, as Icamiabas, ou Amazonas de Orelana, e não um Santo cujo poder convertia os infiéis.

Como toda a tradição parece referir-se a S. Tomé, apresento esta, que posto que com o nome *Pahy-tuna*, a ele se não refere.

Esta lenda tem alguma analogia com a das *Lemniadas* encontradas por Jason, quando ia por ordem de Pélias comandando os Argonautas à conquista do bezerro do tosão de ouro. O velho Foas, pai de Hypsipilis, a rainha então dos Lemnos, é na lenda brasileira o *Pahy-tuna*, assim como o *Pahy-tunaré* parece ser o Jason amazônico.

Eis como é referida a lenda do

PAHY-TUNA

Ao sul da serra do Ereré eleva-se uma alta montanha, banhada de um lado pelas águas de igarapé, que silenciosamente entre muris e canaranas deságua no rio Ereré, que também com suas águas engrossa o rio Gurupatiba, que se perde no Amazonas.

Tudo era desconhecido: só Orelana havia devassado alguns dos mistérios do grande rio.

Um dia as florestas que marginavam o igarapé, que mais tarde chamou-se *Pahy-tuna*, repetiram os gritos de alegria e o ruído das remadas dos apuquitauas[1] de uma multidão de mulheres, que em muitas ubás[2] cortavam as águas. Chegaram à montanha, escalaram-na pelo lado do sul, e ocultaram à sombra das matas as suas ubás.

Vinham precedidas por um só homem, um velho chamado *Pahy-tuna*. Chegando à cumiada rochosa, lançaram suas vistas para o horizon-

(1) Remos.
(2) Canoa feita de uma só casca de pau.

te. O espetáculo era majestoso: rios, lagos, campinas e florestas estendiam-se a seus pés. Aí estabeleceram; os anos corriam, e as crianças do sexo masculino, que nasciam da sua união com *Pahy-tuna*, eram desapiedadamente sacrificadas pelas mães.

Pahy-tuna já era bastante velho, quando uma das mulheres mais moças deu à luz uma criança tão feia, tão cheia de feridas, com a cabeça *tão piroca*(3), que a mãe teve pena dela e não a matou. Mas era impossível conservá-la entre suas companheiras, e por isso ela a escondeu em uma gruta, no mais recôndito da floresta e longe da montanha.

Para curá-la recorreu às propriedades das plantas, porém todos os seus esforços foram inúteis.

Surgiu-lhe uma ideia um dia : apanhou um *tipity*(4), meteu nele a criança, pendurou-o, passou a *tipity-pema*(5) e assentou-se na sua extremidade, espremendo assim o seu próprio filho. Os humores que saíram foram em tal quantidade que, quando ela tirou, o filho tinha sofrido uma metamorfose.

Era a criança mais linda que jamais se viu.

Contente a mãe, apertou em seus braços, porém depois as lágrimas começaram a deslizar-lhe pelas faces.

Como ocultá-lo das outras mulheres que o não deixariam de matar? Os anos passavam-se entre alternativas de alegria e de medo; conseguindo contudo conservá-lo oculto. Apareceu a suspeita entre as outras mulheres, e juraram descobrir o segredo que a pobre mãe ocultava, mas que seus gestos denunciavam. Fizeram emboscadas e descobriram afinal a gruta em que o mancebo vivia oculto.

Tinha crescido e era um guapo rapagão. Encantadas as mulheres, depositaram a seus pés todos os tesouros de sua beleza e de sua graça. Recusou.

– Minha mãe me esconda, porque as mulheres me perseguem, disse ele um dia à sua mãe, a hora do jantar.

Desde esse dia começou ele uma vida de tormentos; a mãe o escondia, as mulheres o achavam.

O centro da floresta estava conhecido, todas as lapas e grutas eram revistadas, por isso combinaram entre si que era melhor ocultá-lo no fundo do lago que forma o igarapé, porque de lá elas não o iriam tirar.

---

(3) Pelada.

(4) Cilindro feito de um tecido de talas para expremer a massa da mandioca.

(5) Travessa de madeira que serve para esticar o tipity.

Pahy-tunaré[6], foi este o nome que as mulheres lhe deram, abraçou sua mãe e esta o atirou no lago.

Todos os sábados sua mãe, chegando ao lago, gritava: *Pahy-tunaré*, *Pahy-tunaré*?

A este chamado saía d'água e passava algumas horas junto a sua mãe.

Apaixonadas por *Pahy-tunaré*, não cessavam as mulheres de procurá-lo, e encontrando-o um dia, quando a mãe o chamava, descobriram assim a nova morada do mancebo. Então as mulheres iam para a praia em certos dias, imitavam a voz da mãe, atraíam-no para a floresta, onde era recebido no seio das mais belas da tribo.

Estes novos amores e a mocidade de *Pahy-tunaré* fizeram com que as mulheres se esquecessem do velo *Pahy-tuna*.

A desconfiança entrou pelo coração apaixonado do velho, que um dia, dirigindo-se ao lago, encontrou seu filho nos braços de suas amantes.

O ciúme fez esquecer a paternidade, e jurou vingar-se do seu rival.

Fez uma rede com as fibras fortes do *curauá*[7], e com ela se dirigiu para o lago, onde a estendeu.

Puxando-a para a terra, trouxe nela preso *Pahy-tunaré*, porém este, ao chegar à praia, sacudiu-se com tal força que a arrebentou e fugiu.

Dias depois estava de volta *Pahy-tuna* com uma tarrafa feita de fibras ainda mais fortes, e silencioso na sua ubá, no meio do lago, esperava que *Tunaré* subisse à tona para respirar. Este não tardou em aparecer. A tarrafa girou no ar, abriu-se, caiu, e nas suas malhas prendeu *Pahy-tunaré*. Como da primeira vez, a tarrafa despedaçou-se e o prisioneiro fugiu.

Indignado *Pahy-tuna* voltou para a gruta em que morava, onde algumas mulheres o esperavam. Via-se a dor pintada em seu rosto, e pela lentidão de seus movimentos conhecia-se a amargura que ia no seu coração.

– Que tens, pobre *Pahy-tuna*? Tens um ar triste e pareces sofrer, disse uma de suas mulheres, a mais bela e a mais amante.

– Nada. Estou velho, passou-se o tempo dos amores, isto faz com que já se me esqueça. Não vos quero mal, porém desejava possuir uma trança, de vossos cabelos, para que nos momentos de meu isolamento me ocupe convosco, entretendo-me em tecer uma rede, onde o meu corpo já cansado repouse.

---

(6) *Pahy*, padre, *tuno*, negro, *eré*, tu o dizes. *Tuna*, no dialeto dos *Tunayanas* do rio Trombetas, significa *água*.

(7) Bromélia, sp.

Pressurosas as mulheres cortaram tranças dos seus cabelos, que entregaram a *Pahy-tuna* que com isso se alegrou.

Passeava um dia *Pahy-tuna* pelo lago, armado de uma linda tarrafa tecida de negros cabelos, quando *Pahy-tunaré* boiou para respirar. No mesmo instante a tarrafa girou pelo ar e caiu sobre ele.

Apesar de todos os esforços ela não se rebentou, e ele foi arrastado para a praia, onde foi sacrificado ao ciúme do velho. Morto *Pahy-tunaré*, o velho decepou-lhe as partes genitais e enterrou o corpo.

O desaparecimento de *Pahy-tunaré* espalhou a consternação na tribo, e a *guaya* das mulheres se ouvia em torno do velho *Pahy-tuna*.

Este, assentado na entrada da gruta, tinha sobre seus joelhos uma das suas mulheres, que o acariciava.

De repente esta sentiu cair sobre uma das mãos uma gota de líquido sanguinolento. Admirada quis certificar-se do que seria, e, lançando um olhar para o alto da gruta, deu um grito. Este atraiu as outras mulheres, que reconheceram *Pahy-tuna* como assassino de *Pahy-tunaré*, cujos órgãos genitais viam-se suspensos na entrada, já roídos de vermes. Imediatamente o abandonaram, e fugiram. *Pahy-tuna* as perseguiu; chegando a sua funda caverna, aí entraram todas. Ele as seguiu e ouviu uma música celestial que abria a marcha às mulheres que penetravam pela terra dentro. Procurou persegui-las, porém uma grande quantidade de animais peçonhentos se apresentou ante ele. Pôs fogo à caverna, quis persistir em persegui-las, guiado pela música que ainda ouvia, porém *pepéuas e caranguejeiras*[8] embargaram-lhe os passos.

Triste e desanimado voltou para casa, onde só encontrou seus *cherimbabos*[9]. Vendo-se só, *Pahy-tuna* no dia seguinte foi para a roça desenterrar *maniva*[10], e de volta, com grande espanto seu, viu o forno ainda quente e uma grande quantidade de beijus preparados.

Quem os havia feito? Percorrendo os arredores, não encontrou ninguém. Ainda no dia seguinte, voltando da roça, encontrou a mesma comida preparada. Resolveu então a todo transe descobrir este mistério.

Fingiu um dia encaminhar-se para o trabalho, mas, escondendo-se na floresta, procurou um lugar donde descobrisse a entrada da gruta e o forno que lhe ficava perto.

---

(8) *Pepéua*, cobra do gênero crotalus, e caranguejeira e *migale aviculare*.
(9) Animais domesticados.
(10) Mandioca.

Esperou, e depois de alguns momentos viu um lindo *aiurú*[11], que consolava *Pahy-tuna* no isolamento com falas de amor, descer de uma árvore e dirigir-se para o forno. Chegando aí, arrepiou as penas, estendeu as asas, deixou cair a pele e transformou-se em uma encantadora *cunhamucu* que ele reconheceu, e que principiou logo a trabalhar. Espremeu a mandioca, aqueceu o forno e começou a preparar os beijus. Rápido como o relâmpago, quando o fogo estava mais intenso, *Pahy-tuna* lançou-se da floresta, e, retendo com um braço a cintura da moça, estendeu o outro, e, tomando a verde plumagem, atirou-a ao fogo.

– Obrigado, amigo, disse-lhe ela, posso contigo viver agora.

Quando as mulheres abandonaram *Pahy-tuna* por *Pahy-tunaré*, essa rapariga, não querendo ser infiel ao velho, foi transformada em papagaio, que nunca mais o abandonou.

Depois disso viveram ainda muitos anos e muito felizes[12].

Cumpre que se note que todas as passagens da lenda, na imaginação do tapuio, estão perpetuadas na serra. Assim as partes viris cortadas a *Pahy-tunaré*, a gruta por onde desapareceram as mulheres, o forno onde o papagaio fazia os beijus, e o próprio papagaio ainda se veem representados em rochas.

Uma lenda, antes crença, que passa como indígena, que se ouve entre os tapuios e que contam em tupi, é a do *Yrapassu*[13], ou de Pica-pau (*megapicus rubricolis Lin*). Posto que o herói dela seja um zigodáctilo do Brasil, contudo ela não é indígena; foi transplantada da Alemanha, e tão bem medrou que deu frutos, cujas sementes têm reproduzido a espécie mais ou menos variada, dando flores que embriagam o tapuio, com a sua crença. Quantos não acreditam mais nela do que nas verdades evangélicas?

Entre os zigodáctilos do vale amazônico existe um preto, com a cabeça vermelha, que é tido como um pássaro feiticeiro, não dando fortuna como *Uira-puru*[14], mas concorrendo para ela.

Aninham-se os *uirapassus* nos buracos de árvores secas, que com o bico fazem, e aí deitam seus ovos.

Difícil é saber-se onde se aninha, e esta dificuldade anima a crença.

Dizem que este pássaro tem a virtude de conhecer uma raiz mágica,

---

(11) Papagaio.

(12) Esta lenda que escrevi em um dos meus relatórios, vem traduzida em inglês e citada na obra de Smith, intitulada *Brazil, The Amazons and the coast*.

(13) *Imira*, pau, *pa*, todo *hu*, comer, o que come ou fura pau.

(14) *Uira*, pássaro, *puru*, emprestado, que tem a forma de um pássaro, que não é a sua.

que, tocada em qualquer parte, faz com que tudo se abra, como portas de prisões, cofres, etc.[15].

A dificuldade está em achar o ninho. Achado este, espera-se a época em que os filhotes começam a alimentar-se, e, aproveitando-se a saída do *uirapassu*, tapa-se bem o buraco, prepara-se embaixo uma grande fogueira com *sacahi* e espera-se pela volta do pássaro. Este chegando, se encontra o ninho tapado, voa e desaparece.

Prepara-se então o fogo, e, quando ao longe se avista o pássaro, lança-se fogo ao *sacahi*. Chega o *uirapassu*, trazendo no bico a raiz mágica, e, vendo o fogo, a deixa cair. De posse desse talismã, o tapuio nunca será preso, nada para ele se poderá ocultar, porque, com a raiz, ele sairá de qualquer prisão e abrirá qualquer porta.

Eis a crença amazônica; agora comparemo-la com a que nos refere Musaeus nos seus contos populares da Alemanha, traduzidos por Cerfber de Medelshein, e veremos como uma lenda alemã aclimou-se tão bem entre os tapuios, parecendo ter-se originado entre a gentilidade.

Os tesouros ou minas de Hartz são guardados por um gênio, que se apraz às vezes em aparecer aos mineiros. Este gênio tem o nome das minas, e alguns querem que ele seja o representado como porta-escudo nas armas de Brunswich.

Contam que, perdendo-se um mineiro, alta noite apareceu-lhe na floresta um homem de porte gigantesco, e que lhe disse ser o guarda dos tesouros. Era o gênio de Hartz. Prometeu dar ao mineiro todo o tesouro, se este o acompanhasse, mas este, não querendo comprometer sua alma e apossado do medo, recusou segui-lo. O gênio de Hartz, que com ele tinha simpatizado, ensinou-lhe a localidade e a maneira de obtê-lo. Fácil era adquiri-lo, só dependia de abertura de uma porta que com facilidade o faria, tocando nela com uma raiz. Como saber qual era e como encontrá-la?

Procurando saber qual seria a raiz mágica, guardou o seu segredo por muitos anos, e só depois de muito velho foi que o soube, quando dela já se não podia aproveitar.

---

(15) Há no Amazonas uma planta, o *cumacaa*, cuja fécula, empregada como goma ou posta na tinta, acreditam que desarma o indivíduo a quem se fala, ou torna favorável aquele que com a tinta escreve. O tapuio, com uma camisa engomada com *cumacaa*, desarma a ira de seu patrão, e o juiz, que tiver de lavrar uma sentença, a dará favorável, escrevendo-a com tinta onde houver a fécula. Barbosa Rodrigues denominou este cipó "Elcomarbriza amylacea" chamado vulgarmente *Cumucá*.

Contando sua vida a alguns companheiros que estavam reunidos em uma estalagem, chegando a essa paragem disse-lhe um deles:

"É pena, pai Martinho, que guardasses o teu segredo a ponto de contigo envelhecer; se há quarenta anos o tivesses comunicado, não te teria faltado a mágica raiz.

"Posto que não estejas mais em estado de subir às cumiadas do Brochen, quero contudo, como um passatempo, ensinar-te como poderás obtê-lo. A maneira mais segura é aproveitar o instinto do pica-pau preto. Pela primavera procura o lugar em que se aninha. É sempre num buraco. Depois de chorar, quando ele começa a sair para procurar alimento para os filhos, tapa a abertura que se comunica ao ninho, esconde-te perto da árvore e espia a ocasião em que volta o pássaro.

"Apenas vê o buraco tapado, começa a voar em roda, chorando sentidamente; de repente, porém, voa direito para o ocidente. Se isto acontecer, procura logo uma capa vermelha, e se não tiveres, corre a um logista e compra alguns metros de fazenda vermelha. Dobra-a, esconde-a debaixo de tua roupa e põe-te de emboscada. No fim de dois dias aparece o pica-pau preto com a raiz mágica no bico. Toca com ela o obstáculo, e imediatamente este salta com grande estampido. Estejas então pronto e estendas logo a tua capa debaixo da árvore.

O pássaro, pensando ver fogo, se espantará e largará a raiz. Alguns aconselham mesmo acender uma fogueira; porém é um pouco duvidoso, porque, se não se conseguir fazer sair logo labaredas, o pássaro guardará no bico a raiz e se irá embora. Se fores feliz em obtê-la, livra-te de usá-la logo, porque perderá a virtude; é preciso pendurá-la em algum ramo e aí deixá-la por algum tempo."

Eis como nos refere o aldeão da Francônia o meio de obter a raiz, que também o tapuio procura, espreitando o pica-pau preto.

Por esta crença, muitos são os fatos que nos referem os tapuios, acontecidos em virtude do poder da raiz. A verdade é que as lendas indígenas, que só o tapuio sabe, com raras exceções não são mais do que lendas estranhas, acomodadas, e enfeitadas com roupagens indígenas.

O fim deste trabalho não é apresentar as lendas, ou crenças amazônicas, mas sim mostrar a influência que algumas delas têm sobre a moral e o organismo do tapuio.

A influência é grande sobre ambos os sexos, e não só os guia na sua vida, como mesmo os leva ao túmulo algumas vezes. Não falando nessas pequenas superstições de aves agoureiras, plantas protetoras e outras ninharias, em que até o branco acredita, e que o berço deu e a instrução não pode destruir, tratarei apenas de algumas crenças, que muitas vidas têm ceifado. O tapuio, isto é, o gentio civilizado, ou nascido deste, por melhor que seja educado, sempre o é no meio em que as tradições portuguesas vicejam, e, como a sua inteligência não é suficientemente desenvolvida, o sistema empregado pela civilização a atrofia, e por isso recebe todas as impressões sem crítica alguma, ou mesmo discernimento.

Educado como escravo, convencido pela educação da inferioridade da sua raça, torna-se u'a máquina de trabalho e não procura raciocinar. Observador inteligente por herança indígena, esta mesma qualidade lhe é nociva, quando modificada pela civilização. O fato que para ele na floresta se apresenta natural, quando civilizado, não é mais.

A superstição esmaga o pensamento, mata a observação e impele o indivíduo a aberrações, que produzem as mais funestas consequências. Entre os povos do antigo continente uma lenda povoa os abismos do mar de mulheres, não somente de uma fascinadora beleza, como sedutoras, com cabelos de ouro esparsos sobre as espáduas, olhos azuis de safira, e que entoam cantos amorosos que cativam a imaginação dos marinheiros e os arrastam para o fundo dos mares.

Não apresentam fora d'água senão meio corpo, porque seus membros inferiores têm a força de um golfinho. São as sereias.

A sua linguagem, seus cantares, seu olhar, tudo respira amor e sedução, porém tudo é falaz, tudo é engano.

Se o deserto do oceano com seus abismos sem fundo oculta e dá morada a seres tão lindos, como não o ter o igarapé, que docemente desliza suas águas cristalinas sobre seixos brilhantes, à sombra dos palmares onde geme a juriti e canta o uirachué?

A IARA[16]

Deitada sobre a branca areia da fonte do igarapé, brincando com os *matupiris*[17], que lhes passam sobre o corpo meio oculto pela corrente que se dirige para o *igapó*[18], uma linda tapuia canta à sombra dos *jauaris*, sacudindo os longos e negros cabelos, tão negros como seus grandes olhos.

---

(16) Iara, significa *mãe-d'água, senhora d'água, de y*, água, e ara, senhora. A pronúncia *ig* tem feito com que de diferentes formas se tenha escrito essa palavra; assim, temos *yoara, iguara, oyara*, etc.

(17) Peixinhos que andam em bandos pelas margens dos rios.

(18) Florestas alagadas.

As flores lilases do mururé[19] formam uma grinalda sobre sua fronte que faz sobressair o sorriso provocador que ondula os lábios finos e rosados. Canta, cantando, o exílio, que os ecos repetem pela floresta, e que, quando chega a noite, ressoam nas águas do gigante dos rios.

Cai a noite, as rosas e os jasmins saem dos cornos dourados e se espalham pelo horizonte, e ela canta e canta sempre; porém o moço tapuio que passa não se anima a procurar a fonte do igarapé.

Ela canta e ele ouve, porém, comovido, foge repetindo: "é bela, porém é a morte... é a iara".

Uma vez a *pirassema*[20] arrastou-o para longe, a noite o surpreendeu... o lago é grande, os igarapés se cruzam, ele os segue, ora manejando o *apucuitaua* com u'a mão firme, ora impelindo a montaria, apoiando-se nos troncos das árvores, e assim atravessa a floresta, o igapó e o murizal.

De repente um canto o surpreende, uma cabeça sai fora d'água, seu sorriso e sua beleza o ofuscam, ele a contempla, deixa cair o *iacumá*[21] e esquece assim também o *teiupar*[22]; não presta atenção senão ao bater de seu coração, e engolfado em seus pensamentos deixa a montaria ir de bubuia, não despertando senão quando sentiu sobre a fronte a brisa fresca do Amazonas.

Despertou muito tarde, a tristeza apoderou-se da sua alegria, o teiupar faz seu martírio, a família é uma opressão, as águas, só as águas, o chamam, só a solidão dos igarapés o encanta.

Yara hu picicana! foi pegado pela iara. Todos os dias quando a aurora com suas vestes roçagantes percorre o nascente, saudada pelos iapis[23] que cantam nas sumaumeiras, encontra sempre uma montaria com a sua vela escura tinta de muruchi, que se dirige para o igarapé, conduzindo o pescador tapuio desejoso de ouvir o canto do arancuã.

Para passar o tempo procura o *boiadouro*[24] de *iurará*[25], porém a *sararaca*[26] lhe cai da mão e o *muicapára*[27] se encosta. As horas passam-se entregue aos seus pensares, enquanto a montaria vai de bubuia.

---

(19) Pontedeira, conhecida também por *dama-do-lago*.
(20) Cardume de peixes quando sobe os igarapés para desovar.
(21) Remo.
(22) Palhoça.
(23) Pássaro (*Cassicus hemorhous*).
(24) Palavra brasileira que indica o lugar em que boiam as tartarugas.
(25) Tartaruga.
(26) Flecha de pescar tartaruga.
(27) Arco.

O *akaréquiçaua*[28] está branco, porém o arancuã ainda não cantou. A tristeza desaparece; a alegria volta, porque o sol já se encobre atrás das embaubeiras da longínqua margem do Amazonas: é a hora da iara.

Vai remando docemente; a *capiuara*[29] que sai da canarana o sobressalta; a jassaná que voa do *periantã*[30] lhe dá esperanças, e o *pirarucu*[31] que sobrenada o engana.

De repente um canto o perturba; é a iara que se queixa da frieza do tapuio.

Deixa cair o remo; a iara apareceu-lhe encantadora como nunca o esteve.

O coração salta-lhe no peito, porém a recomendação de sua mãe veio-lhe à memória: "*taira*[32], não te deixes seduzir pela iara, foge de seus braços, ela é a *munusaua*"[33].

O arancuã não cantava mais, e do fundo da floresta saía a risada estrídula do *iurutuí*[34].

A noite cobre o espaço, e mais triste do que nunca volta o tapuio em luta com o coração e com os conselhos maternos.

Assim passam-se os dias, já fugido dos amigos e deixando a pesca em abandono.

Uma vez viram descer uma montaria de bubuia pelo Amazonas, solitária porque o *pirassara*[35] tinha-se deixado seduzir pelos cantos da iara.

Mais tarde apareceu num *mutupá*[36] um *teonguera*[37] tendo nos lábios sinais recentes dos beijos de iara.

Estavam dilacerados pelos dentes das piranhas.

A iara é a sereia dos antigos com todos os seus atributos, modificados pela natureza e pelo clima. Vive no fundo dos rios, à sombra das florestas

---

(28) *Akaré*, garça, *quiçaua*, rede, dormitório. As garças, às 5 horas da tarde mais ou menos, dirigem-se em bandos de milhares, como vi, para o dormitório que fica literalmente branco. O arancuã canta depois das 6 horas da tarde.

(29) Cecrópia.

(30) *Peri*, junto, antã, duro. Pequenas ilhas formadas de gramíneas, paus, argamassadas com argila, que se destacam das margens e descem pelo Amazonas.

(31) *Pirá*, peixe, *urucu*, vermelho (sudisgigas).

(32) Filho.

(33) Morte.

(34) *Yuru*, boca, *tuby*, grande, escancarada: pássaro, o *Coprimulgos vociferans*.

(35) Pescador.

(36) É o periantã ligado ainda à margem do rio.

(37) Cadáver.

virgens, a tez morena, os olhos e os cabelos pretos, como os dos filhos do equador, queimados pelo sol ardente, enquanto que a dos mares do norte é loura, e tem os olhos verdes como as algas dos seus rochedos.

A crença neste mito é tão grande que, pelos lugares em que a tradição diz que ela mora, os naturais a certa hora da tarde nunca passam.

Se por acaso eles têm necessidade de por aí passar, a imaginação fustiga-lhes o espírito de tal maneira que tornam-se logo tristes, evitam os amigos, começam a procurar a solidão; e se os parentes não tomam conta, sobrevém uma excitação nervosa que os torna quase loucos.

Parecem-se hidrófobos, porém não procuram a água, são hidrófilos. Nesta circunstância, se não são presos logo, ou se a medicina não vier em seu socorro, a morte será certa, porque na primeira ocasião que tiverem lançar-se-ão n'água, certos de que vão encontrar a iara e os gozos que ela lhes pode prodigalizar. Tal é a convicção dos naturais na existência deste mito que produziu uma doença, cujo termo é asfixia por imersão.

O tapuio *pegado pela iara* é um louco, por toda a parte ele a vê, e procura os lagos e os rios para neles se afogar. Nunca vi, mas afirmam que o remédio pronto para esta moléstia é a fumigação com alho e uma surra com as cordas dos arcos...

Dizem que o indivíduo estimulado pelo cheiro do alho e pelas dores, varre da imaginação a *iara*, porque, ainda superstição, acredita que ela não mais o quer por aborrecer o cheiro dessa liliácea.

O europeu, achando uma alma inocente, inoculou-lhe tudo quanto podia servir para torná-la suscetível de sujeição. Uma de suas máximas é que: "a mulher que não tem filhos não vai para o céu".

Amigo da escravidão, um dos meios que empregou para arredar o índio das selvas foi o terror e a superstição. Assim vemos no tapuio todas as abusões portuguesas que não se encontraram no gentio.

O *sincuã* ou *uirá-pajé*[38], um dos cherimbabos do gentio, é uma ave agoureira para o tapuio, e torna-se a *alma de caboclo*, ou a do *sacy* no sul.

Estas superstições tiraram a nobreza e a altivez do índio, e o transformaram em u'a massa maleável na mão do civilizado, porque está convicto de que não é mais do que um animal, que não pode ter ação própria e que não pode viver sem um guia, sem um senhor.

Quantas vezes não lhes mostrei que perante Deus e a lei éramos todos iguais, e que de mim eles se não diferençavam?

---

(38) Pássaro feiticeiro.

O que respondiam?

Catu cariua re icu y tapuya cha icu[39].

Eis como a educação ensinou-lhes que devem se ter por inferiores, por bestas de carga, sem se lembrar que são eles os primeiros senhores do território brasileiro.

Além da crença da iara há a do *Piráyauara*.

O piráyauara é o cetáceo muito conhecido pela denominação de boto.

Três espécies são conhecidas no Amazonas: o pixuna[40] (*Irina Geoffrensis Blaw*), a piranga[41] (*Delphines fluviatilis, Gervais*), e o tucuchi[42].

A eles se prendem a lenda citada e a do piráyauara.

As fêmeas seduzem os homens, e os machos as mulheres.

Ainda é tradição europeia a que se deve a lenda do boto. Do paganismo grego, atravessando a cristandade, aproximou-se do paganismo americano. Se não fora um golfinho, Netuno não encontraria Anfitrite. Às praias de Delfos chegou a colônia conduzida por Apolo sob a figura do mesmo animal. As figuras emblemáticas deste cetáceo que se vê em todas as obras esculturais antigas, prova a veneração em que era tido na antiguidade.

Os marinheiros europeus transportaram essa crença para o Brasil, onde os conquistadores portugueses espalharam-na a-largas-mãos.

Tanto foi transportada que os selvagens caçam-no para comer a carne que dizem curar a morfeia, enquanto que o tapuio não o pesca senão mui raramente, a fim de tirar-lhe os olhos para talismã. A Miranha que citei na conferência que fiz sobre o *uirary*, não conseguia ter carne para dar à sua filha senão quando podia pescar algum, o que raras vezes acontecia.

Afirmou-me ela que, se os tapuios lhe pescassem botos, o que podiam fazer diariamente, sua filha ficaria boa, pois com a carne do boto cura-se a moléstia.

Entre nós o boto tem a propriedade de transformar-se.

É quase sempre um guapo mancebo. Ninguém maneja melhor o arpão do que ele; a sararaca que ele solta vai ao fundo do rio buscar o tracajá, e a flecha que prepara não precisa ser emplumada com as penas do *urubutinga*[43] para ir ferir o pássaro no seu rápido esvoaçar. É tão lindo,

---

(39) Tu és um branco bom, porém eu sou tapuia.

(40) Preto.

(41) Vermelho.

(42) Cinzento. Esta espécie creio que não está descrita.

(43) Urubu branco, é o *urubu-rei*; é crença que a flecha empenada com as suas penas nunca erra o alvo.

seus olhos têm tal poder, tão sedutores, e suas falas tão meigas, que as *cunhantãs*(44) lhe não resistem.

Quantas não foram surpreendidas por ele nas suas roças, e devem-lhe o seu primeiro filho?

Felizes aquelas que com ele não se encontraram no banho, ou em viagens pelos igarapés!

Sobre as águas o encanto é maior, e o resultado é serem sempre levadas para o fundo das águas, onde o seu amor as chama. Então o resultado é sempre funesto.

Quantos D. Juans não têm passado por botos? Quantas grinaldas de virgem não têm sido desfolhadas nas areias das praias e quantos mamelucos não descendem por isso dos botos?

A civilização plantada pelos nossos *civilizadores* dos sertões, traz como germe a embriaguez e a desonra, e os frutos que dela resultam mais tarde são sempre a vergonha.

As máximas pregadas por esses apóstolos do mal, só visam dois fins: o gozo material, impuro e infame, e o do ouro, embora ganho com o suor do índio e com a morte moral de sua família.

Embriagar, corromper, seduzir e gozar o índio, não é crime... são filhos de uma raça condenada a ser escrava.

Vis, que não conhecem quanto é nobre, puro e inocente o coração do índio. A sua nobreza, a pureza de suas intenções, o seu desinteresse, tudo é especulado pelo engano, pela fraude e pelo vício.

O piráyauara às vezes é um regatão, que sabe aproveitar-se da crença indígena inoculada pelos primeiros civilizadores.

"Os portugueses, quando vão para o sertão, deixam as almas penduradas para recebê-las quando voltam." É um ditado antigo escrito pelo padre José Morais, e que ainda hoje se repete, não tendo sido desmentido. O procedimento deles para com os índios é mesmo de quem tem a alma pendurada.

Dentre as muitas lendas que se contam no vale do Amazonas, mais ou menos romanescas, ou extravagantes, referirei esta:

O PIRÁYAURA(45)

Era no rio Iamundá.

---

(44) Donzelas de 15 a 20 anos.

(45) *Pirá*, peixe, *y*, água, *ara*, senhor das águas, vulgarmente *boto*.

Uma vez no tempo em que o *catauri*[46] floresce, veloz cortava as águas do lago Marapé, em direção à ponta do Aparatucu, uma *montaria* impelida pela força dos braços de gentil tapuia.

Reclinada na popa, apoiava os pés no *iamanchi*[47] de maniva que tinha colhido na roça, e manejava com graça a curta pá do remo que lhe servia de *iacumáiba*[48].

O sol dava em cheio na serra de Dedarô e dourava as águas do lago Dadauacá que tremiam agitadas pelas brisas da tarde. Flutuando sobre o dorso, caíam esparsos os cabelos negros e embalsamados da tapuia, presos na fronte por uma travessa enfeitada de jasmim e de baunilha, o que lhe formava uma grinalda de virgem.

A saia curta era alva, a camisa decotada deixava nus os braços, e ocultava os seios que transpareciam através da larga renda da gola e saltitavam pelos movimentos que os braços davam aos remos.

Cantava entredentes... cantava endechas, reminiscência da taba de seus avós.

Estava na época em que a mulher se lembra da infância e sonha com as volúpias que a puberdade oferece.

Ligeira vogava a *montaria*, porque as moracanás palravam nas folhas do iaunarizal[49].

Repentinamente a tapuia estremeceu, viu passar perto, muito mansamente, uma *montaria* impelida pelo remo de um jovem tapuio que lhe era desconhecido.

Ia sozinho, e tão ardente era o seu olhar que ela corou.

Ele era ágil e vigoroso, tinha os ombros nus e o peito descoberto. As calças arregaçadas mostravam as pernas nuas, bem feitas e musculosas. Atravessou o rio e sumiu-se entre as ilhas. Sem saber por que, ela suspirou e descuidosa manejou o remo. A *montaria* impelida fendeu as águas, porém doidejava porque os olhares da tapuia procuravam entre os galhos da *aiurana*[50] os do tapuio.

Cismando vagou pelo rio.

Era noite quando chegou ao *igarupaua*[51]. No tijupar a velha filha dos Uabois esperava a neta.

---

(46) Crataeva Bentamu.

(47) Cesto de trazer às costas.

(48) Leme.

(49) *Yaunary*, palmeira do gênero *Astrocariyum*.

(50) Salgueiro (*Satix Humboldtiana*).

(51) Porto.

– *Se temiariros re malha sera pirayauara?*[52]

A cunhantã corou e deixou pender a fronte.

– *Pia sui temiariron puruissuis re icu!...*[53]

A neta subiu a ribanceira e na sua maquira ocultou a fronte, enquanto a velha metia n'água o paneiro de mandioca com que mais tarde ia fazer o *tarubá*[54].

O *uratahi* já tinha cantado três vezes, quando a lua levantou-se pálida e melancólica.

A tristeza reinava nos arredores; somente o *uacurau*[55] quebrava o quiriri da floresta e tudo no tijupar parecia dormir.

De repente os cães acuam e lançam-se furiosos para a margem do rio, onde as águas ferviam.

Um bando de botos saltava e brincava, fazendo tal ruído que despertava o latido e os uivos das cabanas longínquas. Neste momento uma figura, cujas vestes branquejavam, rápida desceu a barranca. Era a tapuia que não tinha dormido e cujo coração palpitava ao menor rumor das águas sobre a praia.

Quando seus pés tocaram a praia, restabeleceu-se um silêncio profundo, os botos desapareceram e uma *montaria* atravessou, conduzindo uma sombra humana.

A cunhantã o reconheceu, era o piráiauara.

Imóvel seguiu com a vista a montaria que com graça ia de bubuia, quando a surpreendeu a voz de sua avó que do alto da barranca gritou:

Maué keté taha ressó putari?[56].

A tapuia dissimulou, baixou-se, meteu n'água a cuiambuca, suspirou, e trazendo-a pelo dedo, subiu a barranca. Depois desta noite passaram-se muitos dias, continuando no lago Marapé os amores platônicos da cunhantã e do piráiauara, o que a tornava cada vez mais triste e cismada.

Os conselhos da velha filha da floresta não produziam mais efeito em sua neta, e em esperar por ela um dia que voltasse do manival.

Era quase meia-noite, e a *suinara*[57] com um rir estrídulo fazia estremecer a índia que estava assentada à porta do tijupar.

---

(52) Encontraste minha neta com o boto?

(53) Estás desgraçada, minha neta, de coração te digo.

(54) Bebida inebriante feita com a mandioca puba.

(55) Pássaro de gênero Caprimulgus.

(56) Aonde tu queres ir?

(57) Coruja (*Strix clamator*).

Corriam placidamente prateadas pela lua as águas do Iamundá, quando ela viu um vulto branco levado pela corrente rodeada de tucuchis, dos quais uns faziam a vanguarda, cabriolando em linha. Momentos depois, ouviam-se na praia o pranto e frases repassadas de dor; era a índia que, inclinada sobre um cadáver, dizia:

– *Se temiariron hu iucá aua pirayauara recê. Araán*! *Pau cha saissu yepé*!...[58]

A tapuia havia-se deixado seduzir e no fundo do lago tinha ido gozar as carícias de piráiauara.

Eis uma lenda que foi contada por uma tapuia muito velha, da vila de Faro; e como esta quantas não ouve o viajante, em que sempre o boto é o protagonista?

Na crença popular o boto não vive na água somente como a iara; transforma-se em homem e diverte-se em perseguir as moças até em casa.

Em Itaituba deu-se um fato passado poucos dias antes da minha chegada aí, e que me foi referido por diversas pessoas.

Havia uma tapuia que vivia só numa palhoça, e que de repente começou a emagrecer e a tornar-se pálida, sem aparentar moléstia. Desconfiaram que seriam artes de boto e fizeram uma emboscada. Uma noite viram chegar ao porto uma *montaria*, saltar dela um branco que não era do lugar e dirigir-se para a choupana. Acompanharam-no, e quando ele entrou, de manso abriram a palha da parede e viram-no querer deitar-se na mesma rede da tapuia. Então um tiro o prostrou, e, arrastado para a barranca do rio neste o atiraram, porque atiravam um boto. A autoridade não fez corpo de delito, porque matar um boto não é crime previsto pela lei.

Não é só, portanto, o tapuio que acredita na metamorfose do boto; o branco também crê. Um vigário, o de Silves, me afirmou que os botos lavavam roupa, e agastou-se ante minha incredulidade.

Eis pois outra lenda, não deleitando, mas influindo de tal forma no ânimo da mulher, que ataca-lhe o organismo, produzindo uma espécie de loucura que geralmente acaba pela morte.

Não é sempre que u'a mulher, avistando um boto, adoece: há uma época no mês em que ela, quando é nervosa, não o pode ver, e, cousa notável, eles pressentem o seu estado menstrual e, em bandos, em volta da canoa, a seguem. O meio de afugentá-los é lançar-se ao rio um alho machucado, com que curam também aquelas que tiveram infelicidade de serem pegadas pelo piráiauara.

---

(58) Minha neta suicidou-se por amar o boto! Coitada! Eu a amava tanto!...

Na mesma viagem ao rio Jamundá tive ocasião de ver o efeito doutra superstição. Numa bela noite de luar, conversando eu com o Sr. Camilo de Lelis Pereira, então subdelegado e velho tapuio da revolução dos Cabanos, assentados à porta de sua casa na vila de Faro, ouvi repetidamente o canto de uacauã.

Este pássaro é o *falco cachinans* de Lineu, uma pequena ave de rapina, que dizem só se alimentar de cobras, e que quando mordido por elas procura o antídoto na folha da *mikania guaco*, que tem o seu nome.

Aprazia-me ouvi-lo cantar, pronunciando as sílabas *ua-cá-uã*, acompanhadas de uma espécie de risada, quando o meu amigo, vendo que eu prestava atenção a isso, convidou-me para vê-lo. Tomei por um gracejo, porque, àquela hora, dentro da mata, era impossível ver o pássaro.

Disse-me ele então que aquele canto era o de alguma mulher da vila, pegada pelo uacauã. Não compreendi. Fez-me ver que havia a crença de que o pássaro desse nome tinha um canto funesto para a mulher que o ouvisse, e dessa crença origina-se uma moléstia sem consequências fatais, mas que, tirando os sentidos, leva a infeliz que dela sofre a neste estado repetir sem cessar, por alguns minutos, o canto do pássaro, com tal propriedade que ilude a quem não conhece a moléstia e ouviu cantar o uacauã.

Aceitando o seu oferecimento, atravessamos toda a vila e numa palhoça quase próxima à matriz encontramos a doente. A porta estava fechada por *iapa*(59), que o meu amigo arredou, e penetramos no interior. Aí, numa rede, estava deitada uma tapuia ainda moça, solteira, reclinada molemente como se dormisse, com o sorriso nas faces, parecendo dormir, porém completamente sem sentidos. Arfava-lhe o peito fortemente, parecendo querer estalar, quando cantando pronunciava as palavras: uacauã!... uacauã!... que repetia seguidamente, terminando numa gargalhada estrídula como a do pássaro. Passados alguns momentos de silêncio, recomeçava o canto.

A família distraída e impassível admirava-se de ver como eu me interessava pelo estado da tapuia, quando para eles isso era muito natural.

Vendo ser um ataque nervoso, procurei os medicamentos de que se lança mão nessas ocasiões, e, não encontrando nenhum, servi-me d'água fria. Borrifei-lhe as faces.

Teve como que um movimento de susto e parou de cantar. Com uma colher descerrei-lhe os dentes e dei-lhe alguns goles, que engoliu, produzindo ânsias. Momentos depois, estendeu convulsamente os braços,

(59) Porta feita de tecido de folhas de palmeiras.

arqueou o corpo para trás, fez um movimento de espreguiçar-se e entreabriu os olhos. Reanimou-se. Lançando um olhar desvairado em torno de si e dando comigo, que lhe era desconhecido, deu um grito e tapou o rosto com as mãos.

Perguntando-lhe o que sofria ou estava sentindo, respondeu-me que uma ligeira dor de cabeça, opressão no peito e muito cansaço.

Durante o acesso os membros estavam no seu estado normal; não havia contração nervosa; o pulso era pequeno e sumido; a pele do corpo seca, coberta de suor frio na fronte, as extremidades também frias, e o peito arfava com força.

Começa por tristeza e dores de cabeça. É um verdadeiro caso de histerismo.

A causa desta moléstia, toda nervosa e contagiosa, é o efeito da superstição. Aquela que ouve cantar o uacauã, fica certa de que iminente lhe está uma desgraça. A imaginação começa a trabalhar, e o resultado é terminar sempre a tristeza por um ataque nervoso, em que a doente arremeda o pássaro, dando não só a entonação do canto, como modulando as sílabas.

Esta moléstia é própria de Faro, e parece estar localizada no lago Grande ou Algodoal, porque aí é por assim dizer endêmica. O canto de uacauã aí faz com que muitas mulheres a um tempo sintam-se logo incomodadas e cantem.

Para alguns esta moléstia não passa de um embuste, ou de uma farsa; mas não o creio, porque o que vi não se podia fingir, embora a paciente fosse uma grande comediante.

O tapuio com imaginação sempre propensa ao maravilhoso, criado no meio das ricas maravilhas, que o Ser Supremo espalhou pelas suas terras, crendo sempre numa mãe universal, que a tradição de seus avós perpetua, ante o canto triste e mesmo horripilante dessa ave não podia deixar de comover-se, tanto mais que todos os prejuízos lhes são metidos na cabeça, quando crianças, para dominados assim poderem servir mais tarde de instrumentos dóceis e passíveis.

Assim como procuram com afã o *uirá-puru* (60) que lhes dá felicidades, venturas e riquezas, assim fogem do uacauã, o gênio das desgraças e o inimigo das mulheres.

As crenças e lendas do *Jurupari*, do *Mati-taperé*, do *Anhanga*, da Boia-assú, *Urutai* e outras, não as refiro aqui, porque não dão resultados

---

(60) Pássaro que dá felicidade. *Uirá*, pássaro, *puru*, emprestado.

tão fatais, posto que influam sempre no moral a ponto de tornar cobardes a descendentes de tribos valentes e destemidas, que não conheciam os prejuízos da apregoada civilização.

REVISTA BRASILEIRA, terceiro ano, tomo X, pp. 24-47, Rio de Janeiro, MDCCLXXXI (1881).

– O Curupira e o Caçador.

Curupira caamunuçara irumo
Rio Solimões.

Contam que um homem foi caçar. Perdeu-se no mato e já noite meteu-se debaixo de uma grande árvore. Já tarde ouviu o Curupira dizer: – Aqui cheira a gente! O homem respondeu: Sou eu, Pai. Dizem que depois o Curupira entrou, foi ter com ele e disse-lhe: Ah! meu filho! Dá-me a tua mão que eu quero comer.

Dizem que o homem cortou a mão do macaco, que o Curupira comeu, e tornou a dizer: – Corta também a outra banda da tua mão que eu quero comer.

Depois que acabou de comer a mão, disse-lhe também: – Dá-me o teu coração para eu comer. O homem deu depois o coração do macaco. O Curupira comeu. O homem então disse logo ao Curupira:

– Pai! Dá-me também o teu coração para eu comer.

– Me dá, então, a tua faca.

O homem deu-lhe logo a faca. Meteu-a no coração, caiu e logo morreu.

Depois de passados alguns meses, lembrou-se o homem do Curupira, e dizem que dissera:

– Vou ainda tirar os dentes do Curupira para contas de minha filha.

– Dizem que pegou logo no machado e chegando ao Curupira, olhou, e dizem que estavam os dentes quase azuis. O homem bateu logo com o machado nos dentes. O Curupira então acordou.

– Ah! meu filho! Agora eu sei que tu me queres bem.

Dizem que ele dissera: É verdade!

– Como tu me queres bem, agora eu vou te dar um arco e uma frecha. Quanto tu quiseres pedirás a essa frecha. Frecha para o cerrado sem destino, que ela há de pegar a presa, mas tu não frecharás pássaros de bando, porque pode acontecer que eles te matem.

Depois, o homem foi-se embora. Sempre que queria ia caçar, e diariamente era feliz.

Dizem que uma vez esqueceu-se e frechou[61] o Aracua[62], e logo os companheiros caíram sobre ele e despedaçaram-lhe as carnes. Morreu.

Depois, o Curupira foi ter com ele, que aquentou cera no fogo e com ela uniu as carnes.

Dizem que o Curupira dissera-lhe: Agora não comas coisas quentes.

O homem caçava todos os dias. Um dia, esquecendo-se, dando-lhe a mulher *tacacá*[63] quente, tomou e derreteu-se logo.

– TINCUÃ.

Rio Negro.

Um *tuixaua* (chefe) teve noutro tempo um filho que levou encantado, com a pele riscada, na barriga de uma piraíba. Esta piraíba comia a gente que passava pelo lago. Os Tapuios diariamente punham uma criança à velha piraíba para ela engolir e deixar passar aqueles que iam pescar no lago.

Os chefes viam que diariamente a gente desaparecia no lago e disseram, segundo dizem:

– Vamos já cortar uambé para fazer uma corda para pescar a piraíba que tem um filho na barriga.

– Vamos.

Foram depois disso, ao mato buscar uambé para fazer uma linha de pescar para puxar a piraíba, e a isca deles foi uma criança bem bonita que atiraram no meio do lago. A piraíba pegou no anzol que puxaram, porém, a piraíba era valente e arrebentou a linha e fugiu. Depois um *payé* (feiticeiro) chamou os chefes e lhes disse:

---

(61) Frechar, frecha, por flechar, flecha. (C.)

(62) É um gralípede que anda sempre aos bandos, a PENELOPE ARAGUAN, Spix, que não se deve confundir com a ORTALIDA CANICOLLES de Natterer, que tem o mesmo nome.

(63) Goma feita de polvilho de mandioca, que se toma como mingau.

– Meus netos, vocêis não peguem a piraíba porque ela não é boa, é coisa-má (*mayiua*), é a alma do filho do *tuixaua*. Vocêis agora façam uma linha de pescar com os cabelos de vossas mulheres[(64)] para então a pegarem.

As mulheres imediatamente cortaram os cabelos e fizeram uma linha de pescar bem grossa e depois puseram para isca uma criança e puxaram a velha piraíba. Os pajés disseram:

– Vocêis a matem, abram-lhe a barriga e nela acharão um pássaro que é a alma do filho do *tuixaua*. Vocêis não o deixem fugir ou voar porque quando ele cantar: – Tincuã!, nós todos morreremos.

Acharam o pássaro na barriga, mas fugiu da mão deles. O pássaro subiu e cantou: – Tincuã! Tincuã![(65)].

O céu ficou completamente escuro, a terra tremeu, o lago secou e a gente toda morreu, e só ficou no mundo o pássaro cantando: – Tincuã! Tincuã!

O pássaro-feiticeiro (*uira-payé*) que nós vemos hoje foi outrora o filho do *tuixaua* que estava na barriga da piraíba[(66)].

Contam que ele canta quando as notícias não são boas...

---

(64) O fato de cortarem as mulheres os cabelos para com eles fazerem uma corda, que não se rebenta, lembra a lenda do Paí-tunaré, que já publiquei, na qual se vê que com eles as mulheres também fizeram uma rede que teve o poder de prender o filho de Paí-tuna. Parece-me, contudo, que esse pensamento não é puramente indígena e sim resultado da influência estrangeira, porque, se bem me recordo, já vi em um conto de origem europeia o fato de se fazerem redes de cabelos de mulheres para se tornarem incapazes de se romper. Isso, porém, não se faz desmerecer o pensamento indígena porque pode ser original, se não é o resultado de uma crença transmitida por passados imigrantes.
Mauí, deus-rei de Havaí, casado com Hena, teve uma filha, Iao, violada, durante um banho, pelo deus das lagunas, Puookamoa. Um "kakuna" (feiticeiro) disse a Mauí quem ofendera o Iao, porque esta não dissera o nome do sedutor. Mauí só conseguiu prender Puookamoa envolvendo-o numa rede de pesca, feita com fios do cabelo feminino. A deusa do fogo, Pelle, intercedeu e Mauí transformou Puookamoa envolvendo-o numa rede de pesca, feita com fios do cabelo feminino. A coluna de sessenta metros que ainda se vê nas montanhas, a oeste de Wailuku, denominada "Agulha de Iao". Ocorre, como se vê, o tresmalho com as cabeleiras das mulheres numa das lendas mais populares de Havaí, na Polinésia. (C).

(65) Conhecido também por TINKUAN, ou SINKUAN: É o COCCULUS CORNUTUS, L, o "Alma-de-Gato" ou "Alma-de-Caboclo", do Sul. Esta espécie em alguns lugares se confunde com o C. CAYANUS ou MATY-TAPERÊ, mas o índio o distingue. A semelhança que existe entre as duas espécies origina a confusão. É tido este pássaro por agoureiro, pelo que quando ouvem cantar prognosticam logo alguma desgraça.

(66) Piraíba, BAGRUS RETICULATUS ou BRANCHY PLATISTOMA FILAMENTOSUM, Licht, gigantesco brage que atinge frequentemente dois metros de comprimento por um e tanto de circunferência; ver Agenor Couto de Magalhães, "Monografia Brasileira de Peixes Fluviais", p. 162, São Paulo, 1931. (C).

Uambé, casta de cipó cheio de rugosidades, espécie de Philolendron, extremamente resistente às intempéries. Pode durar mais de três anos de uso, segundo Stradelli. (C).

– Jurupari e o Caçador.

Yurupari comanduçara irumo.
Rio Tapajós.

Um homem foi caçar e encontrou uma veada com filho. Frechou o filho e pegou no veadinho. A mãe fugiu. Fez chorar o veadinho e a mãe quando ouviu veio. Frechou, então, também a mãe do veadinho. Morreu. Olhando para ela viu que a veada era sua própria mãe.

O Jurupari transformou a mãe em veada para enganar o filho enquanto dormia.

– A origem do rio Solimões.

Sorimão uypirungaua.

Há muitos anos a Lua era noiva do Sol, que com ela queria se casar, mas, se isso acontecesse, se chegassem a se casar, destruir-se-ia o mundo. O amor ardente do Sol queimaria o mundo e a Lua com as suas lágrimas inundaria toda a terra; por isso não puderam se casar. A Lua apagaria o fogo; o fogo evaporaria a água. Separaram-se, então, a Lua para um lado e o Sol para outro. Separaram-se. A Lua chorou todo o dia e toda a noite, foi então que as lágrimas correram por cima da terra até o mar. O mar embraveceu e por isso não pôde a Lua misturar as lágrimas com as águas do mar, que meio ano corre para cima, meio ano para baixo. Foram as lágrimas da Lua que deram origem ao nosso rio Amazonas.

– Esta lenda alude ao cataclismo que originou o vale do Amazonas e o levantamento dos Andes.

– Epépim.

Orion ou os Três Magos.
Lenda dos Makuchys.

Contam que havia três homens, dois solteiros e um casado, que tinha mulher; os dois moravam longe do casado. Daqueles dois, um era feio, e dizem que o irmão bonito deitava-lhes os olhos; por isso procurava meios de matá-lo. Um dia aguçou um pau, apontou-o bem, e depois disse ao irmão:

– Meu mano, vamos apanhar urucu para pintar nosso corpo?

– Vamos?

Então, contam, chegaram eles ao pé do urucu e ele disse logo ao irmão:

– Meu mano, sobe tu para apanhar para nós.

Dizem que, então, o irmão feio subiu e em cima abriu as pernas num galho: então o irmão de baixo o espetou. Morreu logo e caiu no chão.

O irmão cortou as pernas, deixou o cadáver, virou-se e foi-se embora. Dizem que, logo depois veio a cunhada, de passeio, ter com eles.

– Como estás, meu cunhado?

– Como hei de estar? Bem!

– Como está o outro meu cunhado?

– Está fora passeando!

– Ah! Pode ser.

Contam que a cunhada saiu para passear no mato e, dando volta por detrás da casa, achou o corpo de seu cunhado com as pernas cortadas e separadas. Depois a seu turno chegou também o cunhado.

– Para que me servem as pernas cortadas? Para nada. Agora só estão boas para os peixes comer.

Então, dizem, o irmão pegou nas pernas e as pôs no rio, virando-se logo elas em surubim. O corpo ficou aí por terra, mas a alma foi-se embora para o céu. Chegando no céu virou-se em estrelas. O corpo ficou no centro e as pernas dos lados, uma de cada lado. Tornou-se logo o Epépim.

O irmão assassino transformou-se na estrela *Caiuanon* (Vênus), e o irmão casado noutra estrela, a *Itenhá* (Sírius). Ficaram os dois fronteiros ao irmão que mataram, para perpetuamente (por castigo) olharem para ele.

EPÉPIM dos Macuxis é o ARAPARI ou ARARAPARI dos Tapuios. URUCU, *Bixa orellana*, dá uma tinta vermelha, indispensável na ornamentação indígena. SURUBIM, na espécie, é o SURUBIM PIRAMBUCU, *pseudoplatystoma fasciatum L*, medindo, na média, metro e meio de comprimento. A lenda etiológica do EPÉPIM (Orion) foi contada a Barbosa Rodrigues pelo velho índio Pedro, ignorando o idioma português. Os Macuxis vivem entre os rios Branco e Maú.

– Origem das Plêiades.

Cyucé yperungaua.
Vila Bela.

Havia antigamente um encantado (*ucaûçaiçu*) que fugiu da mulher.

– Quando tu quiseres falar-me, irás atrás de mim. Meu caminho são as pegadas dos urubus. Quando achares penas de araras, é porque é o caminho das cousas más.

O Pai das Plêiades, (*Cyiucé paia*) quando deixou a mulher, esta estava grávida. Indo um dia pelo caminho procurar o marido, os filhos choraram na barriga. Zangando-se a mulher com os filhos, ralhou-os e disse:

– Tudo quanto vocêis veem, pedem. Por isso não sabem já para comer o que querem.

Depois que ralhou, as crianças não falaram mais. Somente foi pelo caminho das cousas más zangada com eles. Chegou à casa da mãe da onça.

– Que vens tu buscar por aqui? Meus filhos são muitos maus!

– Eu venho por aqui no encalço de meu marido. Ele me disse que viesse atrás das pegadas do urubu e eu vim pelo caminho das cousas más ou das penas das araras.

– Ah! minha neta, aí vêm meus filhos chegando e zangados comigo. Vem para aqui a fim de que eu te esconda debaixo do panelão, para que eles não te vejam.

Chegou um filho:

– Ah! minha mãe, aqui cheira a sangue real.

– Quem há de ser aqui, meu filho? Eu estou longe.

A mãe perguntou-lhe:

– Que farias tu quando uma mulher aparecesse e viesse procurar-me?

– Que eu faria, minha mãe?... Deixava ficar para tua amiga.

Depois disso, chegaram os outros e disseram a mesma cousa, como o primeiro. Um dia, eles nada mataram, para comer e zangados mataram a mulher que estava com a mãe. Esta pediu os ovos dela para criar; tomou-os, guardou-os bem e deles saíram sete meninos e uma menina. Depois de crescidos, disseram estes:

– Como a tacuri nós vingaremos nossa mãe. Vamos fazer um espeto de paxiúba para espetar naquele fundo que ali está, matá-los, ficando assim vingadores de nossa mãe.

Quando as crianças foram banhar-se, chegaram as onças.

– Meninos vocêis que estão fazendo?

– Nada; estamos nos banhando.

– Eu quero também me banhar com vocêis.

– Pois bem. Nós, como criancinhas, saltamos aqui pelo baixio. Vocêis, como são grandes, saltem ali para aquele fundo.

Saltaram para a água funda e aí ficaram; morreram todos no espeto.

Foram-se embora as crianças e sentaram-se em uma pedra. Chegou a onça a ter com eles.

– Que é que fazem vocêis?

– Nada; estamos brincando.

– Então eu quero também brincar.

– Pois bem. Senta-te na pedra e faz o que estamos fazendo.

– Para quê?

– Para fazer pequeninos os nossos grãos.

– Então eu quero meu grão também pequenino.

– Farás o mesmo que estamos fazendo.

Bateram todos com os grãos na pedra. Aí ela ficou e morreu. Voltaram os meninos para casa da mãe da onça. Depois, foram pela beira do rio, arremedando todos os pássaros. Mandaram também a irmã arremedá-los.

Nada para eles era bonito. Mandaram arremedar o Carão. Acharam bem bonita a cantiga e disseram:

– Espreita; e quando as Plêiades estiverem saindo, tu sacudirá as asas, porque nunca as tuas penas cairão. Espreita; quando as Plêiades nascerem, tu cantarás!

O Carão sacudiu as asas e seus irmãos o mandaram embora. Eles subiram para o céu e tornaram-se as Plêiades.

Uma prova da influência dos contos da imigração portuguesa, na região amazônica, quando a população então era toda europeia e indiana, está neste conto que passou aos mamelucos e mais tarde destes a seus descendentes brancos. Enquanto estes pela língua geral ou em português repetem o CYUICE YPERUNGAUA ou a ORIGEM DAS SETE ESTRELAS, os brancos das outras províncias, que não conheciam o mito amazonense contam as histórias dos TROIS CHEVEUX D'OR DU DIABLE, de Grimm, do BICHO MAJALÉU, dos TRÊS COROADOS, do PRÍNCIPE DAS PALMAS VERDES ou do LIMÃO VERDE, que, segundo Teófilo Braga, é a mesma PARABOINHA DE OURO, ou EL PRÍNCIPE JALMA, do Chile. A passagem da mulher em casa da mãe da onça, e aquele *aqui fede a sangue real* é um enxerto português feito no conto indígena, tirado daqueles que acima citei, onde em todos se encontra uma passagem semelhante e a frase igual, que fielmente o Tapuio reproduz na sua língua. Esta mesma frase está nos "Contos Zulus" do Dr. Callaway, no conto do "Papa-gente *Uzembini*" e *no fee, fo, fum, I smell the blood of an Englishman*.

TACURI é uma formiga. PAXIÚBA, palmeira do gênero Iriártea.

PORANDUBA AMAZONENSE, *Anais da Biblioteca Nacional do Rio de Janeiro, 1886-1887. Volume XIV, fascículo n. 2., Rio de Janeiro. Tip. de G. Leuzinger & Filhos, 1890, pp. – 25, 89, 135, 211, 227 e 261.*

MELO MORAIS FILHO

1844-1919

Alexandre José de Melo Morais Filho nasceu na Bahia a 23 de fevereiro de 1844 e faleceu no Rio de Janeiro a 1º de abril de 1919. Diplomou-se em Medicina em Bruxelas, prestando exame para revalidação no Rio de Janeiro em 1876, defendendo tese. Aposentou-se em 1918 como Diretor do Arquivo Municipal do Rio de Janeiro. Colaborou na imprensa carioca, jornais e revistas, deixando alentada bibliografia, contos, poesias, história da literatura brasileira, antologias, crítica, etc. Destaca-o seu ininterrupto labor tradicionalista, ressuscitando as festas populares, explicando-as e revivendo-as fielmente. Figuras, costumes, tipos da rua e cenas do passado, serenatas, cantigas, foram seus motivos prediletos. Essa dedicação salvou do esquecimento e da deturpação grande material folclórico. Sob sua direção pessoal, muitos bailados tradicionais foram representados no Rio de Janeiro, na mais estrita observância de letra, música e dança, Sílvio Romero considerava-o companheiro único.

Bibliografia:

- Mitos e Poemas, Rio de Janeiro, 1884.
- Pátria Selvagem, idem, 1884.
- Cancioneiro de Ciganos, idem, 1885.
- Ciganos no Brasil, idem, 1886.
- Festas de Natal, idem, 1895.
- Cantares Brasileiros, idem, 1900.
- Festas e Tradições Populares do Brasil, Rio de Janeiro, 1888, aumentada na edição de 1901. Anotada por Luís da Câmara Cascudo na edição de 1946, Briguiet, 1946.
- Serenatas e Saraus, idem, três tomos, 1902.
- Quadros e Crônicas, idem, sem data.

– A VÉSPERA DE REIS.

Bahia.

Há dias no ano em que o povo precisa fazer-se criança. Contrariar esta lei, é torná-lo triste, desgraçado.

Essa bem-aventurança popular, esse esquecimento momentâneo das lutas pela vida, só a religião largamente proporciona, visto como exclusivamente ela algema as dores que as sociedades desencadeiam nas contingências imediatas, nos acontecimentos decisivos.

A política, que, não sendo exercida por individualidades culminantes, é ofício de vadios, não absorve esse gigante de cem faces, que vive porque combate, que não morre porque é de uma complexidade que se regenera no tempo, no clima e na ação.

Em qualquer dos estados, a crença tem para o povo estrelas que o iluminam, horizontes que se abrem em alas, grinaldas de primavera que lhe perfumam e ensombram a fronte nas calmarias da existência.

Dos dias de que falamos são sucedâneos aqueles em que a pátria comemora os seus feitos, relembra as suas glórias.

Viajamos sete anos e fomos hóspedes da Inglaterra, da França e da Bélgica: nesses países, quanto amor à do que as que recebemos de Portugal, que associou-se com obra do passado, quanta fidelidade às tradições seculares!

E serão estas, porventuras, mais belas, menos ridículas desgarre à evolução produzida pelo cristianismo, na poesia, na ciência e nas artes, desde os primeiros vagidos da Idade Média, influindo-lhe no progresso, fecundando-lhe as legendas, nobilitando-se na antiguidade de seus costumes?

Entretanto a Europa conserva e afaga o que possui, e nós nos envergonhamos do que nos honra e define!

Dos acontecimentos ensanguentados de nossa história política e dos períodos brilhantes de nossa literatura, nem mais nos lembramos; perdemos as nossas festas, e ficamos sem elas e sem outras que as supram!

É que vamos sendo pacificamente reconquistados... E a árvore das nossas tradições, cuja sombra alongava-se por todo o país, sopro de inverno prematuro despe-lhe as folhas e a impele para o aniquilamento...

Ainda um instante amparando-a na sua queda, assistamos a uma véspera de Reis em nossa província.

A véspera de Reis na Bahia é um corolário da noite de Natal. São irmãs quanto à origem, diferindo na vida de relação.

Para os homens que estudam, o interesse de diferenciação entre as festas do Natal no Brasil e suas congêneres no estrangeiro é enorme. Na Europa há um único fator, que é o elemento nacional; entre nós há três: o elemento branco ou português, o africano, e o resultante de ambos – o mestiço.

Do modo por que eles contribuíram e se consubstanciam; do caldeamento estético que dá o colorido local a costumes que se foram modificando desde a colônia, ressalta o encantamento etnológico, a feição nacional.

Da noite de Natal, que se passa nos templos e nos domicílios; dos bailes pastoris – a poesia popular erudita – e dos salões soberbos, desçamos às praças e ruas, e observemos o povo que se diverte em ranchos nômades, presenciemos as cheganças ao ar livre, e o singular espetáculo do *Bumba meu boi*, auto inculto, que se representa mais vulgarmente nas humildes e francas habitações dos arrabaldes.

Na Bahia, os presepes, os bailes de pastoras e os descantes de Reis prolongam-se até ao carnaval. – É o tempo das mangas, das músicas e das mulatas!

Dessa noite em diante, os cantadores de Reis percorrem a cidade cantando versos de memória e de longa data.

Esses ranchos compõem-se de moças e rapazes de distinção; de negros e pardos que extremam, às vezes, e se confundem comumente.

Os trajes são simples e iguais calça, paletó e colete branco, chapéu de palha ornado de fitas estreitas e compridas, muitas flores em torno, etc.; precedendo-se na excursão habilíssimos tocadores de serenatas.

Levando-lhe talvez vantagens pelas ondulações de andar, pelo arredondado das formas lascivas, pelos dentes de pérolas em bocas de ônix, ou orvalhos matinais nas rosas do amanhecer, as crioulas e mulatas acompanham os seus pares, tremendo-lhes os seios por baixo de um nevoeiro de rendas finíssimas, estalando a chinelinha preta e lustrosa, atirando com negligência o pano da Costa, matizado e caríssimo.

Mulheres e homens, meninos e meninas, batem, ao compasso da música, leves pandeiros, ou tocam, nas mãos entreabertas e suspensas, castanholas que atroam.

Destoando do concerto magnífico, lá cresce o rancho dos *cucumbis*, que são negros e negras vestidos de penas, rosnando toadas africanas, e fazendo bárbaro rumor com seus instrumentos rudes.

Dos *cucumbis* não sabemos o rumo.

Os ranchos, ao fogo dos archotes, ao som das flautas e violões, dos cavaquinhos e pandeiros, das cantorias e castanholas, dirigem-se: ao presepe da Lapinha, às casas conhecidas em que se festeja o Natal, ou tiram Reis à aventura do acaso.

A partir das oito horas começam a desfilar os primeiros bandos. Embora prevenidas, as casas que os têm de receber conservam a porta fechada, não obstante os dramas pastoris e as danças estarem em atividade.

Chegando um deles ao ponto convencionado, à casa em que deve entrar, música preludia o canto, que rompe, seguido de coros:

O' de casa, nobre gente,
Escutai e ouvireis,
Lá das bandas do Oriente
São chegados os três Reis.

Do letargo em que caístes,
Acordai, nobres senhores,
Vinde ouvir notícias belas
Que vos trazem os pastores.

Nesta noite tão ditosa
É bom que vós não durmais,
Porque tão alta ventura
Não é justo que percais

Vinde ouvir simples cantigas
De grosseiros camponeses,
Das aldeias conduzindo
Cordeiros e mansas reses.

As serranas enfeitadas,
De prazeres vêm saltando;
Os mancebos e os velhinhos,
Todos, todos, vêm chegando.

O' senhor dono da casa,
Quer que lhe diga quem é?
É um cravo de marante
Com sua açucena ao pé.

Senhora dona da casa,
Mande entrar, faça favor,
Que dos céus estão caindo
Pinguinhos d'água de flor.

Inda bem,
Há de vir!
Que somos de longe
Queremos nos ir..

Depois destas e de muitas outras trovas clássicas, a porta se abre, o rancho entra, e, chegando ao presepe, entoa novas canções e novos acompanhamentos:

Bravo, bravo, bravo!
Hoje é quem brilha
O verbo Humanado
Deus de maravilha.

E ficam ou seguem, depois de comer e beber do que se lhes oferece.

Enquanto na cidade baila-se e tira-se Reis, em remoto povoado executa-se uma *chegança*.

É um largo espaçoso. Junto a matriz há um palanque, uma espécie de coreto sanefado e egaloado, com muitas arandelas, de dimensões desafrontadas, realmente elegante.

À luz das *cabeças, de alcatrão*, que fumam, fincadas aqui e ali, os espectadores, em bancos e cadeiras; em esteiras, no chão, algumas famílias, mais modestas, com suas escravas e crias.

A música entretém o povo em multidão, tocando peças fáceis, chulas, fandangos.

O vigário, o juiz de paz, o mestre-escola e as altas influências do lugar conversam sobre eleições, discutem política geral e local.

Nesse ínterim o palanque adquire um aspecto atraente e encantador: da caixa desse teatro de improviso vêm ao proscênio *Cristãos* e *Mouros*, que começam a *chegança*.

As *cheganças*, no norte, são autos de número restrito, em que toma parte certa classe popular de pequena elevação.

Os *Marujos* e os *Mouros* intitulam-se os de que temos notícia, constantemente reproduzidos por ocasião das festas de Reis na Bahia, Pernambuco e Alagoas.

Na *dos Mouros* os interlocutores são muitos, as músicas distintamente variadas, sendo o entrecho da composição um combate de abordagem entre cristãos e turcos.

Depois que termina a ouvertura e serenam as palmas com que o auditório acolhe artistas, o espetáculo principia, acompanhado de gestos, de versos cantados, de danças bamboleadas.

Destaquemos dos *Mouros* um trecho.

PILOTO

Entrega-te, rei mouro,
A essa nossa religião,
Aqui dentro desta nau
Há um padre capelão.

REI MOURO

Entregar-me não pretendo
Em meio de tanta gente;
Eu sou filho da Turquia,
Tenho fama de valente.

Brigam os dois, e o Rei mouro, vencido, cai aos pés do Piloto e canta:

REI MOURO
Mande-me chamar um padre,
Que quero me confessar;
Esta ferida é mortal,
Dela não posso escapar.

O Piloto dá neste sentido as suas ordens, e o Padre se aproxima.
O Rei mouro, vendo-o, põe-se de joelhos, e entoa com graça e malícia:

REI MOURO
Senhor padre, me confesse,
Que sou filho do pecado;
Eu sou como *chamechuga*,
Quando pego estou pegado.

E logo, fingindo desmaio, dá um tombo, correndo em seu auxílio o Contramestre.

CONTRAMESTRE
Vinde cá, Laurindo.
Vai depressa na botica,
Traga lá a medicina
E vê bem como se aplica.

As cenas sucedem-se interessantes e instrumentadas, concluindo-se o auto com esta quadra do piloto:

PILOTO
Ó nau fragata, ó nau fragata.
Eu vou te perguntar,
Se este brejeirinho
Sabe comandar...

a que todos respondem em coro, recitando-se:

Gentes, que terra é aquela,
Terra de tanta alegria?
É o largo de Bonfim
Vamos adorar Maria.

Enquanto os atores e o povo se dispersam em lufa-lufa, ao clarão dos fogaréus, em Itapagipe, Rio Vermelho, Nazaré, etc., o *Bumba meu boi* e a *Burrinha* constituem as delícias de núcleos festivos.

O *Bumba meu boi* é o divertimento da canzoada, da gente de pé-rapado.

Tirai da véspera de *Reis* o *Bumba meu boi*, e estai certos de que roubareis à noite da festa o que ela tem de mais popular em todo o norte do Brasil, e de mais nosso, como assimilação de produto elaborado.

Este auto de caráter grotesco, em duas cenas, entremeado de chulas, de diálogos patuscos, e desempenhado por personagens extravagantes, é tudo quanto há de mais curioso no tempo de Natal.

Contaram-nos que no Ceará e Piauí, terras de gado e vaqueiros, a originalidade desse drama, que tem por protagonista um boi, é extraordinária.

No geral, as peripécias são animadas, o cortejo do Boi é apropriado, e em quase todas as localidades esses espetáculos são dados em casa; excepcionalmente, o Boi dança nas praças públicas.

A distribuição da peça é a seguinte: O Boi, o Tio Mateus, a Tia Catarina, o Surjão, o Doutor, o Padre, o Vaqueiro e o Amo; na Baía e Alagoas, acrescem – o Secretário de Sala, o Rei, e Figuras que dançam, jogam espada e fazem de Coro.

Cada interlocutor tem o vestuário o mais esquipático: é u'a mascarada.

O Rei, o Secretário de Sala e as Figuras envergam capa e calção, trazem na cabeça coroa e capacetes prateados, meneiam espadas de pau, tocando, três ou quatro violas e raramente outros instrumentos.

O Boi é arcabouço feito de lâminas de pinho, coberto com uma colcha de chita implantada no pescoço curto e um tanto triangular a cabeça pintada, com os competentes chifres.

Essa armação é levada às costas de um indivíduo, que, deixando-a cair, esconde-se de baixo, durante a representação.

É para as bandas da Boa Viagem... Os lampiões refletem luzes vivas nas ruas extensas, e as casas de humilde aparência conservam a porta escancarada até tarde, até muito tarde.

Na sala ao balanço da rede, o pai de família julga-se feliz acercado da mulher e da prole, que, à flama do candeeiro, escutam de uma velha escrava os contos da *Madrasta*, do *Pedro Malas-Artes*, da *Moura Torta*, etc.

Outra há em que o Menino Deus, já de pé no presepe, mostra-se com sua camisinha de cambraia e o cajadinho de ouro.

Nestas, as cantigas de Reis correm à porfia e sempre sonoras.

De súbito, interrompendo as histórias do tempo antigo, quebrando os descantes dos alegres pastores, um grito estrídulo, como o da locomotiva em distância, prolonga-se nos ares, parando com estrondo:

– Eh!... boi!

E todos chegam às janelas e às portas, dando com os olhos em um vulto que ergue um archote e descansa ao ombro uma vara de aguilhão.

É o Tio Mateus, que, adiante do *Bumba meu boi*, previne à redondeza da aproximação do rancho.

De feito minutos depois passa ele com a sua música, pessoal escolhido e completo.

No fim da rua param a uma porta, afinam as violas e cantam:

Aqui estou em vossa porta
Com figura de raposa.
Eu não venho pedir nada,
Mas o dar é grande cousa.

Senhora dona da casa,
Bote azeite na candeia;
Me perdoe a confiança
De mandar na casa *aeia*.

Abri a porta.
Se queres abrir,
Que somos de longe,
Queremos nos ir.

A porta se abre, e a casa é invadida pelos foliões, à exceção do Mateus, o Boi e o Vaqueiro, que aguardam ordens.

A família e os vizinhos, que acodem pressurosos, fazem roda; acendem-se mais velas, as violas tinem e o negócio principia:

O Secretário de Sala (*dançando e cantando*).

Oi! da prata e do ouro
Se faz o metal!
Oi a sala dos Reis
É pr'a nós festejar!

Coro

Oi! a sala dos Reis
É pr'a nós festejar.

O Rei (*sentando-se em uma cadeira*).

Ó meu secretário de sala!

Secretário

Sou humilde para atender ao vosso chamado.

Rei

É preciso ver se não acha aqui no nosso reinado uma peça para alegrar o coração desta gente, que está piau-piau, como a mandioca lavada em nove águas.

SECRETÁRIO

Vossa... viola!...

E o secretário canta e dança ao coro das figuras...

SECRETÁRIO

Moça que está na janela...

CORO

Olha bamba, bambirá!

SECRETÁRIO

Namorado o que não viu...

CORO

Olha bamba, bambirá!

SECRETÁRIO

Olha a querem maltratar...

CORO

Olha bamba, bambirá!

SECRETÁRIO

Olha o filho que não aparece...

CORO

Olha bamba, bambirá!

SECRETÁRIO

Oh! meu S. Benedito,
Que do mar vieste...

CORO

Lê, lê, lê!...

CORO

O diabo da negra
Lá no fundo do mar,

SECRETÁRIO

A canoa virou
Não soube remar.

Aí em tons acelerados e fortes, cantam e esgrimem espadas, o Rei com o Secretário, e as Figuras entre si, vindo sorrateiramente o Tio Mateus ocupar a cadeira do Rei.

SECRETÁRIO

Olha fogo, olha guerra:

CORO

Fogos em terra:

SECRETÁRIO

Olha fogo no mar:

CORO

É p'ra nos guerrear:

SECRETÁRIO

Fogo faz o Secretário;

CORO

Fogos em terra:

SECRETÁRIO

Olha fogo em nosso Rei:

CORO

Fogos em terra:

SECRETÁRIO

Olha fogo nas Figuras.

CORO

Fogos em terra...

Finda esta cena, o Secretário de Sala manda Mateus buscar o Boi; Mateus dá um pinote, gritando:

– Eh!... vem cá, Estrela!

SECRETÁRIO

Está aí o boi, Mateus?

MATEUS

Sim, meu sinhô.

SECRETÁRIO

Quem me empresta um vintém
Que amanhã dou dois,
Pra comprar uma fita
E laçar o meu boi?

Guiando o *Bumba meu boi*, que faz as evoluções mais gaiatas, entra o Vaqueiro, a cuja voz obedece o Boi, servindo-lhe de guarda de honra as

Figuras, que, ao compasso da música, marcham, erguem e abaixam as espadas, continuando no seu papel de coro.

VAQUEIRO

Ora, entra, Airoso.
Ora, faz cortesia!

CORO

Eh! o bumba!

VAQUEIRO

Ora, ao dono da casa
E à senhora também...

CORO

Ora, *estrova* bonito;
Ora, dá uma pontada...

CORO

Eh! o bumba!

VAQUEIRO

Ora, aqui no Mateus,
Ora, brinca bonito!

CORO

Eh! o bumba!

Nisso o boi dança às gargalhadas e palmas dos circunstantes. Mateus dá-lhe uma pancada, e ele revira, esperneando.

O Vaqueiro assusta-se, encoleriza-se, e recomeçam:

VAQUEIRO

O meu boi morreu.
Quem matou foi Mateus.

CORO

Eh! o bumba!

MATEUS

Não, senhor, quem matou foi o dono da casa.

VAQUEIRO

Senhor dono da casa.
Me pague o meu boi.

Coro

Eh! o bumba!

Vaqueiro

Vá chamar o doutor.

Coro

Eh! o bumba!

O Doutor chega, conduzido por Mateus, examina o Boi, prognostica moléstia grave, receita e pede a Mateus uma viola.

O Doutor toca e Mateus dança, dando tempo a que, em um lenço que atiram, as Figuras recolham o dinheiro.

Depois de muito toque e de muito fado, o Mateus agarra em um menino para com ele dar uma ajuda no Boi, que se levanta, terminando o auto pela cantiga de retirada.

Oi! da prata e do ouro
Se faz o metal!
Oi! a véspera de Reis
É p'ra nós festejar!
....

FESTAS E TRADIÇÕES POPULARES DO BRASIL – pp. 73-88.

– Os Cucumbis.

Rio de Janeiro.

Não há quem tenha perlustrado as províncias do norte, que não se recorde de um grupo de negros, vestidos de penas, tangendo instrumentos rudes, dançando e cantando, que, nos dias de festas populares, percorre as ruas das grandes cidades e pequenos povoados, associando-se destarte aos nossos folguedos nacionais.

Na primitiva, esses bandos, constituídos por escravos d'África, eram numerosíssimos, sendo as suas cantigas bárbaras unicamente na linguagem de suas terras natalícias.

A essas hordas de negros de várias tribos, de face lanhada e nariz deformado por uma crista de tubérculos, que descia do alto da fronte ao sulco mediano do lábio superior, o povo da Bahia denominou de *Cucumbi*, e o das demais províncias – de *Congos*.

Em todos os tempos, por ocasião do entrudo e das festas do Natal, ranchos deles encontravam-se em lugares múltiplos, indo dançar e cantar em casas determinadas, ou nos tablados construídos ao lado das igrejas e nas praças, para as tradicionais cheganças dos *Mouros* e dos *Marujos*.

No Rio de Janeiro também os houve até 1830, servindo apenas, que nos conste, para incorporar-se ao préstito fúnebre dos filhos dos reis africanos aqui falecidos – na terra do exílio e do cativeiro!

E precedendo a rede funerária coberta com um pano preto, acercada e seguida de centenas de escravos, os *Cucumbis* marchavam chocalhando e cantando, com seus *mamêtos* (crianças), de cocares de plumas, pulando e levantando os braços, ao compasso acertado.

Essas danças coreográficas, cujo caráter se foi ligeiramente modificando com elementos novos, representam ainda hoje uma das faces mais belas dessa raça afetiva por excelência, a quem deve o Brasil a maior de sua população, de sua riqueza e de seu progresso.

Desembarcados dos navios negreiros, com o coração cheio de pranto; arrancados das cabanas de seus pais e dos desertos de sua terra; não ouvindo mais o sibilo do vento e o rugido da fera que os alentaram na infância; os pobres cativos, despejados em nossas matas virgens, tiveram necessidade de dar expansão à sua dor, relembrando os costumes dos seus maiores.

E a dança dos *Cucumbis* ressoou estrepitosa nas florestas, ao tinir das correntes dos cepos e dos gemidos nas senzalas, ao som do açoite nas surras da escada e do soluço da mãe escrava, a quem tiravam para sempre dos braços o filhinho nu e misérrimo.

Às letras desses cantos, originariamente africanos, intercalaram-se versos portugueses, o que nada altera a índole do baleto selvagem dos *Congos*, com o seu enredo e evoluções guerreiras, seus reis e princesas de formas corretas e altivas, seus tamborins e *ganzás*, que desenvolvem-lhes em torno uma atmosfera de sonoridade tempestuosa e imitativa.

Os *Cucumbis* têm os seus dançados e cantorias especiais às passeatas, o seu baleto difícil e em extremo interessante, para o ar livre e casas particulares.

O argumento dessas composições musicais e de uma poesia de sabor acre é simples e rudimentar, de acordo constante com a natureza aspérrima daqueles homens afeitos a lutas cruentas e ao imprevisto dos desertos.

Resumindo uma ação que se pode prolongar por muitas horas, o entrecho do referido baleto é o seguinte:

Depois da refeição lauta do *cucumbe*, comida que usavam os Congos e Munhambanas nos dias da circunscisão de seus filhos, uma partida de

Congos põe-se a caminho, indo levar à rainha dos novos vassalos que haviam passado por essa espécie de batismo selvagem.

O préstito, formado por príncipes e princesas, áugures e feiticeiros, intérpretes de dialetos estrangeiros e inúmero povo, levando entre alas festivas os *mamêtos* circuncidados com lasca de taquara, é acometido por uma tribo inimiga, caindo flechado o filho do rei.

Ao aproximar-se o cortejo, recebendo a notícia do embaixador, ordena o soberano que venha à sua presença um afamado adivinho, o feiticeiro mais célebre de seu reino, impondo-lhe a ressurreição do príncipe morto.

"Ou darás a vida a meu filho, diz ele, e terás em recompensa um tesouro de miçanga e a mais bela das mulheres para com ela passares muitas noites; ou não darás, e te mandarei degolar."

E aos sortilégios do feiticeiro, o morto levanta-se, as danças não findam, ultimando a função ruidosa retirada, na qual os *Cucumbis* cantam o Bendito e diversas quadras populares.

Como é natural, a tradição africana acha-se corrompida pelas gerações crioulas, mas não a ponto de desconhecer-se o que há de primitivo como costumes autênticos.

Na distribuição do dançado, esplêndido e aparatoso, há personagens típicas, figuras importantes, dentre as quais o Rei, a Rainha, o Capataz, o Língua, o *Quimboto* (feiticeiro), um ou mais *mamêtos*, o Caboclo, etc., príncipes, princesas, embaixadores, áugures e cinquenta outros comparsas que dançam, tocam e executam os coros.

O vestuário geral consiste em círculos de vistosas e compridas penas aos joelhos, à cintura, aos braços e aos punhos, rico cocar de testeira vermelha, botinas de cordovão enfeitadas de fitas e galões, calça e camisa de meia cor de carne, e ao pescoço das mulheres e homens, miçangas, corais e colares de dentes, dando uma ou mais voltas.

O Feiticeiro, o Rei e a Rainha ostentam vestimenta mais luxuosa e característica, porém no mesmo sentido.

Enquanto aos instrumentos, a lealdade às tradições tem sido mantida, notando-se até ao presente, na maioria dos ranchos de *Cucumbis*, os *ganzás*, os *chequerês*, os chocalhos, os tamborins, os adufos, os *agogôs*, as marimbas e os *pianos* de cuia, como em todas as épocas.

Os descendentes diretos dos africanos têm conservado no Brasil a herança paterna, reaparecendo os *Cucumbis*, há alguns anos, nesta corte, devido a influência de pretos baianos aqui residentes.

Uma vez reunidos, constituíram-se em sociedades carnavalescas, distinguindo-se elas pelas legendas de ouro, bordadas na seda de seus estandartes.

Conhecemos as sociedades dos *Cucumbis* Lanceiros Carnavalescos, Êxito dos *Cucumbis* Carnavalescos, Iniciadores dos *Cucumbis* e os *Cucumbis* Carnavalescos.

Os Lanceiros e os Triunfos são os mais lustrosos pelo trajar, o pessoal e a música ensaiados com esmero, salientando-se a primeira pela formosura da Rainha, agilidade do *Mamêto* e a maneira alta e artística pela qual o Feiticeiro desempenha o seu papel: e a segunda, pelo crescido número de figuras, de crioulas formosas, e a pluralidade dos cantos e danças, disciplinados com pasmosa habilidade pelo inteligente contramestre baiano.

O baleto congo, neste ou naquele grêmio, tem a mesma ideia, diferindo unicamente pela maior variedade de figurantes, dançados, cantigas e instrumental.

As sociedades saem a passeio nas três tardes e executam em domicílios os seus baletos de um colorido estranho, mas resplandecente e agradável.

O baleto divide-se em três partes: a saudação, a matança e as recompensas. O epílogo é a retirada, entre cantigas nossas, do bando negro, à cadência do movimento típico de suas danças primitivas.

Logo que os *Cucumbis*, armados alguns de arco e flecha, transpõem a porta que se abre para recebê-los, a música e os dançarinos, ao som de seus instrumentos bárbaros, executam marchas guerreiras e hinos triunfais.

Depois o Rei, com o seu manto de belbutina e sua coroa dourada, adianta-se, a um momento dado, por entre as alas do cortejo, quebrando alternadamente os flancos, ondulando o tronco, com os antebraços em doce flexão, e canta:

REI

Sou rei do Congo,
Quero brincar,
Cheguei agora
De Portugal...

ao que, em alegres clamores, em tons fortes e acelerados prorrompe o coro:

CORO

É ... é... Sambangolá!
Cheguei agora de Portugal.

A cantoria, inseparável da dança, continua, distinguindo-se no meio da vozeria a calorosa saudação:

CORO

Com licença, auê...
Com licença, auê!...
Com licença do dono da casa.
Com licença, auê!

O capataz, isto é, o *Cucumbi* que os dirige, marca o ritmo do canto e dança, sendo ao mesmo tempo dançarino e cantor.

Então, uma espécie de pasmo apodera-se das figuras, em cuja fronte os cocares não agitam as plumas, e um grito de alerta, como de uma sentinela perdida nas solidões, é desferido por essa personagem bizarra.

CAPATAZ

Congaxá!...

E os tamborins, os *ganzás*, os pandeiros, os adufos, os chocalhos e os *agogôs* rodam no ar como uma selva, com um frêmito de tempestade, parando de súbito.

CAPATAZ

Oh! muquá!...

E os instrumentos, há pouco emudecidos e suspensos, recomeçam as suas harmonias, e com elas uma dança e uns cantos guerreiros, de efeito soberbo e característico.

CAPATAZ

Quenguerê, oia congo do má;
Gira Calunga
Manú quem vem lá

CORO

Gira Calunga,
Manú quem vem lá.

Essas cantigas duram cerca de vinte minutos, com danças iguais, de movimentos binário e ternário.

Enquanto os *Cucumbis* se entregam às suas festas, e o *Mamêto* executa danças que imitam o cobrejar das serpentes, o salto flexível do jaguar, o balancear dos brigues negreiros nas calmarias do mar, uma tribo inimiga o acomete nos regozijos do festim, e um caboclo, que faz parte do troço, fere de morte o referido *mamêto*, causando esse acontecimento grande alarma.

Os *Cucumbis*, diante do sangue que escorre da ferida, deixam pender a cabeça, e a *matanga* (velório africano) começa, enchendo o espaço de rumores lamentosos, enquanto que as danças funerárias exprimem a ação.

CAPATAZ

Mala quilombê, ó quilombá.
Ó Mamêto ué!
Mala quilombê, ó quilombá.

O coro repete o estribilho, e o Capataz o verso, com animação crescente, tocando afinal ao desespero.

Confiado o *Mamêto*, filho da rainha, à guarda do chefe dos congos, este sente o peso da alta responsabilidade e compreende-se perdido.

Nessa conjuntura, abandonando a sua sorte ao acaso, manda chamar o Língua, expõe-lhe o ocorrido e o expede a comunicar à rainha o infausto acontecimento.

Esta cena é deveras impressionista e desperta o mais vivo interesse. As músicas, os cantos e os bailados harmonizam-se depois, até que o Língua, embaixador dos negros, dirige-se à Rainha, inclina a fronte, conta-lhe o motivo de sua missão, submisso e pesaroso.

A Rainha, ao ouvi-lo, como que desvaira de dor, interroga-o, e, ao seu conselho, faz comparecer o Feiticeiro que, de joelhos, a escuta consternado.

Este interlocutor traz em volta do pescoço cobras e cadeias de ferro, pende-lhe a tiracolo uma bolsa de búzios fornecido de objeto de efeito mágico, tais como raízes, víboras, resinas, etc.

A Rainha ordena-lhe que faça reviver o seu *Mamêto*, garantindo-lhe ricos presentes e a mais formosa de suas vassalas, ou que lhe seria cortada a cabeça se os seus feitiços não conseguissem levantá-lo.

À vista da terminante resolução da soberana, o pobre fetichista parte, chega-se para o cadáver, e, de rojo, com as mãos postas, olhando inspirado para o céu, implora, cantando lúgubre:

FEITICEIRO

E... Mamaô! E... Mamaô!
Ganga rumbá, sinderê iacó.
E... Mamaô! E... Mamaô!

TODOS

Zumbi, matêquerê.
Congo, cucubi-ôia

FEITICEIRO

Zumbi, Zumbi, ôia Zumbi!
Ôia, Mamêto muchicongo.
Ôia, papêto.

CORO

Zumbi, Zumbi, ôia Zumbi!

Durante todas essas evocações, o feiticeiro rodeia o corpo da criança, ausculta-o, palpa-o, faz passes mágicos, emprega misteriosos sortilégios, fá-lo aspirar plantas e resinas estendendo-lhe aos lados pequenas cobras e talismãs de virtudes sobrenaturais.

Apercebendo o mágico e os *Cucumbis* que o morto pouco a pouco reanima-se, o rancho manifesta-se contente, e o Feiticeiro entoa, com a turba que tange seus instrumentos, o seguinte:

FEITICEIRO

Quimboto, quimboto
Quimboto, arara...

CORO

Savatá ó Língua, etc.

FEITICEIRO

Quem pode mais,

CORO

É o sol e a lua.

FEITICEIRO

Santo maior?

CORO

É S. Benedito.

Terminando o diálogo, em que as crioulas e os crioulos dançam e descantam com uma originalidade incrível, o Feiticeiro coloca-se aos pés do príncipe, toma-lhe das mãos, ergue-o vagarosamente, e canta, como que acordando lentamente do seu êxtase supersticioso:

FEITICEIRO

Tatarana ai auê...
Tatarana, tuca, tuca,
Tuca, aiuê...

Nisso que o *Mamêto* ressuscita e mais veloz, mais ágil, mais ardente executa prodigiosos dançados; o Feiticeiro fulmina com o olhar o Caboclo, que cai por terra. Devido a novos encantamentos, este torna a si, busca ainda matar o príncipe dos Congos e uma luta entre as duas tribos empenha-se renhida.

Os contrários são vencidos, seguindo à vitória a apresentação do *Mamêto* à Rainha, que o recebe nos braços, cumulando o Feiticeiro de dádivas opulentas.

O Rei oferece-lhe a filha em casamento, o que aquele não aceita, por ser casado.

FEITICEIRO (*dançando e cantando*).

A filha do rei
É o nosso amor...

CORO

O filho do rei
É o nosso protetor.

E a festa recomeça mais estridente, e os negros cantam:

TODOS

Em louvor da pureza
Da Virgem Maria,
Ela está no céu,
Na terra nos guia.

Marchas e contramarchas, danças e cantos, ao chocalhar dos pandeiros, às vibrações dos *ganzás*, do arrufar dos tamborins, anunciam a terminação do baleto.

CORO

Maria, rabula, auê...
Catunga auê...

CAPATAZ

Adeus, amor,
Adeus benzinho.

CORO

Na Bahia tem
    Tem, tem, tem;
Na Bahia tem
Ó baiana!
    Água de vintém...

FESTAS E TRADIÇÕES POPULARES DO BRASIL – pp. 155-166.

SANT'ANA NERI

1848-1901

Frederico José de Sant'Ana Neri, Barão de Sant'Ana Neri pelo Papa Leão XIII, nasceu na cidade de Belém, Estado do Pará, em 1848, e faleceu no Rio de Janeiro a 5 de junho de 1901. Doutor em Direito pela Universidade de Roma, Bacharel em Ciência pela Sorbonne, viveu quase sempre em Paris, onde fundou a Associação Literária Internacional, tendo Vitor Hugo como presidente. Pertenceu a várias associações culturais de renome na Inglaterra, França, Portugal, Itália e Brasil.

Deixou extensa bibliografia sobre finanças, economia, emigração, história, etc., em sua maioria no idioma francês. Em dezembro de 1885, no Instituto Rudy, onde tinha sido precedido por Frederico Passy e Frederico Mistral, realizou uma conferência sobre a poesia popular brasileira. A repercussão dessa conferência obrigou-o a reunir o material folclórico e publicar seu livro, prefaciado pelo príncipe Roland Bonaparte, o primeiro que divulgava na Europa o assunto brasileiro na espécie, apresentado em caráter sistemático.

Bibliografia:

FOLK-LORE BRÉSILIEN — Poésie populaire. Contes et Légendes. Fables et Mythes. Poésie, Musique, Danses et Croyances des Indiens. Accompagné de douze morceaux de musique. Préface du Prince Roland Bonaparte, Paris. Librairie Académique Didier. Perrin et Cie., Libraires-Éditeurs, 1889, pp. XII-272.

– SUPERSTIÇÕES BRASILEIRAS DE ORIGEM PORTUGUESA.

O Lobisomem (*Loup-garou*), do qual a cabeça se separa do corpo e que se chama KUMACANGA, é sempre a concubina de um padre ou a sétima filha deste amor sacrílego. O corpo fica em casa e a cabeça, sozinha, sai durante a noite de sexta-feira, voando pelos ares como um globo de fogo.

O Lobisomem cavalo, cabra, jaguar, porco, etc., é o sétimo filho, ou filha, de um casal qualquer. Se tendes sete filhos homens, um após outro, ou sete filhas, uma após outra, o último, ou última, será Lobisomem.

Pode-se acabar o encanto e impedir a metamorfose do infeliz de duas maneiras: ferindo-o sem que ele vos possa ferir ou morder, porque se ficardes ferido ou mordido, tomareis seu lugar; ou se apoderando dos vestidos dos quais ele se despoja antes de sua transformação e sacudindo-os no fogo.

Em certas vilas, na Bahia e algures, fazia-se, há pouco tempo ainda, uma procissão, durante a qual a Santa Virgem ia sendo levada, de porta em porta, para visitar os doentes. Os acompanhadores cantavam esta quadra, datando do tempo dos missionários portugueses:

> Aqui vem Nossa Senhora
> Toda coberta de flores;
> Ela vai de porta em porta
> Visitando os moradores.

Na província do Maranhão, nas margens do Parnaíba, num lugar conhecido como Passagem de Sant'Antônio, os viajantes veem, durante a noite, um carneiro gigantesco trazendo uma estrela na testa. Essa estrela parece apagar-se às vezes e noutras, resplandece, espalhando clarões. Os moradores da região explicam a miraculosa aparição pela seguinte maneira:

> Um monge missionário passava por aí, conduzindo o produto de suas coletas. Um bando de ladrões precipitou-se sobre ele, despojou-o e matou-o. De verdadeiros bandidos lendários que eram, arrependeram-se do crime, sepultando o monge com seu ouro.

O carneiro representa a vítima e o ouro é figurado pela estrela.

– A Muiraquitã, amuleto da Felicidade.

Próximo às nascenças do Jamundá a tradição coloca a morada das fabulosas Amazonas. Era lá que elas viviam, duas a duas, sem contato permanente e confessado com os homens.

Em certas épocas do ano as Amazonas celebravam a lembrança de suas vitórias sobre os homens. Preparavam-se para esta comemoração gloriosa por uma purificação simbólica. Chegado o dia da festa, elas desciam de sua colina e vinham em bandos às margens do lago encantador, o lago *Yaci uarua*, espelho da Lua. Aí, durante a noite, quando a Lua refletia a doce luz sobre o espelho prateado do lago, as Amazonas mergulhavam seus corpos morenos nas águas lustrais. Depois, purificadas por esse banho tradicional, elas invocavam a mãe da MUIRAQUITÃ, da pedra verde como a floresta vizinha, e esta, toda clemente, dignava-se aparecer na orgia noturna. A fada misteriosa entregava, a cada uma das penitentes purificadas, uma pedra a MUIRAQUITÃ, trazendo desenhos simbólicos e tendo a forma que a Amazona preferisse.

A Indígena levava seu talismã que, exposto à luz do sol, aos raios da Mãe do Dia, *uaraci*, endurecia e guardava sua forma definitiva que nada poderia mudar.

Esse talismã mágico, ela não o desejava para si mesma. Era o presente que ela reservava ao Indígena que receberia, cada ano, numa época determinada.

O Indígena usaria, suspenso ao pescoço, essa "pedra das Amazonas", ainda hoje encontrada entre eles. Ela o preservava dos malefícios, assegurando a felicidade nos seus projetos.

Notas – JAMUNDÁ, NHAMUNDÁ, afluente da margem esquerda do rio Amazonas. Em suas margens, a 24 de junho de 1542, Francisco de Orellana encontrou e disse ter combatido as Amazonas, que Frei Gaspar de Carvajal registou.

Os trechos transcritos estão às pp. 31-33, 174-176, do FOLK-LORE BRÉSILIEN.

CELSO DE MAGALHÃES

1849-1879

Celso Tertuliano da Silva Magalhães nasceu na fazenda Descanso, município de Penalva, Maranhão, a 11 de novembro de 1849 e faleceu em São Luís do Maranhão a 9 de junho de 1879. Bacharelou-se na Faculdade de Direito do Recife em 1873 usando o nome de Celso da Cunha Magalhães. Colaborou ativamente na imprensa maranhense e pernambucana. Na Faculdade foi um dos estudantes mais conhecidos e admirados, discutindo e escrevendo sobre teatro, política, crítica, polemicando. Tomou parte na vida literária e boêmia de então, cantando e sabendo música para compor solfas das modinhas e lundus. No jornal "O Trabalho", do Recife, publicou uma série de artigos sobre a Poesia Popular Brasileira, números 2 a 11 em 1873. Reunira romances tradicionais fazendo confronto com os exemplos portugueses, quadrinhas, danças, costumes. Prolongou esses estudos num jornal de São Luís do Maranhão, "O Domingo", de maio e agosto de 1873, números 16 e 17. É realmente o primeiro folclorista do Brasil no tempo. Foi o primeiro a examinar a poesia popular com método e conhecimento cultural. Sílvio Romero declara: *"Comecemos pelo primeiro: Celso Magalhães. Este moço, recentemente falecido na flor dos anos, é o promotor destes estudos* ("poesia popular no Brasil"). *Seu trabalho, o primeiro na data, é ainda hoje o melhor pelo critério. A Celso de Magalhães devemos esta justiça póstuma – foi um inspirado poeta e um romancista vivace, que tem rivais entre nós; como crítico, porém e nesses assuntos* ("Folclore") *ele está quase só"*; "A Poesia Popular no Brasil", Revista Brasileira, I, 435, Rio de Janeiro, 1879. Os trabalhos de Celso de Magalhães, um precursor na sistemática e seriedade dos estudos folclóricos, estão esparsos e presentemente perdidos para os estudiosos. Uma edição seria homenagem indispensável e lógica.

– Os divertimentos tradicionais no Maranhão e na Bahia.

As festas do Natal, Ano-Bom e de Reis ("Janeiras") são as mais populares em nossas províncias, e cremos que muito semelhantes às de Portugal. Pelo menos o sentido das cantigas que nelas se cantam é o mesmo que o das portuguesas. Nas províncias do Maranhão e da Bahia, onde nos parece ter encontrado mais o espírito popular nessas festas, elas são feitas de um modo que alegra o coração e faz bem à alma. Os bandos de pastores, uma lembrança talvez do teatro hierático, o canto dos Reis, os bailes e bandos de S. Gonçalo, outro arremedo dos antigos Autos, as festas de arraial, do Espírito Santo, tudo isso é de um sabor tão campestre, tão do povo, que encanta.

No Maranhão e na capital da Bahia a cantiga dos Reis já intrometeu-se pela sociedade abastada e é uma diversão da alta burguesia.

Não é raro verem-se, em véspera de Reis, bandos de moços e raparigas que se reúnem, com uma orquestra mais ou menos completa, na cintilação das joias e das ricas *toilettes*, no gorjeio das risadas cristalinas, no tiroteio dos bons ditos, no cruzar dos olhares, na familiaridade franca e honesta do parentesco, da amizade, da convivência, não é raro ver-se essa sociedade parar a uma porta fechada, erguer as vozes, casadas, entoar uma toada monótona em que se festejam o nascimento do Cristo e os amores maternos de Maria.

A porta abre-se então de par em par e os cantores entram, numa onda colorida e perfumosa, no meio de risos e felicitações. Uma mesa acha-se sempre profusamente servida. Os donos da casa buscam por todos os meios agradar às visitas e estas saem finalmente, para irem à outra casa, e assim correm três e quatro numa noite. Na última casa visitada acaba-se a festa com a dança.

Nessas festas tem-se substituído os versos populares por outros mais corretos, porém menos simples e bonitos. Gonçalves Dias tem uns versos de Reis, que hoje se estão popularizando no Maranhão. O autor destas linhas já pagou também o seu tributo, fazendo uns para serem cantados na Bahia.

Em Valença (Bahia) foi onde vimos fazerem-se com mais variedade e mais cunho populares as Janeiras.

O aspecto da industrial cidade apresentava então alguma cousa de maravilhoso e surpreendente.

Pelas ruas formigava a população. Um grupo vestido à maruja conduzia um pequeno navio armado de ponto em branco, com velas de seda e cordame de linha, montado sobre quatro rodas, embandeirado em arco e puxado por cordas. Cantavam versos da “Nau Catarineta”, fado do marujo e *lupas* (cantigas de levantar ferro). Outro grupo aparecia mascarado. Na frente um indivíduo montava um cavalo de pau vistosamente ajaezado de galões falsos, e fazia-o dançar ao som da música e do canto áspero acompanhado de pandeiros e pratos. Outro grupo pulava e saltava adiante de um boi, cujo arcabouço era de madeira, coberto com panos pintados. No meio de tudo isso os *fadistas*, os trovadores de rua, com os violões enfitalhados, a cantarem desentoada e lugubremente modinhas em tons menores. É o fundo do quadro. O variegado dos vestuários ajudava a beleza do panorama. Os jaqués encarnados, os calções de cores, as fitas, os laços, os ramos de flores, faziam um conjunto original. Foi onde já vimos o espírito popular mais puro e mais despreocupado.

A razão disso cremos encontrá-la na posição em que se acha Valença. Há ali duas grandes fábricas de tecidos, que empregam de 300 a 400 operários, entre homens e mulheres, sendo maior (mais de duas terças partes) o número destas. Além destas fábricas há outras de serrar madeira, de socar arroz e de fazer tijolos, de sorte que a população acha campo para o desenvolvimento de sua atividade, e vive na paz e no agasalho, que provém de uma educação feita no regime do trabalho. O espírito não se deturpa, não é levado pela ociosidade às consequências dos trabalhos da imaginação; a moral não se mutila; e nos dias de folga o operário expande-se francamente, divertindo-se, cantando, dançando. Foi onde já encontramos menos desenvolvida a prostituição. As casas públicas e as mulheres equívocas pouco se encontram ali.

As raparigas trabalham nos teares, a mudarem as lançadeiras, a encherem as canelas; têm casa, comida, médico, etc., mesmo no estabelecimento da fábrica; roupa de trabalho; e ganham mensalmente 6$000 a 15$000 (segundo nos informaram), conforme o trabalho que fazem. Aos domingos e dias santos há duas horas de dança nos salões da fábrica. A música é composta mesmo de operários. Principiam ali os amores, fazem-se ali os casamentos e formam-se as famílias. Vê-se que uma população educada num regime destes por força que há de ter alguma cousa de bom. Isto que dizemos prova-se mais com o fato, que observamos para o sul da Bahia, em Porto Seguro principalmente, onde a pobreza da população, a indolência, a falta de trabalho dão-lhe um tom melancólico e um gênio taciturno.

O Natal que vimos em Porto Seguro era mais de entristecer que de alegrar. Cifrou-se a festa na *missa do galo*. Nem um canto, nem uma folia, nem um grupo, nada. Apenas dois presepes acantoados tristemente no fundo de duas salas. Porto Seguro pela sua posição à beira-mar, pelo gênio aventureiro de seus pescadores, que vão ao mar largo em procura da garoupa, pelo gênero da indústria a que se dão os seus habitantes na construção de barcos, poderia ter alguma originalidade na sua poesia, nos seus costumes, mas não tem. Por quê? Algum dia talvez escrevamos alguma cousa (impressão de viagem) sobre a Bahia, e então entraremos em explorações que não cabem aqui. No Maranhão as festas são as mesmas, com pouca diferença, que se fazem na Bahia, com o mesmo cunho popular. A *chegança* substitui o brinquedo dos *marujos* e o *bumba meu boi*, o *cavalinho*. A *caipora* é outro divertimento popular do Maranhão, que fazem por S. João. A polícia tem ultimamente procurado acabar com estas festas.

Em Pernambuco temos notado apenas o seguinte, durante os cinco anos aqui passados: uma população ativa, mas sinceramente interesseira, comercial, ambiciosa, rusguenta, provocadora e cheia de si. O terceiro estado, onde se estuda e pode encontrar o elemento popular, é inteiramente chato e antipático. O *matuto* é estúpido, mas não é muito brigador. O *capadócio* é intolerável. Temos assistido a diversas festas de arraial, populares, a presepes, *sambas*, etc. Nunca nos aconteceu ser recebido franca e hospitaleiramente. Há sempre desconfianças, meias palavras e olhares provocadores. No fim contam-se algumas bofetadas, puxam-se por vezes as navalhas e perfuram-se não raras os ventres dos assistentes. As cantigas são obscenas. Eis uma delas, única talvez que possa ser publicada, e aliás lindíssima:

Duas cousas me contentam,
E são da minha paixão:
– Perna grossa cabeluda,
Peito em pé no cabeção.

A briga de galos é um dos divertimentos favoritos da população aos domingos. Isto é característico. Na briga de galos notam-se dois fatos: elemento carniceiro nas cenas sanguinolentas das brigas, e elemento interesseiro nas apostas que se fazem. Estas considerações são apenas traços ligeiros para fazer conhecido o gênero de divertimento da população dessas províncias.

Do "Poesia Popular Brasileira", publicado em "O Tempo", Recife, 31 de agosto de 1873, e transcrito por Sílvio Romero no seu estudo com o mesmo título na "Revista Brasileira", tomo II, 209-213, Rio de Janeiro, 1879.

CEZIMBRA JAQUES

1849-1922

João Cezimbra Jaques nasceu em Santa Maria, Rio Grande do Sul, a 13 de novembro de 1849 e faleceu no Rio de Janeiro em 1922. Oficial do Exército, reformou-se no posto de major. Foi o pioneiro organizador de associações defensoras do tradicionalismo gaúcho, com o "Centro Gaúcho", 1896, em Santa Maria e o "Grêmio Gaúcho", maio de 1898, em Porto Alegre, divulgando pelo uso citadino indumentária, danças, culinária do passado regional. Seus livros, notadamente "ENSAIO SOBRE OS COSTUMES DO RIO GRANDE DO SUL", Porto Alegre, 1883, e "ASSUNTOS DO RIO GRANDE DO SUL", Porto Alegre, 1912, constituem documentários excelentes da vida campeira nos limites meridionais do Brasil. É nome indispensável na primeira linha dos veteranos enamorados do folclore nacional.

– Vestimenta gaúcha.

Nos primeiros tempos, os colonos açorianos, como todos os colonos ibéricos, portugueses e espanhóis trajavam o calção e a jaqueta, espécie de casaco ligado ao corpo e que não excedia da cintura. Esse traje, o calção e a jaqueta, era feito de fazendas, desde o algodão mescla, o brim, até o pano mais fino, segundo as posses de cada um, e se achava generalizado até mesmo no exército, com a diferença dos vivos e dos botões de metal amarelo.

Porém, depois da fusão das raças, – açorianos, vicentistas ou paulistas, espanhóis e índios, em que firmou-se o sul-rio-grandense nato, com todos os seus caracteres, nos centros mais populosos, nas cidades, a roupa, mais tarde, ao entrar para o século XIX, não diferia profundamente da atual, como denotam retratos antigos, salvo algumas pequenas alterações no feitio, de gosto mais ou menos apurado, no botim de cano estreito, em vez de botina e na saia à balão das senhoras.

E o traje mais usado ou quase comumente usado entre os camponeses, tornou-se como no Prata, a ceroula de crivo e o xeripá, tendo por cima uma espécie de couro sovado ou curtido, chamado "tirador" ou então um outro couro da mesma espécie, porém mais estreito e com bolsos, denominados "guaiaca", sendo tanto um como o outro abotoados por moedas de ouro ou de prata, ou por grandes botões de metal, fingindo moedas.

O xeripá também variava desde o chale ou do poncho pala ordinário de que o faziam, até o gorgurão ou poncho pala ou chale finíssimo.

O "gaúcho" trazia o seu "pingo" encilhado com arreios desde o lombilho e a carona de couro cru, com aperos do mesmo couro "garroteado" até o lombilho e a carona de sola chapeados de prata lavrada e com aperos do mesmo couro adornados com argolas e bombas desse metal ou inteiriço da mesma substância.

O uso de lombilho primitivo foi substituído, em 1870 mais ou menos, pelo de uma outra espécie de lombilho denominado – serigote, palavra de origem alemã e corrutela da frase *Das ist serh gut*. E a propósito da dita palavra, corre a versão de que: um alemão lombilheiro tendo inventado esse novo lombilho, mostrou-o a um gaúcho dizendo-lhe aquela frase e que desde essa ocasião o gaúcho a corrompeu, dizendo serigote, nome que pegou a essa peça de arreamento, entre a população rural, generalizando-se mais tarde.

Como o gaúcho platino, o gaúcho sul-rio-grandense também usava a bota de couro de pernas de animal cavalar ou cavum, "garroteado" ou sovado, o botim, bota envernizada de couro da Rússia, a bota de variados tipos, enfim.

Nunca era esse rei das campinas, encontrado sem o poncho pala, o poncho de pano que lhe servia de coberta e muitas vezes de casa improvisada, o chapéu mole de abas largas, o lenço de chita ou de seda a tiracolo, as grandes esporas denominadas "chilenas", de ferro, de metal branco ou de prata.

Notando-se que toda a sua vestimenta e os seus petrechos eram desde os mais grosseiros aos mais finos, segundo as posses de cada indivíduo.

Porém cumpre observar que estes trajes eram mais generalizados na zona pastoril da então Província do Rio Grande do Sul. Os habitantes da Serra Geral, o povo agricultor, trajava mais calças que xeripá e se notava nele outras diferenças no vestuário e mesmo nos utensílios de que usava.

Quanto à *bombaixa*, assassina do *xeripá*, como a *gaita* é a da *viola*, e que forma hoje uma parte do traje do *gaúcho* incompleto, de nossos dias, não é um artigo de vestimenta característica do verdadeiro gaúcho, pois que ela não é originária da América do Sul e muito menos do "pampa". É antes uma vestimenta turca, que, da Turquia foi importada para a Espanha e desta para o Prata e dali para o Rio Grande do Sul.

ASSUMPTOS DO RIO GRANDE DO SUL – 30-32. Porto Alegre, 1912.

CARLOS TESCHAUER

1851-1930

Carlos Teschauer nasceu a 10 de abril de 1851 em Birstein, Hesse, Prússia, e faleceu em São Leopoldo, Rio Grande do Sul, a 16 de agosto de 1930. Sacerdote da Companhia de Jesus, veio em 1880 para o Rio Grande do Sul de onde não mais se ausentou: vigário, professor, estudioso de assuntos gaúchos. É uma das autoridades decisivas na História sul-rio-grandense, etnologia, indianologia, etc. Brasileiro pela grande naturalização da Constituição de 1891.

Bibliografia:
AVIFAUNA E FLORA NOS COSTUMES, SUPERSTIÇÕES E LENDAS BRASILEIRAS — Livraria do Globo, Porto Alegre, 1925.
PORANDUBA RIO-GRANDENSE — Livraria do Globo. Porto Alegre. N, 1929.

– O CICLO DAS LENDAS DO OURO NA BACIA DO URUGUAI.

Vários e numerosos são os depósitos de tesouros escondidos ou imaginários cuja existência é tenazmente inculcada pelo vulgo da América do Sul. Os mais célebres são as cavernas encantadas, conhecidas pelo nome de salamancas.

AS SALAMANCAS

Raro é cerro penhascoso e escarpado, diz Granada, desde a cordilheira dos Andes até os vales do Uruguai, Paraná e Paraguai, o qual não tenha sua *salamanca* ou caverna encantada, encerrando em suas entranhas consideráveis riquezas de ouro e prata. Originou-se este nome da cidade de Salamanca, onde existiu, segundo afirmam autores fidedignos, uma escola de magia que se atribui à influência dos Mouros na Península Ibérica. Estas cavernas encontradas levam o nome de salamanca em todo o Rio da Prata e no próprio Rio Grande do Sul. Cavernas profundas e impenetráveis, escavadas pelas águas e formadas por acidentes terrestres, infundem terror e espanto a quem ousa dar alguns passos no interior delas. O apagar-se a luz, que leva na mão o receoso explorador (que ignora o efeito do ácido carbônico depositado naturalmente na caverna), o surpreende e intimida. Acrescente-se a isto o intensíssimo frio que faz gelar as vozes e golpes que o curioso sente às costas ao retirar-se, como se o perseguissem para prendê-lo, matá-lo e atirá-lo num abismo. Ditoso porém, quem, sendo bastante ousado para internar-se na caverna, merecer aprender as muitas cousas que ali se ensinam, tanto em matéria de ciência, quanto nas artes e habilidades que rendem mais e mais desejável e fácil a vida!

Dali têm saído homens de fortuna, guerreiros sempre vencedores, políticos eminentes, músicos e poetas sublimes, químicos e mecânicos maravilhosos. Muitas das curas milagrosas, que se conhecem, ali foram aprendidas. Ali são satisfeitas até as pretensões mais triviais. A este proporcionam o segredo de ganhar no jogo de cartas ou em outros jogos, aquele o de tocar bem a guitarra, a outrem de não errar um tiro. Tudo está em ter coragem e meter-se dentro da salamanca; quem se atreve a tanto, decerto sai com algumas virtudes. Assim o já citado autor Granada.

Os nossos vizinhos do Rio da Prata referem as riquezas, as vitórias e as esplendorosas façanhas do famoso caudilho rio-grandense, Bento Manuel, que tanto se celebrizou na guerra dos Farrapos, às consultas que, se supõe, pediu em uma destas salamancas, provavelmente naquela, dizem, que se encontra no célebre cerro do Jarau no alto Quaraí, por onde passa a linha divisória entre a República do Brasil e a do Uruguai neste Estado do Rio Grande do Sul. A salamanca que, segundo dizem, dá nesse cerro, é uma das mais celebradas e rodeadas de atraentes lendas. A seguinte circula nas margens do Uruguai:

Um dia certo gaúcho, procurando um animal, que se perdera, foi supreendido por um temporal em que errou o caminho. Baldados todos os esforços de reencontrá-lo, finalmente largou ao cavalo as rédeas para que o levasse aonde o conduzisse seu instinto. Caminhando, caminhando foi para perto do cerro do Jarau, onde topou com um cristão da cidade de S. Tomé, o qual se deu por encantado. Este persuadiu ao gaúcho que o seguisse prometendo-lhe mundos e fundos e grandes tesouros, que escondia a salamanca, que lhe servia de albergue. O desencaminhado rio-grandense, revestindo-se de todo o valor que pôde, seguia passo a passo o desconhecido. Entraram em uma caverna que por labirínticas veredas conduziu-os a mansões resplandecentes, onde pedras preciosas e ouro derramados com profusão por toda a parte os não deixaram sair de admiração e de pasmo. O desconhecido, ao despedir-se do visitante, deu-lhe uma onça (moeda de valor superior a 30$000), dizendo que nunca lhe faltaria. Assim sucedeu com efeito: ainda que repetidas vezes gastara a onça, outras tantas tornou a encontrá-la na sua guaiaca. Porém um fato extraordinário alfim começou a suscitar-lhe sinistras apreensões, e um belo dia atirou fora a onça, preferindo viver pobre do fruto de seu trabalho.

A entrada no interior da salamanca está em geral vedada aos mortais. Para merecer este privilégio é necessário revestir-se de grande coragem e de não menor indiferença a quanto o rodear e for capaz de fazer impressão no aspirante que ainda deve dispor de uma impassibilidade estoica. Provas terríveis, cerimônias pomposas que lembram as Eleusínias ou aquelas que, dizem, a maçonaria usa na recepção de seus candidatos, esperam as pessoas que querem iniciar-se nos mistérios de uma salamanca. Depois de passar por um labirinto de cavidades e enredados corredores sem saber como nem quando, topa talvez com formidáveis tigres pelo meio dos quais deve passar prosseguindo seu caminho sem temor e sereno. Se for adiante, lá põem-no em manifesto perigo as reluzentes espadas de dois combatentes; porém passa por entre eles ileso. Afinal chega à espaçosa campina alcatifada de macia relva, sombreada de árvores frondosas, matizadas de flores e plantas odoríferas, que encantadoras ninfas cultivam; a azulada abóbada do céu e povoada com bandos de pássaros, que enlevam pela beleza de sua plumagem e pelas suavíssimas melodias do seu canto. O aspirante, porém, deve ser tão indiferente a estes sedutores atrativos, como insensível aos perigos e às ocorrências as mais repulsivas.

Se uma vez só fraqueou sua constância, perdidos são todos os sacrifícios; ou se no livro dos destinos estava de antemão escrito seu fado, ao sair da salamanca não sabe se será feliz ou desgraçado.

Depois de mencionar o fado vem a propósito uma advertência. O mesmo que afirma Granada a respeito do destino, palavra que anda na boca do argentino, tenho observado também na nossa campanha; a tradição arábica trazida pelos peninsulares ainda não tem abandonado a imaginação da gente sul-americana. Até aqueles que dizem que um fato sucedeu por intervenção da vontade divina ou não parecem excluí-la, têm u'a maneira de falar do destino inelutável e necessário que se ressente no fatalismo muçulmano.

Há diversos outros cerros ou cavernas misteriosas que têm origem individual e história própria.

CERROS BRAVOS

Muitas vezes, escreve o jesuíta P. Quevara na sua "História do Rio de La Plata", me quiseram persuadir os indígenas que não chegasse a tal cerro ou monte, porque era mui bravo e podia enfurecer-se, como se quisessem impedir que lhes tirassem os tesouros escondidos. Os chamados bramidos ou estrondos dos cerros não são mera preocupação do vulgo, é um fato e conhecem-se-lhes as causas simplesmente físicas; são a explosão dos gases ou vapores d'água nas cavidades das montanhas.

Outro suposto depósito de ouro era *A casa branca* sem portas nem janelas de *Mbororé* no alto Uruguai. A violenta expulsão dos Jesuítas decretada por Carlos III deu amplo pasto à ideia fixa dum provável achado de tesouros. Quem correu as Sete Missões terá topado com poços cavados por pesquisadores de tesouros que apesar de desenganados cem vezes nunca perderam a esperança de desencavar, senão um saco de moedas de ouro, ao menos uma salva ou castiçal de ouro maciço, que os tire da pobreza. Eu mesmo com perigo de vida fiz involuntário conhecimento com um tal poço assaz profundo. Também o historiador Lozano menciona a casa branca sem portas nem janelas.

As riquezas dos jesuítas que se supõem escondidas na casa branca de *Mbororé* nunca existiram. A mãe do ouro ou antes da fartura e bem-estar das Missões era a força produtora do trabalho, aplicado com método e esmero aos rebanhos de gado, ao benefício da erva-mate e à lavoura.

LAGOAS BRAVAS

Não há ou houve só cerros mas também lagoas bravas e que arquiva a geografia. Quando um ser humano se aproxima de uma destas lagoas, agitam-se irritadas as águas e ameaçam tragar os incautos. Do seu fundo exalam ais doridos ou soam aterradores alaridos. Uma das mais famosas é a lagoa do Iberá em Corrientes. Lá tem sua vivenda uma cobra de dimensões monstruosas que nos descreveram o alemão Schmidel, soldado da missão rio-platense de Mendonça e uns missionários. Conta-se naquela região que depois da expulsão dos jesuítas um padre ou um frade franciscano, armado de umas disciplinas, andava fazendo gestos como quem açoita ou espanta uma cousa e correndo os espaçosos campos das Missões. Desde então logo começaram a desaparecer, internando-se na lagoa do Iberá, para não serem mais reavidas nem vistas jamais, as inúmeras tropas de bois e cavalos, de mulas e ovelhas que povoavam as campinas missioneiras.

Outros supõem que as ilhas da lagoa estejam habitadas por cristãos procedentes das famílias das Missões. Quando o céu está limpo, enxergam com os olhos da imaginação as torres das igrejas e nas noites serenas ouvem soar os sinos e murmurar sagradas melodias executadas por coros invisíveis.

O encanto desta lagoa como de outras em geral anda ligado a episódios ou incidentes relativos à ocultação ou perda de tesouros. Supuseram que como na Espanha os Mouros, assim na América do Sul, os Incas e os Jesuítas escondessem imensas riquezas guardadas logo por estes fantásticos. Assim paulatinamente tem-se formado uma espécie de tradição do ouro, a qual, pisada e repisada pelos pais aos filhos, de descendência em descendência, produziu uma predisposição no vulgo para aceitar todas as fábulas relativas a escondidos tesouros e para rejeitar as mais patentes e inelutáveis provas em contrário. Cada pote, cada vasilha enterrada nos ditos lugares deve conter ouro ou prata sem chegarem os alucinados a desenganar-se; pois, quando uma botija ou jarro não for cheio do cobiçado metal precioso, saindo dele uma cobra ou encontrando-se nele cinzas, então foi o demônio que fez esta metamorfose.

OS GUARDAS DOS TESOUROS

As lagoas, os cerros encantados e todos os tesouros escondidos têm seus guardas que na imaginação popular aparecem sob formas diversas. Nas regiões andinas há especialmente sentinelas de fogo: *onde há fogo lá existe ouro*. Ora são animais, que guardam os tesouros, ora homens. Estes particularmente são chamados Salamanqueiros; vivem entre pedras ou em cavernas e lugares subterrâneos e costumam aparecer nos cumes dos cerros em figuras de negrinhos. Onde tal sucede, existe seguramente uma salamanca ou minas e tesouros de ouro. Os salamanqueiros podem se comparar com os anões do norte da Europa, que repartem seus tesouros com parcimônia e castigam os que são exagerados nos seus pedidos. Esta economia, porém, na distribuição das preciosidades ocultas, está em frisante contraste com a munificência dos salamanqueiros do Sul, que cedem tudo quanto lhes pedem. E como podia ser de outra maneira? Devem-se acomodar ao gênio generoso dos meridionais.

MBOITATÁ

Outro guarda mais popular é uma cobra de fogo, conhecida no Rio Grande pelo nome índio mboitatá que, apesar de muito pequeno, pertence à família dos *teynyaguá* das Missões e do carbúnculo e do farol que alumia as regiões andinas. Percorre ainda hoje em dia as campinas do Rio Grande do Sul e do Rio da Prata, mergulhando nas lagoas e escondendo--se entre as cochilhas. Segundo a crença vulgar converte-se em o *nhandutatá* ou avestruz-de-fogo nas regiões que banham o Uruguai. O avestruz-de-fogo sacudindo as asas no cume duma cochilha ou dum cerro acusa a existência de um tesouro escondido ou de mina rica de ouro.

OS ZAHORIS

Há outra classe desses tesoureiros, os chamados *zahoris*, que possuem a invejável faculdade, tão celebrada em nosso tempo, dos raios Röntgen, de penetrar com os olhos a mais densa obscuridade. Não há paredes nem muralhas assaz grossas que não passe sua vista penetrante. Seu principal ofício consiste em descobrir minas de ouro e tesouros escondidos. Dizem que dispõem deste raro privilégio as pessoas que nasceram numa sexta-feira santa. Quem souber conquistar o favor das tais não pode demorar em descobrir ao menos um destes imensos tesouros.

Nos lugares metalíferos das regiões andinas aparecia à imaginação dos índios um ser vivente que despedia da cabeça uma luz vivíssima que muitos presumiam era o cobiçado *carbúnculo*, segundo refere o historiador da Companhia de Jesus, o P. Techo. Acrescenta este autor que semelhante animal nunca puderam apanhar nem vivo nem morto, porque por suas irradiações desvia os olhos e mãos dos perseguidores(1). Esta aparição, que chamam também farol, tem continuado a apresentar-se aos olhos que nele reconhecem um indício certo das muitas riquezas, ora em minas de ouro, ora em tesouros escondidos por mão de homem. Sem dúvida é matéria algo estranha a de esconder um tesouro acendendo um farol. Já antes de Techo ocupou-se dele o arcediago Martinho del Basco Centenera, autor do poema histórico "La Argentina". Entre as cousas do novo mundo chamou-lhe a atenção o que ouvia dizer a respeito dum animalejo que trazia na cabeça uma pedra preciosa que cintilava como brasa e de cor de rubi e era conhecido pelo nome de carbúnculo. Conta-nos que, quando o ia segurar entre as mãos, escapou-se-lhe o maravilhoso sáurio. A luz que despedia ofuscava--lhe a vista e fazia desviar o perseguidor. Será por isso que os guaranis lhe deram o nome de *anhangpitang*, ou diabo vermelho, que não é outro que

---

(1) Hist. Prov. liv. V. ep. 22.

o *teynyagua* (lagartixa) que mora na salamanca do cerro do Jarau já descrito. Quando dali saiu a primeira vez, foi dado a olhos humanos contemplar maravilhados o peregrino esplendor, que o formoseia. Damos aqui a lenda que circunda este guarda de ouro.

O CARBÚNCULO

Destruídas as reduções de Guairá, expulsos pelos mamelucos, os jesuítas estabeleceram-se primeiro no centro do Rio Grande do Sul na bacia do Jacuí. Mas só por poucos anos. Mais tarde, outra vez perseguidos pelos mesmos, refugiaram-se para a margem direita do Uruguai; cinquenta anos mais tarde voltaram para o Rio Grande e fundaram as sete Missões; fundaram a redução de S. Tomé, de cujas ruínas se levantou depois a cidade do mesmo nome quase em frente de S. Borja.

Um certo dia observou o sacristão da igreja de S. Tomé que as águas de uma lagoa vizinha ferviam em ruidosa ebulição, como se fossem aquecidas por fogueira subterrânea. Atraído pelo fenômeno extraordinário foi ver a lagoa; antes de chegar-lhe à margem saiu, cessando o ferver das águas, e encaminhou-se a seu encontro uma espécie de lagartixa, cuja cabeça coberta de um invólucro esquisito parecia de fogo e espargia raios de uma luz peregrina e deslumbrante. O sacerdote de S. Tomé, mais feliz que Basco Centenera em caso idêntico, apoderou-se do admirável réptil e metendo-o numa guampa com água, levou-o para casa e o tratava com que seu gosto imaginava o melhor, regalando-o com fino mel de lechguana. Ocupado com as provisões que tinha ido buscar para seu hóspede, abria-se-lhe uma perspectiva de mar de rosas, pondo a seu alcance tudo quanto poderia desejar um simples mortal, suntuosos palácios em Buenos Aires, ricas estâncias no Uruguai e Rio Grande, excelentes ervas em Loreto, que fornece o melhor mate, e ainda minas de diamantes em Mato Grosso.

Abandonara-se a um solilóquio com entusiasmo de poeta. E não era para menos; pois muitas vezes teria ouvido dizer que o conquistador Melgarejo soía lamentar que lhe tinha escapado das mãos um carbúnculo, não menos que Basco Centenera e outros; que assim teriam conseguido meios para prestar grandes serviços a seu rei. O sacristão de S. Tomé não era homem, que alto levantasse o pensamento; para ele tornara-se este achado uma espécie de ídolo, que só satisfazia sua paixão na mera possessão de riquezas sem dar-lhes aplicação útil.

Já de volta de sua excursão ficou pasmado o sacristão ao entrar no seu quarto, quando se achou em frente de u'a mulher jovem e encantadora, que lhe segredava brandas palavras de afeto.

– Se desejas, disse-lhe ela, o ouro, a prata, os diamantes e os rubis, segue-me: tornarei a entrar na guampa, onde me colocaste e me levarás na tua mão, aonde te encaminhar; ali terás riquíssimos tesouros.

O sacristão, ainda que encantado do que ouvira, não correspondeu imediatamente à proposta da tentadora, seja que não tivesse suficiente coragem para fugir, seja que lhe faltassem ocasião propícia e os meios. Uma cousa está certo, não tardaram os padres da redução de S. Tomé em notar no sacristão relaxamento no exercício do seu cargo e no cumprimento dos seus deveres e começaram a observar-lhe os passos. O *teynyaguá*, que repetidas vezes se tinha transformado em impudica mulher, feiticeira, desapareceu. O sacristão que outras tantas vezes dera passo errado, foi preso e em seguida sentenciado. Porém quando queriam executar a sentença, um grande ruído e abalo, fazendo tremer os edifícios da povoação, consternou a todos os habitantes atemorizados com o fragor de gritos estranhos e formidáveis, que pareciam saídos da boca dum espírito infernal. Corria ao mesmo tempo o boato que se castigassem o sacristão, se afundaria o povo de S. Tomé. Enfim, crescendo o tumulto e a angústia dos tomistas foi preciso renunciar ao castigo e dar liberdade ao processado. Dizem que o trajeto por onde se abriu a terra dando passagem ao *teynyaguá*, que acudira tão estrepitosamente em auxílio do preso sacristão, é ainda visível na hodierna cidade de S. Tomé, de cujos arrabaldes até à margem do Uruguai corre uma sanga, que as chinas e os índios missioneiros apontam como testemunhas do sucedido.

O *teynyaguá* passando a nado o Uruguai, esteve uns dias em S. Borja e logo seguiu até o cerro do Jarau. Há cerca de duzentos anos que o *teynyaguá* encerrou no cerro de Jarau o sacristão de S. Tomé. Ainda hoje continua são e salvo, porém, arrependido, e triste habita os palácios maravilhosos da salamanca de Jarau. Rodeado das riquezas contempla-as impassível sem desfrutar as satisfações e regalos, que o mundo aos seus proporciona.

Concluímos esta parte, mencionando mais uma espécie de guarda de tesouros.

A alma do que morreu, sem dar notícia do dinheiro que tinha escondido, ou guardado em tal e tal lugar, anda penando. As luzes azuladas que se observam de noite nos tampos e em redor das povoações que volteiam e afinal se desvanecem não são senão almas penadas. Só quando um cristão descobrir o enterro (o tesouro escondido) é que hão de cessar de aparecer e de penar. Há quem ponha papel e lápis no sítio em que aparecem as luzes azuladas ou lá, onde uma alma manifesta sua presença com golpes, lamentos ou outros ruídos, a fim de indicar por escrito o lugar onde está escondido o tesouro. É crença do povo que nas casas assim alarmadas existem tesouros escondidos ou um enterro. O desassossego cede logo que for descoberto, satisfeito o desejo da alma penada.

Estudado assim o meio étnico chegamos à conclusão que no povo da campanha tem existido uma atmosfera de credulidade, que o dispõe a uma crença ferrenha na existência de tesouros, a qual capitulamos de lenda do ouro.

PORANDUBA RIO-GRANDENSE, pp. 437-449. Livraria do Globo. Porto Alegre, 1929.

SÍLVIO ROMERO

1851-1914

Sílvio Romero (Sílvio Vasconcelos da Silveira Ramos), nasceu na cidade do Lagarto, Estado de Sergipe, a 21 de abril de 1851, e faleceu no Rio de Janeiro a 18 de julho de 1914. Bacharel em Direito, 1873 no Recife, juiz municipal, professor de Filosofia no Colégio Pedro II, na Faculdade Livre de Ciências Jurídicas e Sociais do Rio de Janeiro, deputado federal, membro de institutos, sociedades e associações culturais no Brasil e estrangeiro, deixou extensa bibliografia, versando assuntos de sociologia, economia, etnografia, folclore, finanças, direito, filosofia, crítica e história literária, com invulgar sabedoria, originalidade e brilho. Foi o maior divulgador e agitador de ideias culturais no seu tempo, discutindo-as em polêmicas, em artigos vivos, numa intensidade que durou toda sua existência. O Folclore lhe deve as primeiras coleções de cantos e contos, as explicações iniciais das escolas que surgiam, cabendo-lhe a glória de haver enfrentado a indiferença e a ignorância, defendendo-o com a veemência entusiasta que lhe era uma constante psicológica.

Bibliografia:

CANTOS POPULARES DO BRASIL — Acompanhados de introdução e notas comparativas por Teófilo Braga. 2 volumes, pp. 286-239 in-12º. Lisboa. 1883. A segunda edição, Rio de Janeiro. 1897, XX-378-V pp. in-12º, é superior.

CONTOS POPULARES DO BRASIL — Com um estudo preliminar e notas comparativas por Teófilo Braga, pp. 235 in-12º, Lisboa, 1885. A segunda edição foi aumentada consideravelmente, pp. XVIII-199-III in-12º, contendo 88 contos tradicionais. Rio de Janeiro, 1897.

UMA ESPERTEZA — Os Cantos e Contos Populares do Brasil e o Sr. Teófilo Braga. Protesto por Sílvio Romero, p. 166, Rio de Janeiro, 1887. Preliminares da questão. As alterações do Sr. Braga. Os disparates nas ideias gerais sobre a civilização brasileira. Os absurdos nas tradições de origem europeia. Os absurdos nas tradições de origem africana. Os despropósitos nas tradições de origem americana. Vista geral sobre a obra do Sr. Braga. Apêndice. Errata. Anos depois Teófilo Braga respondeu às críticas, numa longa carta a Fran Pacheco, em São Luís do Maranhão por este incluída no seu livro "O Sr. Sílvio Romero e a Literatura Portuguesa", Maranhão, 1900. Sílvio treplicou no

"Passe recibo", publicado em Belo Horizonte, 1904, com um prefácio de Augusto Franco.
FOLCLORE BRASILEIRO, prefácio e notas por Luís da Câmara Cascudo, três tomos, ed. José Olympio. Rio de Janeiro. Edição conjunta do "Cantos" e "Contos", 1954.
ESTUDOS SOBRE A POESIA POPULAR NO BRASIL — 1879-80. Rio de Janeiro, p. 365 in-12º, 1888.
ETNOGRAFIA BRASILEIRA — Estudos críticos sobre Couto de Magalhães, Barbosa Rodrigues, Teófilo Braga e Ladislau Neto, p. 159, Rio de Janeiro, 1888.

– Vista sintética sobre o folclore brasileiro.

Um olhar lançado sobre nossa história, não sobre a história escrita por A ou B, por Varnhagen ou Pereira da Silva, velhos declamadores retóricos, mas a história não escrita, a tradição flutuante e indecisa de nossas origens e ulterior desenvolvimento, um olhar aí lançado irá descobrir, não sem alguma dificuldade, os primeiros lineamentos de nossas lendas e canções populares. Não existem documentos escritos de tais fatos; os documentos são as lendas e canções mesmas, que são agora pela primeira vez fixadas pela escrita. Quais foram os primeiros romances e cantos portugueses transplantados que passaram às nossas plagas?

Por outro lado, quais os primeiros cantos indígenas e africanos assimilados por nossas populações mestiças: quais os primeiros de origem puramente nacional? Impossível é aqui responder com uma data como fazem os historiadores relativamente à morte ou ao nascimento dos reis.

As tradições populares não se demarcam pelo calendário das folhinhas; a história não sabe do seu dia natalício, sabe apenas das épocas de seu desenvolvimento. O que se pode assegurar é que, no primeiro século da colonização, portugueses, índios e negros acharam-se em frente uns dos outros, e diante de uma natureza esplêndida, em luta, tendo por armas o obuz, a flecha e a enxada, e por lenitivo as saudades da terra natal. O português lutava, vencia e escravizava; o índio defendia-se, era vencido, fugia ou ficava cativo, o africano trabalhava, trabalhava... Todos deviam cantar, porque todos tinham saudades; o português de seus lares, d'além mar, o índio de suas selvas, que ia perdendo, e o negro de suas palhoças, que nunca mais havia de ver[1].

---

(1) Não esquecer que esta introdução foi publicada em 1879 na *Revista Brasileira* e plagiada mais tarde pelo Sr. Sant'Ana Neri, um singular barão que reside em Paris em seu livro *Le Folk-lore Brésilien*.

Cada um devia cantar as canções de seu país.

De todas elas amalgamadas e fundidas em um só molde – a língua portuguesa, a língua do vencedor, é que se formaram nos séculos seguintes os nossos cantos populares.

O europeu foi o concorrente mais robusto por sua cultura e o que deixou mais tradições. No século XVI pois, por uma lei de evolução que dá em resultado antecederem as formas simples às mais compostas, as canções e contos populares das três raças ainda corriam desagregados diferenciados. Nos séculos seguintes, sobretudo no XVII e XVIII, é que se foram cruzando e aglutinando para integrar-se à parte, produzindo o corpo de tradições do povo brasileiro. Nós ainda hoje assistimos a este processo de integração.

No século XVII o fato já se ia dando e pode ser avaliado pelo estudo de Gregório de Matos. A crítica míope de nossos retóricos, seja dito de passagem, fez deste poeta um renegado corrupto, sem préstimo algum.

Entretanto, Gregório é o documento por onde podemos apreciar as primeiras modificações que a língua portuguesa sofreu na América. A obra de transformações das raças entre nós ainda está mui longe de ser completa e de ter dado todos os seus resultados. Ainda existem os três povos distintos em face uns dos outros; ainda existem brancos, índios e negros puros. Só nos séculos que se nos hão de seguir a assimilação se completará.

O que se diz das raças deve-se repetir das crenças e tradições. A extinção do tráfico africano cortando-nos um grande manancial de misérias, limitou a concorrência preta; a extinção gradual do caboclo vai também concentrando a fonte índia; o branco deve ficar no futuro com a predominância no número, como já a tem nas ideias[(2)].

Lançando uma vista perscrutadora sobre a população brasileira para estudar a sua atualidade, abstração feita de suas origens e à luz de ideias científicas, sem prestar ouvidos às nossas pretensões de grandezas podemos dividi-la em quatro secções naturais; os habitantes das praias e margens dos rios, os habitantes das matas, os dos sertões, os das cidades.

Os três primeiros grupos são indicados pelas zonas em que se divide o país. As cidades e vilas, com quanto existam igualmente nas três regiões, os seus habitantes têm caráter especial e formam uma categoria à parte.

Aqueles três grupos, que estudaremos mais de perto, constitui um mesclado em escala enorme apresentando mais diversidades de tipos do que as variedades de gatos que habitam nossos telhados, para repetir a frase de Quatrefages.

---

(2) Vide Literatura e Crítica Moderna, epílogo.

De não mui grande vivacidade intelectual, tanto que suas indústrias são em estado rudimentar, é povo sem claro objetivo político, sem consciência social e histórica, falho de ciências e de elevados incentivos e, ao mesmo tempo, sem mitos e sem heróis. Se não é um povo culto, nem por isso permanece ainda *claramente e de todo* no período politeico e mitológico das crenças. Está ele exteriormente no período teológico, de fase de monoteísmo; mais ainda como pronunciados resíduos da fase do fetichismo e do politeísmo. Nem é isto um fenômeno estranho. As populações rurais da própria Europa são monoteicas na superfície, ocultando porém profundos sedimentos do fetichismo e do politeísmo.

Os nossos homens das praias e margens dos grandes rios são dados à pesca; raro é o indivíduo entre eles que não tem sua pequena canoa.

Vivem de ordinário em palhoças, ora isolados, ora formando verdadeiros aldeamentos. São chegados a rixas, amigos da *pinga*, e amantes da viola. Levam às vezes, semanas inteiras dançando e cantando em *chibas* ou *sambas*. Assim chamam-se umas funções populares em que, ao som da viola, do pandeiro e de improvisos, ama-se, dança-se e bebe-se. Quase todo o praieiro possui o instrumento predileto e canta ao desafio. Se os lavradores vizinhos mandam convidar esta gente para trabalhar nas roças, ela não aparece muito facilmente. Se a convida para um *chiba*, aparecem cinquenta de pancada.

Tivemos ocasião de verificar o caso em uma *fazenda* da costa. Havia um hóspede em casa que desejava ver um *chiba* para estudá-lo; apresentou seu desejo ao dono da fazenda e este mandou chamar comparsas para a função. Já era por tarde quando se deram as providências; antes, porém, de vir a noite mais de cinquenta cavalheiros e damas estavam dançando no salão! Lembramo-nos de um velho que, não podendo mais dançar e tocar, dizia melancolicamente: *eu fui aquele que pissuiu sete violas*.

Isto é característico. Os habitantes das matas são dados à lavoura e chamados *matutos* em Pernambuco, *tabaréus* em Sergipe e Bahia, caipiras em São Paulo e Minas, e *mandiocas* em algumas partes do Rio de Janeiro. Também são em geral madraços e elevam todo o seu ideal a possuir um cavalo, um *pequira*, como chamam. Vivem de ordinário nas terras dos grandes proprietários, que são verdadeiros senhores feudais, a título de agregados.

Os homens dos sertões são criadores. O sertanejo, que não é grande proprietário é, por via de regra, vaqueiro. Este tipo brutal, vestido de couro dos pés à cabeça, monteador feroz; sempre cavaleiro exímio.

Os habitantes das três zonas, aqui descritos rapidamente, são supersticiosos. Suas superstições dividimo-las em duas classes; as que têm tomado um caráter mais ou menos acentuado e histórico por vezes, as ordinárias e comuns. As primeiras hão sido certos fenômenos com caráter pseudorreligioso. Entre elas, destaca-se o movimento há já alguns anos produzido por um tal Maurer, no Rio Grande do Sul, e de que os jornais deram conta. Um impostor arvorou-se em profeta e arrebanhou após si grande número de ingênuos e velhacos. Mais temeroso foi o fenômeno da *Pedra Bonita* ou *Reino Encantado* em Pernambuco, em 1836[(3)]. Houve aí cenas horríveis de fanatismo e larga carnificina. Mais recentemente tivemos o ensejo de estudar dois acontecimentos análogos, ainda mais inocentes. Um passou-se no lugar denominado Carnaíbas, próximo à Vila do Riachão, antiga província de Sergipe. Dois pretos velhos alienados fizeram morada em uma casinhola onde havia uma Santa Cruz. As pessoas que têm viajado pelo interior conhecem estas espécies de *nichos* esparsos aqui e acolá pelo país e asilando sempre uma cruz. Algumas destas passam por milagrosas e estão ornadas de relíquias e milagres. Pois bem, os dois negros em um teatro destes entraram a fazer sermões e para logo viram grupar-se em torno de si enorme multidão. Estabeleceram o comunismo das mulheres e fizeram prédicas infamantes. Foi mister a intervenção armada da polícia para desmanchar-se o ajuntamento. O último fenômeno da espécie que temos de apresentar teve um teatro ainda mais vasto. Um indivíduo criminoso do Ceará saiu a fazer penitência a seu modo e inaugurou prédicas públicas... No seu percurso veio ter aos sertões da Bahia e fundou uma igreja em Rainha dos Anjos. Chamava-se Antônio e o povo denominava-o *Conselheiro*. Passou por Sergipe, onde fez adeptos.

Pedia esmolas e só aceitava o que supunha necessário para a sua subsistência, no que divergia de nossos mendigos vulgares. Não tinha doutrina sua e andava munido de um exemplar das Horas Marianas, donde tirava a ciência! Era um missionário a seu jeito. Com tão poucos recursos fanatizou as populações que visitou, que o tinham por *Sant'-Antônio Aparecido*! Pregava contra os *pentes de chifre de xales de lã*, e as mulheres queimavam estes objetos para satisfazer. A musa popular vibrou a seu respeito e exalou-se em quadras como estas:

---

(3) Memória sobre a Pedra Bonita ou Reino Encantado na Comarca de Vila Bela, por Antônio A. de Sousa Leite, Rio de Janeiro, 1875.

"Do céu veio uma luz.
Que Jesus Cristo mandou;
Sant'Antônio Aparecido
Dos castigos nos livrou.

Quem ouvir e não aprender.
Quem souber e não ensinar.
No dia de Juízo
A sua alma penará!" (4)

As chamadas – Santas Missões são fenômenos quase análogos. Além destas superstições, em grosso, por assim dizer, existem as ordinárias e vulgares, que são de todos os dias. Escreveríamos um volume inteiro, se fôssemos a descrever as da espécie que temos presenciado. Limitar-nos-emos a poucas. A propósito de moléstias revelam-se algumas muito interessantes. Quase todas as doenças para o povo vêm a ser: a *espinhela caída*, o *flato* e o *feitiço*.

Curam todas com benzeduras, ou promessas a santos.

A espinhela caída é um incômodo do estômago ou da parte posterior do esterno, que o povo conhece e descreve. O modo de a curar é sujeitar-se o paciente a que um curandeiro o benza com as seguintes palavras que pudemos obter não sem dificuldade:

"Espinhela caída,
Portas para o mar;
Arcas, espinhelas.
Em teu lugar!...

Assim como Cristo
Senhor Nosso, andou
Pelo mundo, arcas,
Espinhelas levantou."

Fazem-se cruzes nos pulsos, estômago e costelas.

Os *flatos* são fenômenos nervosos também curados com rezas. O *feitiço* é cousa que dizem ser feita por alguém.

Para fazer sair uma espinha da garganta, a reza é esta:

---

(4) Supúnhamos já falecido esse tétrico fanático, quando agora aparece ele nos sertões da Bahia, à frente de um verdadeiro espírito de crentes a fazer depredações de todo gênero.

"Homem bom,
Mulher má,
Casa varrida,
Esteira rota;
Senhor São Braz
Disse a seu moço
Que subisse
Ou que descesse
A espinha do pescoço."

Para o *soluço* deve o paciente munir-se de um copo d'água e perguntar:

Doente: "Que bebo?"

Curandeiro: "Água de Cristo.
Que é bom pra isto".

Três vezes se repete a pergunta e outras tantas a resposta.

Para o cobrelo (cobreiro chama-lhe o povo) estabelece-se entre o doente e o benzedor o seguinte diálogo:

"Pedro, que tendes?
– Senhor, cobreiro.
Pedro, curai.
Senhor, com quê?
Águas das fontes,
Ervas dos montes."

Quanto ao *mal* do baço proveniente de sezões, o povo costuma *cortar a dureza*. O método consiste em colocar o doente um pé sobre uma folha de bananeira ou sobre o capim *pé-de-galinha* e o curandeiro ir com uma faca marcando a configuração do pé, e perguntando: "O que certo?" Ao que responde o doente: "Baço, dureza, obstrução". Isto três vezes, findo o que o capim, ou o pedaço da folha de bananeira recortada na forma do pé é cozido em um breve, que é posto ao pescoço do enfermo. Quando a folha secar, desaparecerá a dureza. Também acreditam no mau-olhado e quebranto. Certas moléstias da cabeça dizem ser o sol, a lua ou as estrelas que entram na cabeça do padecente.

O modo de medicar é: colocar uma toalha dobrada sobre o crânio do indivíduo afetado e sobre a toalha um copo de água emborcado. A reza que acompanha esta operação, que para nós é uma reminiscência da *trepanação pré-histórica*, segundo a descreve Broca, é a seguinte: "Jesus Cristo nasceu, Jesus Cristo morreu, Jesus Cristo ressuscitou. Se estas três palavras são verdadeiras vos farão sarar desta enfermidade". Segue-se o *credo*. Repetem-se três vezes a oração e o credo. Depois se oferece. O oferecimento é este: "Ofereço este benzimento à sagrada paixão e morte de Nosso Senhor Jesus Cristo". Depois repete-se o Bendito e o Em Nome do Padre, do Filho e do Espírito Santo, três vezes.

Para o veneno da cobra existe o *fechamento do corpo*, que é uma oração que se traz ao pescoço. Também serve para preservar de *faca de ponta e de tiro de bala*.

Quando cai um *argueiro* no olho de alguém reza-se:

> "Corre, corre, cavaleiro.
> Vai na porta de São Pedro
> Dizer a Santa Luzia
> Que me mande seu lencinho
> Para tirar este argueiro".

Também existem superstições sobre certos animais. A *coruja* é de mau agouro. A *esperança* e a *lavadeira* de bom. Acreditam no *lobisomem*, na *mula sem cabeça* e na *mãe-d'água*, animais encantados.

O excremento da vaca é empregado para lavar a roupa e o corpo.

Lembramos este fato por encontrar nele uma reminiscência do culto que se dava à vaca e seu excremento na Pérsia e na Índia(5).

O do cachorro, chamado *jasmim do campo*, emprega-se na cura da varíola. É um outro sintoma do atraso popular.

Quando sobrevêm as terríveis *secas*, em alguns pontos procuram conjurá-las, fazendo *procissões* e mudando um *santo* de um lugar para outro.

Também para experimentar se o ano será seco ou chuvoso, costuma-se tirar a prova de *Santa Luzia*, que consiste em colocar-se um bocado de sal em uma vasilha, na véspera do dia da santa, em lugar enxuto e coberto.

Se o sal amanhecer molhado, choverá, ao contrário não.

Conta-se que no Ceará fizeram esta experiência diante do naturalista George Gardner, mas o sábio, fazendo observações meteorológicas, e chegando a um resultado diferente do atestado pela santa, exclamou em seu português atravessado: "Non, non, Luzi mentiu".

Quando alguém perde um objeto, costuma invocar *São Campeiro*, personagem, que não consta do Calendário.

A São Campeiro acendem-se velas pelos matos e campos.

Para São Longuinho, quando se encontra o objeto perdido, grita-se: "Achei, São Longuinho!". Isto três vezes.

---

(5) Ângelo de Gubernatis — Mythologie Zoologique, *passim*.

Algumas mulheres quando entram na água, para tomar um banho, dizem:

"Nossa Senhora
Lavou seu filho
Pra cheirar:
Eu me lavo
Pra sarar".

Acreditam muito *em almas do outro mundo*, e quando estão comendo, se lhes acontece cair um bocado no chão, dizem: "qual dos meus estará com fome?

Vemos aí uma reminiscência do culto dos maiores, descrito por H. Spenser[6].

Ao deitarem-se alguns dizem:

"S. Pedro disse missa
Jesus Cristo benzeu o altar.
Assim benzo minha cama
Onde venho me deitar".

No ato de dar uma mulher à luz, quando faltam ainda as secundinas ou *companheiras*, como chamam, a parteira, ou assistente, faz repetir pela parturiente:

"Minha Santa Margarida,
Não estou prenha, nem parida".

No Ceará ainda se usa, em alguns pontos do centro, uma espécie de velório por parte de crianças, *anjinhos*, como chamam. Consiste em dar tiros de pistolas e rouqueiras, e cantar rezas e poesias na ocasião do levar para o cemitério o *anjinho*.

Existe também em algumas províncias a devoção intitulada a *lamentação das almas*. Em certa noite do ano saem os penitentes, de matracas em punho, a cantar em tom lúgubre composições adequadas. Vão parando de porta em porta sobretudo nas casas de certas velhas a que querem aterrar.

Nota-se também o costume de *vender ou amarrar as sezões*, que consistem em benzê-las e depois ir o doente a um pé de laranjeira, onde nunca mais deve tornar, dizer:

"Deus te salve, laranjeira,
Que te venho visitar;
Venho te pedir uma folha
Para nunca mais voltar".

---

(6) Princípios de Sociologia, *passim*.

O elemento feminino é que predomina em tudo isto.

Deixemos este lado curioso, mas sóbrio de nosso povo, que é comum aliás às nações até as mais cultas, e vejamo-lo expandir-se em suas festas.

É ainda às populações rurais que devemos ir pedir as nossas informações.

Pelo que toca às cidades e grandes vilas, suas populações se dividem em duas classes bem acentuadas. A parte mais ou menos culta, que figura no comércio, nas artes, na política e nas letras, e a parte inculta, a imensa coorte de *capadócios* ou *cafajestes*. É gente madraça, que, possuindo todos os defeitos dos habitantes do campo, não lhes comparte as virtudes.

As festas populares neste país são de duas espécies: as de igreja popularizadas e as exclusivamente populares. Entre as primeiras destacam-se: a de Nazaré no Pará, das Neves na Paraíba do Norte, do Monte e Saúde em Pernambuco, do Bonfim na Bahia, da Penha no Rio de Janeiro. São festas de órgãos, em que o povo toma parte com folganças especiais.

À segunda espécie pertencem as festas gerais do Natal, Ano-Bom, Reis, S. João, S. Pedro, Espírito Santo, com seu cortejo de *chibas*, *sambas*, *reizados*, *cheganças*, etc.

Nestas últimas é que melhor se aprecia em ação a poesia popular.

As festas de *Natal*, *Ano-Bom*, *Reis*, chamadas *janeiras* em Portugal, são as mais alegres e travessas para o nosso povo; são quinze dias de folgares constantes e variados.

No Lagarto, cidade da província de Sergipe, foi que melhor as estudamos. Os brinquedos mais comuns são: o *Bumba meu boi*, os *Marujos*, os *Mouros*, o *Cego*, etc.

O *Bumba meu boi* vem a ser um magote de indivíduos acompanhados de grande multidão, que vão dançar nas casas, trazendo consigo a *figura de um boi*, por baixo da qual oculta-se um rapaz dançador.

Pedem, com cânticos, licença aos donos da casa para dançar. Obtida a licença, apresenta-se o boi e rompe o coro:

"Olha o boi,
Olha o boi que te dá
Ora entra pra dentro,
Meu boi marruá.

Olha o boi.
Olha o boi que te dá.
Ora dá no vaqueiro,
Meu boi marruá... etc."

O vaqueiro representa sempre a figura de um *negro* ou *caboclo*, vestido burlescamente, e que é o alvo das *chufas* e pilhérias populares. A intenção transparente de debicarem mutuamente assim as duas raças inferiores, preta e vermelha, é um fenômeno curioso.

A folgança dos *Marujos* representa-se com batalhão de rapazes vestidos à maruja, que conduzem um naviozinho. Cantam versos variados e fazem evoluções múltiplas. Depois de fingir uma luta, vão coser o pano, no fim do que há o episódio do gajeiro, cantando-se os versos da *Nau Catarineta* de origem portuguesa.

Ainda hoje quem tem o sentimento da poesia popular e compreende o espírito do povo português, como um povo de navegantes, não pode ouvir aquela canção do gajeiro com sua melopeia sentida, sem experimentar alguma cousa de saudoso e de profundo. É a velha alma lusitana transplantada para este país, que nos agita as fibras do coração. Os *versos* e a *música*, que sabemos de cor nunca os ouvimos sem agradável comoção.

No mesmo espírito é também a folgança dos *Mouros*, onde há uma luta entre *cristãos* e *turcos* reminiscência histórica das lutas contra os *mouros* na península hispânica.

O começo é:

"Olhem que grande peleja
Temos nós que pelejar,
Se for o rei da Turquia
Se não quiser se entregar... etc."

O brinquedo ou auto popular do *cego* é menos característico.

É todo de implantação portuguesa. É a história de um conde que se finge cego para raptar uma moçoila.

Esta vai ensinar-lhe o caminho e encontra-se com os companheiros do conde; é raptada e diz com melancolia:

"Valha-me Deus
E Santa Maria
Que eu nunca vi cego
De cavalaria... etc."

Tem um certo frescor juvenil e a música é expressiva.

Em Pernambuco o auto popular do *Cavalo-Marinho* é o mais apreciado. Damo-lo por inteiro no lugar competente. Nele se pode bem estudar a fusão já adiantada em certo ponto dos costumes das três raças que constituem o grosso de nossa população. Também dali transpira certa dureza de costumes, própria dos pernambucanos rústicos, que, com o gosto pela liberdade, é uma das heranças que lhes ficaram de seu contato e lutas com os holandeses.

No Lagarto, em Sergipe, no dia de Reis celebra-se a festa de S. Benedito e apreciam-se então ali dois folguedos especiais, o dos *Congos*, que é próprio dos negros, o das *Taieras*, feito pelas mulatas.

Os *Congos* são uns pretos, vestidos de reis e de príncipes, armados de espada, e que fazem uma espécie de guarda de honra a três rainhas pretas.

As rainhas vão no centro, acompanhando a procissão de S. Benedito e de Nossa Senhora do Rosário, e são protegidas por sua guarda de honra contra dois ou três do grupo, que forcejam por lhes tirar as coroas. Tem um prêmio aquele que consegue tirar uma coroa, o que é vergonha para a rainha: Os guardas cantam:

"Fogo de terra
Fogo de mar,
Que a nossa *rainha*
Nos há de ajudar, etc."

As *Taieras* são mulatas, vestidas de branco e enfeitadas de fitas, que vão na procissão dançando e cantando com expressão especial e cor toda original. Os versos, onde se conhece a ação burlesca da raça negra, dizem:

"Meu S. Benedito
Não tem mais coroa:
Tem uma toalha
Vinda de Lisboa...
Inderê, rê, rê, rê...
Ai! Jesus de Nazaré, etc."

A música é puramente brasileira. Em Pernambuco, pelo *Natal*, costumam armar as chamadas *Lapinhas*. São nichos representando o presepe onde nasceu Jesus.

Há então aí a função das *pastorinhas*, que são mulatas, ou negras, na primeira flor da idade, enfeitadas de capelas e que dançam e cantam, acompanhadas de um negralhão vestido burlescamente, a tocar pandeiro. O começo das trovas diz:

"Vinde, pastorinhas,
Vinde a Belém.
A ver se é nascido
Jesus nosso bem, etc."

Noutras províncias temos presenciado presepes, mas sem a *função* das pastorinhas. Para melhor concatenação de ideias, e pela necessidade de só afirmar aquilo que temos visto e estudado de perto, é que vamos referindo as descrições das festas populares às localidades, onde as apreciamos. Temos porém as mais completas provas, no testemunho de pessoas insuspeitas, de que por todas as províncias do Brasil as janeiras foram muito populares e concorridas.

Em Parati, na província do Rio de Janeiro, a festa mais célebre é a do Espírito Santo. Nesta manifesta-se a instituição popular do *Imperador da festa*. Assim é chamado o *festeiro*, aquele que faz as despesas da folgança.

No dia da festividade este indivíduo é conduzido de sua casa para a igreja entre duas varas enfeitadas que são levadas por algumas pessoas gradas.

Há um costume análogo em São Paulo e Mato Grosso(7).

Cumpre ponderar que nota-se uma apreciável decadência em todas as folganças e festividades populares. A tradição as dá muito mais frequentes e animadas há trinta ou quarenta anos passados.

Não deixam de ter contribuído para isto, além de outras causas, a moderna intolerância dos vigários e o zelo antiestético dos delegados de polícia.

Além das duas categorias de festas que acabamos de falar, há uns brinquedos particulares e, por assim dizer, íntimos do povo. Naquelas ele exibe-se em público, nas praças e ruas e anda meio recatado. Nos *sambas*, *chibas*, *batuques* e candomblés é que o povo excede toda expectativa.

Vamos ver despontar o manancial mais fecundo da poesia popular. A viola e o entusiasmo, o canto e os ardores da paixão, eis dupla origem de grande torrente.

Chama-se *chiba* na província do Rio de Janeiro; samba nas do Norte, *cateretê* na de Minas, *fandango* nas do Sul, uma predileção dos pardos e mestiços em geral, que consiste em se reunirem damas e cavalheiros em uma sala ou num alpendre para dançar e cantar. Variadas são as tocatas e as danças. Ordinariamente porém consiste o baile rústico em sentarem-se em bancos à roda da sala os convidados e, ao som das violas e pandeiros, pulam um par ao meio do recinto a dançar com animação e requebros singulares o baiano ou outras variações.

O baiano é dança e música ao mesmo tempo.

---

(7) Moutinho — Província de Mato Grosso, *passim*.

Os figurantes em uma toada certa têm a faculdade do improviso em que fazem maravilhas, e os tocadores de viola vão fazendo o mesmo, variando os tons.

Dados muitos giros na sala, aquele par vai dar uma *embigada* noutro que se acha sentado e este surge a dançar.

O movimento se anima, e, passados alguns momentos, rompem as cantigas populares e começam os improvisos poéticos.

Aí se exerce uma força verdadeiramente prodigiosa e os cantos inspirados por motivos de ocasião e sempre com vivíssima cor local, ou varrem-se para sempre da memória, ou decorados e transformados, segundo o ensejo, vão passando de boca em boca, e constituindo esta a abundante corrente de *cantos líricos* que esvoaçam por toda extensão do Brasil.

O *baiano* é um produto do mestiço; é uma transformação do maracatu africano, das danças selvagens e do fado português.

Nas danças, músicas e poesias populares dão-se também as leis da seleção natural.

Adaptadas a um novo meio, modificam-se produzindo novos rebentos ou novas vidas. *O baiano é um exemplo.*

É mestiço de origem, prevalecendo ainda nele o elemento africano, que, por mais que queiramos esconder, predomina ainda em nossas populações, que se podem chamar do terceiro e quarto estado.

Se nas repúblicas espanholas, o cruzamento mais vasto foi do europeu com o índio, no Brasil foi do branco com o negro, predominando até agora as formas escuras nas classes desfavorecidas.

Feita a estatística real, e não a presumida, da população brasileira, se há de notar que o número de mestiços excede ao de brancos puros, índios puros e negros puros, e que naqueles a impressão do preto é a mais viva.

O *baiano* é uma especialidade brasileira: ele e o vatapá e o caruru, também implantações africanas transformadas, são três maiores originalidades do Brasil.

A modinha é uma implantação da serranilha, como já foi por vezes demonstrado, e é para nós menos original.

Adaptada a este solo, quando foge no verso e música dos modelos convencionais, adquire também um grau pronunciado de originalidade.

Chega a este ponto quando ao elemento português agregam-se os outros, porque o genuíno brasileiro, como já dissemos o nacional por excelência, não é, como alguns hão afirmado erroneamente, este ou aquele dos concorrentes, mas o resultado de todos, a forma nova produzida pelos três fatores.

Outro ensejo para apreciar-se a evolução da poesia popular é observar o povo no seu trabalho.

Estamos de acordo com Gustavo Freytag, o célebre romancista alemão: "mais do que em suas superstições e festas, que são o seu lado excepcional, devemos estudar o povo no seu trabalho, que é a sua face constante e normal".

Profundas palavras, que se fossem meditadas por nossos romancistas não teriam estes povoado o nosso mundo literário de criações e tipos quiméricos, aéreos e nulos...

O povo, em verdade, deve de preferência ser observado na sua laboriosa luta pela vida.

Ele então canta e o seu cantar másculo é sadio.

Entre nós temo-lo observado por vezes. Ou nos grandes *eitos* lavrando a terra, ou deitando matas ao chão, ou nos *engenhos* no moer das canas e na preparação do açúcar, sempre o trabalhador vai cantando e improvisando. É o cantar elogio ou cantar ao desafio, expressões de alegria usadas em Pernambuco. Em Sergipe chamam *arrazoar* ao cantar versos de improviso. Esta expressão é também significativa. Há ali, como em outras províncias, onde o trabalho é mal organizado, um original costume: um roceiro, que tem um serviço atrasado, roçagem, plantação ou colheita, convida os vizinhos para o ajudarem a levar avante o eito: acedendo estes, forma-se o que chamam no Rio de Janeiro *potirão* ou *potirum*. O *potirum*, expressão africana, dura às vezes dois e três dias. É um trabalhar livre e galhofeiro ao som de cantigas. Também o fazem para tapagens de casas, e as mulheres o empregam na fiagem do algodão.

Trabalha-se, bebe-se e canta-se. Isto nas populações agrícolas das matas; nas criadoras dos sertões observam-se os mesmos costumes com as indispensáveis alterações.

Os vaqueiros usam do célebre aboiar, e algum dos nossos romances e xácaras mais originais, como o *Boi-Espácio*, o *Rabicho da Geralda*, a *Vaca do Burel*, têm esta origem.

Os homens da costa e das margens dos grandes rios, e que passam parte da vida em canoas, também são um dos órgãos de nossa poesia popular. No remar vão *arrazoando*. Tivemos repetidas ocasiões de observar e entrar nestes cantos ao *desafio*, onde embalde procurávamos acompanhar os bardos incultos. Em prontidão de improvisos éramos sempre ultrapassados por eles.

As *adivinhações*, *ditados*, *folguedos de crianças* e *saúdes* são outras fórmulas da sabedoria e poesia popular. Os folguedos de criança e saúdes foram por nós descritos em nosso livro *Estudos sobre a Poesia Popular*

Brasileira para onde enviamos o leitor. Quanto aos *ditados e adivinhações* daremos aqui alguns espécimes mais vulgares.

Ditados: Quem nasceu p'ra dez réis nunca chega a vintém. De hora em hora Deus melhora... Quem tem dó de *angu* não amarra cachorro... Quem quer pegar galinha não diz chô... Quem planta e cria, tem alegria... Lua nova trovejada trinta dias de molhada... Em Abril águas mil... Fazer bem não cates a quem... Onde me conhecem honras me dão, onde não me conhecem me darão, ou não... Os bens de sacristão cantando vêm, chorando vão... Deus quando tarda, vem no caminho... Água mole em pedra dura tanto dá até que fura... Macaco velho não mete a mão em cumbuca...

É evidente a origem portuguesa de alguns e a transformação mestiça de outros.

Adivinhações: assim chamam-se umas espécies de charadas propostas para se lhes descobrir o sentido. Exemplo:

"Caixinha de bem querer, todos os carapinas não sabem fazer". É o amendoim, ou mandubim, como chama-o o povo. "Casa caída, lagoa d'água". É um ovo. "Campo branco, sementinhas pretas". É uma carta. "Branco e não é sangue, preto e não é carvão". A melancia, ou balancia, como diz a plebe. "Branquinho, branquinho reviradinho". O beiju ou *biju*. "Graças brancas, em campos verdes, com o bico n'água, morrendo à sede". É um navio.

Há algumas muito expressivas e engraçadas; outras em estilo picaresco, que o povo muito aprecia.

Nossas populações têm, como é natural, ainda uma larga porta aberta para o maravilhoso. Nos tempos coloniais a Bahia, a antiga capital, a sede do governo, era uma espécie de ponto de venturas. Ainda hoje para as populações rústicas das províncias circunvizinhas a cidade suprema longitude é a Bahia. No brinquedo do *anel* se diz: "Quando eu fui para a *Bahia*, a quem deixei meu anel?"

Nas poesias e contos populares fala-se muitas vezes na Bahia. Existem além certas localidades a que se prendem lendas próprias. Em todas as províncias repete-se o caso. Em Sergipe as serras da Itabaiana, a da Miaba e a *Furna* de Simão Dias são a sede de riquezas fantásticas.

Na de Itabaiana aparece, às vezes, diz a lenda, um carneirinho de ouro e na da Miaba um caboclinho de prata. Na *Furna* de Simão Dias, subterrâneo próximo à vila deste nome, dão-se visagens e encantamentos especiais. No Ceará o Boqueirão das Lavras da Mangabeira e a Serra do Araripe contêm riquezas prodigiosas e legendas análogas. E assim por todo o Brasil.

Por outro lado, ainda o nosso povo tem costumes sanguinários, como todas as gentes educadas sob o regime militar e que começam apenas a suavizar-se. Os assassinatos repetem-se ainda em larga escala.

No tempo da *Regência* o bacamarte fez proezas em quase todas as províncias, máxime nas de Pernambuco, Ceará, Maranhão, Piauí e Bahia, onde reinavam chefes déspotas, ridícula e ferozmente estúpidos.

Em Sergipe o fato era também uma verdade. Diz uma testemunha ocular: "Então a província, além da banca-morta que haviam feito os cofres públicos, era ainda martirizada pelos assassinatos com tanta imoralidade, que os assassinos cruzavam os povoados, vilas e cidades, decidindo da sorte de seus habitantes, por tal forma, que o povo ironicamente os denominava – *chefes de polícia*"(8).

Raros eram por toda parte os fazendeiros e senhores de engenho que não tinham os seus guarda-costas e capangas, que serviam para assassinatos e para pleitear eleições.

Os *capoeiras*, que ainda hoje existem nas maiores cidades, sobretudo na do Rio de Janeiro, consta serem uma espécie de instituição política, sob as ordens de grandes magnatas.

Com eles é que se veda o ingresso dos adversários nos comícios em dias de eleições e obtém-se a vitória das urnas.

São uma tropa ambulante dividida em diversas *maltas* nas diferentes freguesias da capital. Cada malta tem seu chefe, que obedece por sua vez a um chefe geral. Os *capoeiras* usam de navalhas como armas e sabem um jogo de pulos, pontapés e cabeçadas todo original. Um bom capoeira bate dez homens.

No país apesar da independência subsistiam e ainda eram convocados os três estados.

Em 1821 em Sergipe o governador da capitania César Burlamaqui, recebendo uma intimação do governador da Bahia para aclamar ali a constituição, mandou convocar uma reunião do clero, *nobreza* e povo.

"A nobreza, diz uma testemunha verídica, era representada pela câmara e por todas as pessoas que haviam servido os cargos da governança das vilas e cidades como fossem juízes, vereadores, oficiais das ordenanças e de segunda linha, e o povo era representado pelos homens bons e abastados, que não pertenciam àquela hierarquia."(9).

---

(8) Apontamentos históricos e topográficos de Sergipe, por A. J. da Silva Travassos, p. 56.

(9) TRAVASSOS — Apontamentos, p. 24.

Não tínhamos, nem temos, como se vê uma *aristocracia histórica* e de direitos adquiridos; mas ia ela sendo criada aos poucos e viciadamente.

O clero goza ainda de direitos privilegiados, e o povo propriamente dito, espécie de felás do Egito, é tratado como um animal de carga.

Ainda assim, a despeito de todos os nossos males e defeitos, existe entre nós uma mole imensa de poesias populares. Predominam os cantos líricos, como acontece na Itália moderna.

Apenas mais uma consideração para concluir esta síntese.

As canções líricas que coligimos são anônimas. A par destas existe a poesia *bárdica* popularizada, máxime política. São canções que têm origem individual, mas de que as massas se apossaram. No número delas contam-se as célebres *modinhas*, tão apreciadas pelos europeus. Não as coligimos por estarem fora do nosso plano. Alguns portugueses, que de nossa poesia popular só conhecem as *modinhas* que não são em rigor de origem anônima, dizem que por meio delas este país, quando colônia chegou a influir na literatura da metrópole.

O fato parece exagerado, porquanto no século passado, época a que se referem os críticos portugueses, ao passo que nossa literatura aproximava-se da natureza como Dirceu, Basílio e Durão e com as *modinhas*, a literatura da metrópole era toda postiça e contrafeita. Os ouvidos dos lusitanos foram surdos à lição dada por nossos poetas, verdadeiros precursores do *romantismo* nas raças neolatinas, e que eram tidos por *bárbaros* para aqueles pretendidos civilizados e o nosso influxo benéfico deixou de ser uma realidade. Ao contrário, sofremos nós outros a impressão deletéria das letras portuguesas da época.

CANTOS POPULARES DO BRASIL, III-XX, segunda edição. Livraria Clássica de Alves & Com. Rio de Janeiro, 1897.

– João mais Maria.

Rio de Janeiro e Sergipe.

Uma vez um homem e uma mulher que tinham tantos filhos que resolveram deitar fora um casal para se verem mais desobrigados. Num belo dia o pai disse a João e Maria que se aprontassem para irem com ele tirar mel no mato. Os dois meninos se aprontaram e seguiram com o pai, que desejava metê-los na mata e deixá-los lá ficar. Depois de muito andar, e quando já estava bem embrenhado, o pai disse aos filhos: – "Agora esperem aqui, que eu vou ali, e quando eu gritar, vocês se dirijam para o lado do grito". Depois de andar um bom pedaço, o pai gritou e retirou-se para trás, em busca de sua casa. As crianças, ouvindo o grito, se dirigiram naquela direção, mas não encontraram mais o pai, e se perderam. Chegando a noite, ali pousaram; no dia seguinte desenganados de não acharem o pai, tratou João de trepar em uma das árvores mais altas, que estavam num outeiro, a fim de ver se descobria alguma casa. De cima da árvore descobriu muito longe uma fumacinha. Para lá se dirigiram; depois de muito andar descobriram uma casa velha, e o menino se aproximou, para explorar, deixando a irmã escondida. Chegando João à casa, encontrou uma mulher velha, quase cega, que fazia bolos de milho. João fez um espetinho e furtou alguns bolos, que comeu e levou também para sua irmã. Como a velha não enxergava bem, quando sentia o movimento do menino lhe tirando os bolos, supunha que era o gato, e dizia: "Chipe, gato, minha gato, não me furte meus bolinhos!" No dia seguinte João voltou à mesma casa para tirar bolos para si e para Maria. Ouvindo a velha o rebuliço, dizia: "Chipe, gato, minha gato, não me come meus bolinhos!" João muniu-se de bolos e se retirou. No dia seguinte quis ir só, e Maria tanto insistiu que também foi. Logo que chegaram à casa tratou o menino de tirar alguns bolos dos que a velha acabava de fazer. A velha, que ouviu o rumor, disse pela terceira vez: "Chipe, gato, minha gato, não me furtes meus bolinhos!" Maria não pôde-se conter e desatou uma gargalhada. A velha ficou sarapantada e conheceu que eram os dois meninos, e então disse:

"Ah! meus netinhos, eram vocês! Venham cá, morem aqui comigo." Os dois meninos ficaram. Mas o que a velha queria era engordá-los para comê-los ao depois. De tempos a tempos a velha lhes pedia o dedo grande para ver se já estavam gordos; mas os meninos lhe davam um rabinho de lagartixa que tinham pegado. A velha achava o rabinho muito magrinho e dizia: "Ainda estão muito magrinhos!" Assim muitas vezes, até que os meninos perderam o rabinho da lagartixa e não tiveram volta senão mostrarem os próprios dedos. A velha os achando gordos, e os querendo comer, mandou-os fazer lenha para uma fogueira, para dançarem em roda. O fim da rabugenta era empurrar os dois meninos dentro do tacho de água fervendo e os matar. Os meninos foram buscar lenha, e quando vinham de volta toparam com Nossa Senhora, que lhes disse: "Aquela velha é feiticeira e quer dar cabo de vós; portanto quando ela mandar fazer a fogueira, fazei-a; assim que vos mandar dançar, dizei-lhe: 'Minha avozinha, vossemecê dance primeiro para nós sabermos como havemos de dançar'. Quando ela estiver dançando, empurrai-a na fogueira e correi. Trepai-vos na árvore que tem perto da casa; quando der um estouro é a cabeça da velha que arrebentou. Dela têm que sair três cães ferozes, que vos hão de querer devorar; por isso tomai três pães. Quando sair o primeiro cão, chamai-o Turco, e atirai um pão; quando sair o segundo, chamai-o Leão, e atirai outro pão; quando sair o terceiro, gritai Facão, e atirai o último pão. E serão três guardas que vos acompanharão".

Assim fizeram. Pronta a fogueira, e a velha os mandando dançar, pediram para ela dançar primeiro para lhes ensinar, no que caiu a velha, e quando estava muito concha nos seus trejeitos, os dois pequenos atiraram-na na fogueira. Treparam-se depois na árvore à espera de arrebentar a cabeça da velha e saírem os três cães. Aconteceu tudo como lhes tinha ensinado Nossa Senhora, desceram da árvore e tomaram conta da casa como sua, e ficaram alguns anos com os três cães como guardas. Ao depois Maria se namorou de um homem, e tentaram os dois dar cabo de João, o que não podiam conseguir por causa dos três cachorros que nunca o desamparavam. Combinaram então em Maria pedir ao irmão que lhe deixasse um dia ficar com os três bichos por ter ela medo de ficar sozinha, quando ele ia ao serviço. João consentiu e cá os malvados taparam os ouvidos dos cachorros com cera, para quando chamados, o não ouvirem. Depois do que partiu o camarada de Maria e encontrar João para o matar, levando um espingarda carregada. Quando o avistou disse: "*Reza o ato de contrição* que vais morrer". João, que se viu perdido, pediu tempo, para dar três gritos: o sujeito lhe respondeu: "Podes dar cem". Trepou-se o moço numa árvore e gritou: "Turco, Leão, Facão!..." Lá os cachorros abalaram as cabeças. Tornou o moço a gritar e os animais despedaçaram as correntes que os prendiam; tornou a gritar, e eles se apresentaram diante dele e devoraram aquele que o queria matar. Voltando para casa, disse João a sua irmã: "Visto me atraiçoares, fica-te aí só, que vou pelo mundo ganhar a minha vida". E seguiu com os seus três guardas, até que chegou a uma terra que tinha um monstro de sete cabeças, que tinha de comer uma pessoa por dia, e que se lhe tinha de levar fora da cidade para ele não se lançar sobre ela. Quando João chegou nesse ponto, topou com uma princesa em que tinha caído a sorte para ser lançada ao bicho. Perguntou-lhe o moço a causa por que estava ali. Respondeu que lhe tinha caído a sorte de ser naquele dia devorada pelo monstro de sete cabeças que ali tinha de vir, e que ele se retirasse para não ser também devorado; que o rei seu pai tinha decretado que quem matasse o bicho casaria com ela, mas que não havia ninguém que se atrevesse a isso.

O moço então disse que queria ver o tal monstro, e, como estava com sono, deitou a cabeça no colo da princesa e adormeceu. Quando foi dali a pouco apresentou-se a fera. A princesa, logo que a avistou, pôs-se a chorar e caiu uma lágrima no rosto do moço, ele acordou; a princesa lhe pediu que se retirasse, mas ele não o quis, e, quando o bicho se aproximou, mandou o moço seu cachorro Turco se lançar sobre ele. Houve uma grande luta, e estando já cansado o Turco, mandou o Leão, que quase matou a fera, finalmente mandou o Facão, que acabou de a matar. João puxou por sua espada e cortou as sete pontas das línguas do monstro e seguiu, bem como a princesa, que foi para o palácio de seu pai. Passando um preto velho e aleijado por onde estava o bicho morto, cortou-lhe os sete cotocos das línguas e levou-os ao rei, dizendo que ele que tinha morto o monstro.

O rei, pensando ser verdade, mandou aprontar a princesa para casar com o negro, apesar da moça lhe dizer que não tinha sido aquele que tinha dado cabo do monstro e a livrado da morte. Chegado o dia do casamento, mandou o rei aprontar a mesa para o almoço, e quando botaram os manjares no prato para o negro, entrou o cão Turco e o arrebatou da mão do preto. Quando a princesa viu o cão ficou muito alegre, e disse que era aquele um dos que tinha morto o bicho, e que seu dono é que tinha cortado as sete pontas das línguas com a espada. Veio o segundo prato para o negro, e entrou o cão Leão e o arrebatou, e a princesa disse o mesmo ao pai. Então o rei mandou um criado seguir o cão para saber donde era, e quem era o seu senhor, e que o trouxesse ao palácio. O moço, que recebeu o recado, partiu logo a ter com o rei. Quando a princesa o viu, disse logo que era aquele, que realmente puxou um lenço e mostrou as sete pontas das línguas. O rei mandou buscar quatro burros bravos e mandou amarrar neles o preto, que morreu despedaçado, e João casou com a princesa.

CONTOS POPULARES DO BRASIL, n. XII, pp. 154-160, segunda edição. Rio de Janeiro, 1897.

É a história de Hansel e Gretel, registada pelos irmãos Grimm, popularíssima em toda Europa, e América com muitas variantes e adaptações. Mt. 327-A na classificação de Aarne-Thompson.

MANUEL RAIMUNDO QUERINO

1851-1923

Manuel Raimundo Querino nasceu a 28 de julho de 1851 na cidade de Santo Amaro, Bahia, e faleceu na capital baiana a 14 de fevereiro de 1923. Voluntário da Pátria em 1865, obteve a promoção de "cabo de esquadra" em 1870, no Rio de Janeiro, regressando à sua Província. Fez o curso de desenho na Escola de Belas Artes em 1882, assim como o de arquitetura. Ensinou desenho geométrico e aposentou-se em 1916 como terceiro oficial da Secretaria da Agricultura. Dentro dessa humildade, foi um dos maiores estudiosos dos assuntos africanos, registando com invejável segurança e pureza psicológica, figuras, cenas, episódios entre os descendentes dos escravos, observando religião, costumes, cantos, danças, culinária, liturgia, etc., como nenhum outro em sua época, exceto o doutor Nina Rodrigues, superior em método, visão e cultura. Sua pequena bibliografia é indispensável quando se trata da contribuição do Negro à civilização brasileira. Sendo ele próprio pertencente à raça que o apaixonava, ninguém com maior autoridade, compreensão e ternura examinou e amou essas pesquisas.

Bibliografia:

COSTUMES AFRICANOS NO BRASIL — Prefácio e notas de Arthur Ramos. Rio de Janeiro, 1938. Compreende uma seleção magnífica dos melhores e mais expressivos ensaios sobre a Raça Africana e seus costumes na Bahia (1916); O colono preto como fator da civilização brasileira (1918); Arte Culinária na Bahia (1928) e Notas de Folclore Negro, excertos d'A Bahia de Outrora, 1922 (vultos e fatos populares).

– A FESTA DE MÃE-D'ÁGUA.

O africano é espírita de natureza e, como tal, provoca inovações. É crença geral, entre eles, que no fundo do mar e dos rios existe uma divindade que exerce influência direta em todos os atos da nossa vida. Em lugar retirado, a pessoa que pretende algum benefício encaminha-se para beira-mar e aí bate palmas três vezes e diz: "Mãe-d'água, se me ajudares a ser feliz em tal negócio, eu vos dou um presente". Satisfeita que seja a prece votiva, a pessoa volta ao lugar com o presente, que se compõe de pentes para cabelo, sabonetes, favas brancas, frascos de perfumes, fitas e um leque. Nessa ocasião, a pessoa beneficiada, em companhia de diversas outras, inclusive uma espécie de "médium" espírita, que se dirige àquela divindade entoando rezas adequadas, provoca a presença da Mãe-d'Água.

Introduz-se no elemento líquido e encaminha-se para o ponto de encontro, onde as águas formam uma espécie de redemoinho, e aí joga o presente. Faz-se também mister que o portador do mimo mergulhe e vá deitá-lo ao fundo. De volta à tona presume-se que a Mãe-d'Água se lhe encarna, e, em nome desta, agradece a oferta. Isto feito retiram-se todos para a casa donde saiu o presente, e aí dão começo à função, constante de danças, comidas e louvores.

Outras vezes, quem precisa de algum benefício da deusa dirige-se à margem do rio, e aí implora os benefícios da Mãe-d'Água. À noite ela aparece em sonho e ordena o que convém fazer.

É crença entre os pescadores de xaréu que, no ano em que se não fizerem oblações à Mãe-d'Água, a colheita do popular pescado será insignificante, e as redes se partirão.

Mas, levados que fossem os presentes da sereia, haveria certamente abundância de peixe e não se registraria o mais leve acidente.

"A Mãe-d'Água, graciosa criação de fantasia intertropical, habita o fundo dos rios, bela, cheia de atrativos, de encantos, de seduções irresistíveis, simbaliza o amor que têm à água os habitantes dos climas quentes."

"A Mãe-d'Água será talvez de origem africana, sendo presumível não ser dos índios, em cujo idioma não encontramos termos para a exprimir." (Gonçalves Dias).

O indígena do Amazonas pensava do mesmo modo. "A decadência da arte entre os naturais do Amazonas foi grande, mas ainda a crença nos animais e plantas protetoras não se extinguiu. Ainda há quem leve algum pé de *Taiá* na proa de sua montaria, para ser feliz na pesca, como vi." (Barbosa Rodrigues).

As Mães-d'Água são três: *Anamburucu*, a mais velha, *Iemanjá*, e *Oxum*, a mais moça. Habitam os lagos, mares e rios. Há ainda outro meio mais simples de presentear a Mãe-d'Água, independente de promessa, como lembrança ou mesmo recomendação para benefícios futuros. Um pequeno saveiro de papelão, armado de velas e outros utensílios de náutica era lançado ao mar, conduzindo à Mãe-d'Água, figuras de bonecos de pano, milho cozido, inhame, e pequenos frascos de perfumaria.

De volta a casa donde partiu o presente, as pessoas que tomaram parte na comitiva proferem algumas palavras cabalísticas e tocam a cabeça ao solo, como é do ritual.

NOTAS – XARÉU, peixe carângida, *Caranx hippos*. TAIÁ, taja, taioba, plantas herbáceas da família das Aráceas. SAVEIRO, barco estreito e comprido. Sobre as origens do mito, ver o meu GEOGRAFIA DOS MITOS BRASILEIROS, cap. *Hipupiaras, Botos e Mães-d'Água*.(*)

– A CAPOEIRA.

A *capoeira* era uma espécie de jogo atlético, que consistia em rápidos movimentos de mãos, pés e cabeça, em certas desarticulações do tronco, e, particularmente, na agilidade de saltos para a frente, para trás, para os lados tudo em defesa ou ataque, corpo a corpo.

O Capoeira era um indivíduo desconfiado e sempre prevenido. Andando nos passeios, ao aproximar-se de uma esquina tomava imediatamente a direção do meio da rua; em viagem, se uma pessoa fazia o gesto de cortejar a alguém, o capoeira de súbito, saltava longe com a intenção de desviar uma agressão, embora imaginária.

O Domingo de Ramos fora sempre o dia escolhido para as escaramuças dos capoeiras. O bairro mais forte fora o da Sé; o campo da luta era o Terreiro de Jesus. Esse bairro nunca fora atacado de surpresa, porque os seus dirigentes, sempre prevenidos fechavam as embocaduras, por meio de combatentes, e um tulheiro de pedras e garrafas quebradas, em forma de trincheiras, guarneciam os principais pontos de ataque, como fossem: ladeira de S. Francisco, S. Miguel, e Portas do Carmo, na embocadura do Terreiro. Levava cada bairro uma bandeira nacional, e ao avistarem-se davam vivas à sua parcialidade.

Terminada a luta, o vencedor conduzia a bandeira do vencido. Nos exercícios de *capoiragem*, o manejo dos pés muito contribuía para desconcertar o adversário, com uma rasteira, desenvolvida a tempo.

No ato da luta, toda a atenção se concentrava no olhar dos contendores; pois que, um golpe imprevisto, um avanço em falso, uma retirada negativa, poderiam dar ganho de causa a um dos dois. Os mais haveis capoeiras logo aos primeiros assaltos, conheciam a força do adversário; e, neste caso, já era uma vantagem, relativamente ao modo de agir.

(*) Edição atual – 3. ed. São Paulo: Global, 2002. (N.E.)

Por muito tempo, os exercícios de capoiragem interessaram não só aos indivíduos da camada popular, mas também às pessoas de representação social; estas, porém, como um meio de desenvolvimento e de educação física, como hoje é o *foot-ball* e outros gêneros de *sport*. Os povos cultos têm o seu jogo de capoeiragem, mas sob outros nomes; assim, o português joga o *pau*; o francês, a *savata*; o inglês, o *soco*; o japonês, o *jiu-jítsu*, à imitação dos jogos olímpicos dos gregos e da luta dos romanos.

Havia os capoeiras de profissão, conhecidos logo à primeira vista, pela atitude singular do corpo, pelo andar arrevezado, pelas calças de boca larga, ou pantalona, cobrindo toda a parte anterior do pé, pela argolinha de oiro na orelha, como insígnia de força e valentia, e o nunca esquecido chapéu à banda.

Os amadores, porém, não usavam sinais característicos, mas, exibiam-se galhardamente, nas ocasiões precisas. No domingo de Ramos e sábado de Aleluia entregavam-se a desafios e lutas, nos bairros então preferidos, como fossem: o da Sé, S. Pedro, Santo Inácio ou da Saúde.

Previamente, parlamentavam, por intermédio de gazetas manuscritas. Duas circunstâncias atuavam, poderosamente, no espírito da mocidade, para se entregar aos exercícios da capoeiragem: a leitura da "História de Carlos Magno ou os doze pares de França", e, bem assim, as narrações guerreiras da vida de Napoleão Bonaparte. Era a mania de ser valente como, modernamente, a de cavador. Nesses exercícios, que a gíria do capadócio (denominava-se) de *brinquedo*, dançavam a capoeira sob o ritmo do *berimbau*, instrumento composto de um arco de madeira flexível, preso às extremidades por uma corda de arame fino, estando ligada à corda numa cabacinha ou moeda de cobre.

O tocador de berimbau segurava o instrumento com a mão esquerda, e na direita trazia pequena cesta contendo calhaus, chamada *gongo*, além de um cipó fino, com o qual feria a corda, produzindo o som.

Depois entoava essa cantiga:

> Tiririca é faca de cotá
> Jacatimba moleque de sinhá,
> Subiava ni fundo di quintá
>
> Aloanguê caba de matá
> Aloanguê.

Marimbondo dono de mato,
Carrapato dono de fõia,
Todo mundo bebe cachaça,
Negro Angola só leva a fama.

Aloanguê, Som Bento tá me chamando.
Aloanguê.

Cachimbêro não fica sem fogo,
Sinhá veia nã é mai do mundo.
Doença que tem nã é boa
Não é cousa de fazê zombaria.

Aloanguê, Som Bento tá me chamando.
Aloanguê.

Pad'e Inganga fechou coroa
Ha de morê;
Parente não me'caba de matá.

Aloanguê. Som Bento tá me chamando.
Aloanguê.

Camarada, toma sintido.
Capoêra tem fundamento.
Aloanguê, Som Bento tá me chamando,
Aloanguê caba de matá.
Aloanguê!

Os trechos estão às pp. 60 e 270 do "COSTUMES AFRICANOS NO BRASIL".

Ver "Dicionário do Folclore Brasileiro", 2ª edição.(*)

(*) Edição atual – 12. ed. São Paulo: Global, 2012. (N.E.)

VALE CABRAL

1851-1894

Alfredo do Vale Cabral nasceu na Bahia a 17 de novembro de 1851 e faleceu no Rio de Janeiro a 23 de outubro de 1894. Funcionário na Biblioteca Nacional, desde 1873 chefiou a Secção dos Manuscritos em 1882, aposentando-se em 1890. Colaborou no CATÁLOGO DA EXPOSIÇÃO DE HISTÓRIA E GEOGRAFIA DO BRASIL, CATÁLOGO DE CIMÉLIOS DA BIBLIOTECA NACIONAL. Escreveu: ANAIS DA IMPRENSA NACIONAL DO RIO DE JANEIRO de 1808 a 1822 (Rio de Janeiro 1881), VIDA E ESCRITOS DE JOSÉ DA SILVA LISBOA VISCONDE DE CAIRU (Rio, 1881), OBRAS POÉTICAS DE GREGÓRIO DE MATOS. (Rio, 1882), tomo 1º e único a ser publicado. GUIA DA CIDADE DO RIO DE JANEIRO (Rio, 1886), deixando inéditas as notas e coleções das CARTAS DO BRASIL, do Padre Manuel da Nóbrega (1886) e as CARTAS AVULSAS DE JESUÍTAS, (1887), impressos mas não publicados. Com Teixeira de Melo fundou a GAZETA LITERÁRIA, 1883-84, publicando com Capistrano de Abreu, a coleção dos MATERIAIS E ACHEGAS PARA HISTÓRIA E GEOGRAFIA DO BRASIL.

Bibliografia:

CANÇÕES POPULARES DA BAHIA — *in* "Gazeta Literária", pp. 217, 257, 315 e 417.
ACHEGAS AO ESTUDO DO FOLCLORE BRASILEIRO *in* "Gazeta Literária", pp. 345-352. Rio de Janeiro, 1884.

– ACHEGAS AO ESTUDO DO FOLCLORE BRASILEIRO.

As superstições, os costumes, os contos de fadas ou histórias da carochinha, as cantigas, as canções do berço, os jogos populares e ritmos infantis, os bailes pastoris, as adivinhações, as orações, os esconjuros, os ditados, todas essas tradições populares são o que constitui o folclore.

Iniciado na Alemanha pelos irmãos Grimm, propagou-se logo por todos os países da Europa e ainda ultimamente na França acabam de aparecer os dois primeiros volumes de uma coleção intitulada LA FRANCE

MERVEILLEUSE ET LÉGENDAIRE por H. Gaidoz e Paul Sébillot, tendo o primeiro volume BLASON POPULAIRE DE LA FRANCE e o segundo CONTES DE PROVINCES DE FRANCE. A estes dois volumes devem seguir-se mais outros dois sob os títulos: CONTES DES FRANCES D'OUTRE-MER e LITTÉRATURE ORALE DE L'ENFANCE. E Portugal, além das primeiras tentativas de Almeida Garret, já se admiram importantes trabalhos e coleções devidas aos srs. Teófilo Braga, Adolfo Coelho, J. Leite de Vasconcelos, Consiglieri Pedroso, Rodrigues de Azevedo, Siqueira Ferraz, Tomaz Pires e outros.

No Brasil o primeiro que se ocupou com os estudos folclóricos foi um escritor anônimo, que se encobriu com a inicial C (Couto de Magalhães?). Os seus primeiros ensaios apareceram no "Correio Paulistano" e foram reproduzidos no "Correio da Tarde", de 27 de setembro e na "Marmota do Rio de Janeiro", de 4 e 11 de outubro de 1859. Têm por título "Tradições Populares de Minas e S. Paulo" e o primeiro artigo trata do Saci Pererê, Lobisomens, Curupiras e mais seres fantásticos; se tais ensaios foram continuados devem ser preciosos. No artigo a que me refiro ocorrem duas quadrinhas recolhidas do canto popular relativo ao Saci.

Alguns anos depois, em 1873, começaram então os estudos do Folclore brasileiro a ganhar maiores proporções e aparecerem trabalhos muito interessantes. Daí para cá, pois, os que deles se têm ocupado sob as suas múltiplas divisões, são: Celso de Magalhães (poesia popular e costumes), Sílvio Romero (romantismo, poesia popular, cantos e contos), José de Alencar (poesia sertaneja e transformação da língua portuguesa no Brasil), Araripe Júnior (poesia popular do Ceará), Hartt e Couto de Magalhães (línguas e mitos tupis), Batista Caetano, Macedo Soares, Beaurepaire Rohan, Apolinário Porto Alegre e Paranhos da Silva (língua), Barbosa Rodrigues (lendas, crenças e superstições do vale do Amazonas), José Veríssimo (língua, superstições e costumes do Pará), Koseritz (poesia popular do Rio Grande do Sul) e Herbert Smith (mitos tupis).

O Folclore, além do seu valor na ciência das tradições populares, é, como diz o sr. J. Leite de Vasconcelos, "objeto de curiosidade para o Povo, porque contém a sua obra".

O que pois ora começo por minha vez a apresentar da obra do povo brasileiro são simples materiais, constituídos de fatos ou recolhidos da tradição oral ou de livros e manuscritos.

Aceitarei porém novas informações que irei igualmente arquivando para trabalho mais desenvolvido. A questão principal é a aquisição de fatos relativos a tudo que "diz respeito ao maravilhoso popular do Brasil".

Somos riquíssimos de tradições e muitas ainda não foram colhidas e estudadas sob o intuito científico. Três elementos importantes contribuíram para essa fertilidade de tradições na família brasileira: o da raça invasora, o indígena e o africano. Além do que herdamos, acresce que o conflito das três raças, às vezes não se compreendendo, fez como era natural aparecerem novos elementos tradicionais no espírito popular brasileiro. É uma riqueza inesgotável, que possuímos, riqueza que deve ser aproveitada quanto antes. Os africanos estão quase exterminados e os indígenas já em nada influem hoje para a formação da sociedade brasileira.

E essas relíquias tradicionais devem ser colhidas com vivo interesse e zeloso cuidado. É o que espero fazer com a coadjuvação dos que se entusiasmam pelos elementos que entram na constituição do nosso povo.

Seres Sobrenaturais:

TUTU – Entidade com que se mete medo às crianças quando choram. É roncador. A forma em que o idealizam na Bahia é a de um Catitu ou porco do mato. Deste primeiro nome talvez se originasse o termo TUTU, que é popular em todo o Brasil. Ouvi porém dizer que é voz africana e que era usada pelas amas negras. Na Bahia também TUTU-CAMBÊ: *Olhe o Tutu!... Êvem ele! Quando os meninos choram o Tutu vem comer eles... não chore não! O Tutu-Cambê é um bicho muito feio e só come os meninos bonitos... Aí vem o Tutu!...*

Às vezes o Tutu-Cambê, fazendo a devida roncaria, aparece. Para isso cobre-se uma pessoa com um pano andando devagar e roncando.

O Tutu com facilidade se enxota: basta bater-se com o pé no chão e dizer-se: XÔ!... Tutu, vai-te embora que o menino não chora mais.

No Sul da província de Minas Gerais o Tutu anda oculto atrás das portas e a sua voz é de trovão. Aí é frase popular: "Oia Tutu qui vem comê minino... não como meu fio não, não leva meu fio não, Tutu!..."

O Tutu do povo brasileiro é idêntico ao Papão e à Coca de Portugal.

Nas cantigas com que as amas costumam acalentar às crianças quase sempre entra o Tutu. São elas as mais das vezes cantadas de improviso e por isso em muitas nota-se-lhes os defeitos da rima. A seguinte é popular na Bahia; dou-o como documento, porque se refere principalmente ao TUTU-ZAMBÊ ou CAMBÊ:

Tutu Zambê
Vem papá sinhazinha;
Tutu vá s'imbora
Sinhazinha 'stá dormindo.

Tutu Zambê
Vem papá iaiázinha,
Bébe, aí, boi,
Iaiázinha 'stá dormindo,
Tutu vá s'embora.

Êvem o Tutu
Por detrás do murungu,
Pra comer sinhazinha
C'um pedacinho de angu.

Cala a boca, Iaiãzinha,
Que seu pai já vem já,
Foi buscar timão de seda,
Forrado de tafetá.

No interior da província do Rio de Janeiro cantam monotonamente as pretas, umas quadrinhas para fazerem as crianças dormir. Uma delas diz assim:

Tutu vá s'embora
Pra cima do telhado,
Deixa o nhônhô
Dormir sossegado.

O sr. dr. Sílvio Romero nos seus "Cantos Populares do Brasil", vol. I, sob nº 181, coligiu no Rio de Janeiro uma canção que termina com a seguinte estrofe:

Tu-tu-ru-tu-tu
Lá detrás do murundu...
Teu pai e tua mãe
Que te comam com angu.

Também a ouvi cantar no Rio de Janeiro desgarrada da estrofe que a antecede na coleção do sr. dr. Sílvio Romero apenas com variante no segundo verso, que diz:

– Por detrás do murundu...

Na província do Rio de Janeiro igualmente coligi a canção do Tutu, que é muito popular entre as amas negras para acalentar as crianças e que apenas se reduz a estes versos:

Tu-ru-tu-tu
Do velho murundu,
Agarra este menino
Comei-o com angu.

Em Campos, ainda na província do Rio de Janeiro, são populares estas duas estrofes:

Tu-tu-ru-tu
Senhor Capitão,
Pegai este menino
Comei com feijão.

Tu-tu-ru-tu
Por detrás do murundu,
Pegai este menino
Comei com angu.

Ora, como se vê, na Bahia diz-se *murungu* que rima perfeitamente nas canções com "angu", voz africana, e no Rio de Janeiro, *murundu*, que dão como significação de um pequeno monte, por detrás do qual se acha o Tutu. *Murungu* é palavra guarani ou tupi e nome de árvore natural do país, da família das leguminosas (Erythrina corallodendron, Linn). Na Bahia é este o nome que lhe dão; mas no Rio de Janeiro, Maranhão, Pernambuco e Alagoas – o de mulungu. Como o *tijim* ou jequiriti, a semente desta árvore é muito popular entre as crianças pela beleza de sua cor vermelha. Ainda na farmácia brasileira o murungu é empregado. Trata-se pois de uma árvore cujo nome é constantemente pronunciado com a maior clareza.

Entre os brasileiros é frequente, como lapso de língua, ouvir-se a transformação do *l* em *r* e vice-versa. Se porém a palavra murungu da canção da Bahia é brasileira ou corrupção de murundu das do Rio de Janeiro e esta mulundia africana (mbunda ou angolense), que significa exatamente monte, segundo Cannecattin no "Dicionário da Língua Bunda ou Angolense", é o que não posso resolver.

Entretanto, se na Bahia é realmente palavra Zambê que aduzem ao Tutu e não Cambé (que pode também ser voz africana ou tupi ou ainda corrupção de "comer" português) e se o murungu da canção é a voz mbunda mulundu alterada, é provável o Tutu brasileiro, mas herdado da raça africana.

Zambê será corrupção de Zambi, palavra angolense que significa Deus? ou de Zumbi, voz também angolense que quer dizer alma do outro mundo? Cambé pode talvez ser corrupção do Tambi, que segundo Batista

Caetano significa pelo erguido; e como na Bahia dão ao Tutu a forma de porco do mato, é natural que o seu cabelo seja erguido, eriçado, como o tem o catitu quando está zangado. Em umas notas que possuo tomadas pelo dr. Batista Caetano do velho caboclo Pedro João Vieira, na antiga aldeia de S. José dos Campos, acham-se as palavras Cambê (*kamby*, ort. de Bat. Caet.) significando leite, e Cambu, mamar. No Vocabulário impresso de Batista Caetano encontra-se além de cambi, leite e cambu, mamar, o verbo cambi, que significa magoar, ofender, machucar, etc. Não se deve ainda esquecer dizer que Camba, voz angolense, significa amigo.

De parte a parte, das raças indígenas e africana, apareciam objetos, trajes, costumes e crenças novas que não tinham equivalente na linguagem dos invasores. A língua dos indígenas de todo o litoral era o tupi, mas a dos negros compreendia diversos grupos formados por idiomas particulares. Daí era grande a confusão de línguas africanas para poder entrar com mais facilidade maior número de palavras, na formação da linguagem brasileira. É costume nosso dizermos de qualquer palavra dos negros da África – É voz africana, sem contudo procurarmos designar ou indagar a que língua ou idioma pertence ela. É o mesmo que se dizer – é voz americana, referindo-se a algum termo dos povos indígenas da América, expressão vaga e que não se aplica senão ao continente a que ela se filia. Assim nos primeiros tempos da introdução dos negros as diversas línguas africanas andavam muito em voga, juntamente com o tupi, de modo que a linguagem falada era quase sempre mesclada de vozes que só os naturais e habitantes da terra compreendiam. Muitos desses vocábulos como se sabe, ainda hoje permanecem; outros porém desapareceram de todo e de alguns que vão aparecendo nos documentos manuscritos até se desconhece o sentido. Não havia dicionaristas da língua portuguesa que o fosse coligindo, só mais tarde o brasileiro Morais e Silva foi que recolheu alguns para o seu dicionário. Aí estão por exemplo as produções do poeta Gregório de Matos, em parte publicadas ultimamente, em que se deparam dezenas de vocábulos por ele empregados, que até hoje não se sabe qual a sua origem e o seu verdadeiro sentido. Apesar disso o poeta baiano como linguista presta auxílio poderoso à linguagem brasileira. É o escritor que nos dá a ideia mais exata do modo de falar e escrever no Brasil no século XVII. O seu vocabulário é riquíssimo, principalmente em locuções e termos populares da Bahia e de Pernambuco, sem excetuar, já os de origem guarani, já os derivados das línguas africanas, e é o único documento daquele século que possuímos neste gênero de estudos.

É pois constante a dúvida de se saber ao certo a língua a que pertence esta ou aquela voz alterada que se encontra na escrita antiga ou mesmo muito popularizada na linguagem da família brasileira.

Hoje é que se discute a procedência das palavras mazombo, mameluco, emboaba, cafuz, cabo-verde, curiboca, cariosa e outras muitas. O dr. Batista Caetano, o nosso saudoso Mestre, cuja perda será sempre lamentada por todos os que se interessam por esses assuntos, descobriu visos que a palavra carapuça era *abañeênga* ou guarani, procurando dar-lhe a etimologia; mas quando leu na carta de Vaz de Caminha que a tripulação da armada de Cabral, que descobriu o Brasil, distribuiu carapuças aos naturais da terra, antes que tivessem os portugueses qualquer contacto com eles, viu que tinha caído em erro, erro que o Mestre muito se doía.

A que língua pois pertence a voz TUTU, se de origem africana ou tupi, ou se inteiramente brasileira, é o que não se sabe por ora.

TUTU DO MATO, diz-se de uma moça que anda sempre se escondendo das pessoas estranhas que lhe aparecem em casa. É sinônimo de matuta.

"Fazer um Tutu" é equivalente a meter medo em vão:

a) Fulano anda-me fazendo uns tutus, isto é, querendo meter-me medo.

b) Diga-lhe que não tenho medo de tutus.

Ainda se aplica o termo a certas influências pessoais que pelo seu poder tudo conseguem. A estas porém dá-se-lhes o nome de TUTU DA TERRA, que é o primeiro mandão, grande, poderoso. Esta expressão corresponde ao CUBA de Pernambuco, ao CUÊBAS de Minas e ao MANCUÊBA de São Paulo.

Tutu é ainda nome de uma iguaria brasileira, feita de feijão cozido de véspera e farinha, a que se aduzem carne desfiada e toucinho.

BICHO – Ente imaginário com que se põe medo às crianças: "Não vá lá que tem Bicho!... Bicho que come você!...". É sinônimo de TUTU e tanto assim que geralmente quando as crianças veem no chão algum inseto ou verme que lhes causa admiração, se diz: "É um Tutu! É um Bicho! não é?". Como o Tutu, enxota-se o Bicho: "Xo, Bicho, vai-te embora!...". No Brasil, Bicho é também termo genérico que serve para designar qualquer animal que se não conhece popularmente. Na Bahia há uma parlenda que começa assim:

> – Gentes, que Bicho é este?!
> É Camaleão!
> Gente, este Bicho morde?...
> Não morde não...

Há duas espécies de Bicho, feios e bonitos; os primeiros fazem mal e comem os meninos e os segundos podem aparecer às crianças porque são inofensivos.

O Bicho é também em algumas províncias um ser sobrenatural que faz mal e até habita os astros. Eis um fato importante para mostrar aí a sua existência. O sr. José Veríssimo nas suas "Tradições, Crenças e Superstições Amazônicas" escreve: "Durante o eclipse deste astro (a Lua), em 23 de agosto de 1877, o povo da capital do Pará fez um barulho enorme com latas velhas, foguetes, gritos, bombo, e até tiros de espingarda para *afugentar ou matar o Bicho que queria comer a Lua*, como explicavam semelhante cena. Em Campinas (São Paulo), deu-se o mesmo fato, segundo li num jornal", v. Revista Amazônica, I. 208.

BICHO DO MATO é sinônimo de TUTU DO MATO.

MATAR O BICHO é frase muito empregada pela classe inferior para designar o ato de se tomar alguma bebida alcoólica. Os pretos em geral quando fazem algum carreto, além da paga comum, pedem dinheiro, que é para esse fim, "para matar o Bicho".

CORTAR O BICHO é frase usada no Rio Grande do Sul e diz-se quando o cavalo ou o boi tem alguma ferida. Que se deve curar: cortei o Bicho.

ZUMBI – Ser muito popular no Brasil, herdado dos africanos:

a) Entre os angolenses, gente que morreu, alma do outro mundo.

b) Na tradição oral de muitas nações africanas, fantasma, Diabo, que anda de noite pelas ruas; e quando os negros veem uma pessoa astuciosa que se mete em empresas arriscadas, dizem: Zumbi anda com ele, isto é, o Diabo anda metido no corpo dele.

c) No Rio de Janeiro intimidavam-se muitas pessoas com o Zumbi de Meia-Noite, espetro que vagava alta noite pelas ruas (Informação do sr. Cons. Beaurepaire Rohan).

d) Na canção popular o "A. B. C. da Venda" há a seguinte estrofe:

> – Zumbi lobisomem
> E outros fadários,
> Oferecem rosários
> Na Venda.

e) Termo africano (Banguela) que significa alma: "Eu hoje vi uma alma!" *Ê têrei damoni Zumbi* e também *otirurum* em vez de Zumbi muitas vezes se revela em pequena estatura humana e cresce à proporção que alguém dele se aproxima para curvar-se e em forma de arco sobre a pessoa. Outras vezes oculta-se, e impede a um cavaleiro prosseguir, tomando-lhe as rédeas do animal. Os animais de montaria o conhecem e evitam passar pelos lugares onde ele estiver, o que é denunciado por um ronco surdo do próprio Zumbi (Rio de Janeiro, informação do sr. dr. Luiz Rodrigues da Costa Júnior).

f) Alma de preto transformada em pássaro que fica ao escurecer na porteira das fazendas, dos pastos ou nos lugares ermos, gemendo e chamando os transeuntes pelos nomes, e às vezes ao meio-dia canta e lamenta a vida que levou como escravo e diz : Zumbi... biri... ri... coitado!... Zumbi... biri... ri... coitado!... (Sul da província de Minas, informação do sr. Carlos Frederico de Oliveira Braga).

g) Capelo e Ivens, referindo-se aos negros da região do Dombe Grande, dizem: "vê-se frequentemente ao beberem aguardente, entornar no chão uma pequena parte, a fim de contentarem, segundo parece, o Zumbi ou n'zumbi (Alma do outro mundo), por quem sempre julgam estar cercados, e mais ou menos em relação, esfregando em seguida a testa e o peito como remate à cerimônia." V. "De Benguela às Terras de Iaca", I, pág. 23. No Brasil costumam também as negras africanas, quando comem ou bebem água ou aguardente, deitarem as primeiras porções no chão e a esse ato quando se lhes pergunta dizem que é para o santo, que se acha perto delas. Entre algumas crioulas dá-se o mesmo fato e dizem que é para S. Cosme e S. Damião, dois santos da predileção das escravas pretas, que desejam as suas alforrias por intervenção dos mesmos santos.

h) O sr. dr. Macedo Soares no seu artigo "Sobre algumas palavras africanas introduzidas no português que se fala no Brasil" (Revista Brasileira, IV. 1880, pág. 269) que Zumbi é "... voz com que as amas negras amedrontam às crianças choronas: olha o Zumbi! Outros dizem: Olha o Bicho!..." e acrescenta: "Serão sinônimos? Será o Papão português? Parece."

O Zumbi pode como o Tutu ou o Bicho servir para intimidar as crianças, mas eles não são sinônimos como pensa o meu amigo sr. dr. Macedo Soares. É verdade que na Bahia se põe medo às crianças com o Tutu-Zambê (ou Cambê?), mas como disse no artigo o Tutu, por ora nada sei ao certo. Na África existe um monte denominado Mulundu Zumbi, cuja tradução segundo me informaram os srs. Beaurepaire Rohan e Menezes Brum, quer dizer Monte das Almas e diz-se que essa denominação provém de ali ouvir-se lamentações e gemidos das Almas do Outro Mundo. Cannecattim no seu "Dicionário" dá a palavra mulundu como significando monte.

i) O sr. dr. Sílvio Romero na sua obra "A Poesia popular do Brasil", (Rev. Bras. VI. 1880, pág. 215) dá a palavra Zumbi como significando Lobisomem. A significação porém não é exata e nem os dois seres são sinônimos. A estrofe antiga, e vejo nela traços evidentes do modo de poetar de Gregório de Matos, os apresenta como fadários diversos entre si, que para disfarçarem a aparência sobrenatural vendiam rosários. Como se sabe, o Diabo tem muito medo do rosário e tanto que a gente para se livrar dele basta apresentar na frente, dizendo: Diabo! eu te esconjuro! E há ainda a frase: Foge dele como o Diabo da cruz; e assim o Zumbi oferecendo rosários à venda, nunca poderia ser tomado como um ente malévolo, o Diabo.

ZAMBI – É voz que exprime entre os negros naturais de Angola um ser superior! Deus, e tanto assim que quando se lhes pergunta por cousas impossíveis ou misteriosas eles respondem: Zambi que sabe. O padre Pedro Dias na sua "Arte da língua de Angola" (Lisboa, 1697), diz que Nzambi, significa Deus e dá muitas frases em que entra a palavra mbunda. Cannecattim no seu "Dicionário de Língua Bunda ou Angolense" (Lisboa, 1804) dá igualmente Zambi como significando Deus. Como se vê, os termos são idênticos; o *N* porém que precede Zambi na escrita do P. Pedro Dias, é eufônico.

Capelo e Ivens ("De Benguela às Terras de Iaca", I, p. 103) tratando da falta de religiões e falsas noções do criador entre o povo do Bié, dizem que em *T'schiboco*, a 700 quilômetros da costa, encontraram um natural que lhes apresentando um objeto, que descrevem e reproduzem, disse ser o N'gana N'Zambi (Senhor Deus), e "perguntando sobre quem era o N'gana N'Zambi, não soube responder, acrescentando simplesmente que um ambaquista lho havia trazido do calunga (mar)". Pela mesma ocasião, Capelo, numa senzala, era segundo parece, chamado igualmente N'gana N'Zambi, pela sua longa barba branca.

Perguntando eu a um negro natural de Angola como se chamava Deus na língua dele, respondeu-me que Zambi e ainda perguntando-lhe o que queria dizer (N') gana (N') Zambi, apontou-me com o dedo para o céu e disse: Senhor Deus.

Zumbi e Zambi andam confundidos na tradição brasileira, entretanto, como se vê, exprime seres diferentes entre si.

Exprimindo Zambi um ser superior, quando os pretos veem aproximar-se deles o senhor ou o feitor, pessoas a quem devem respeito, dizem assustados e rapidamente:

"Zambi vem!..." Este fato prova que o Zumbi dos Palmares era assim chamado por ser o superior, o chefe, o mandão, o poderoso da República africana em Pernambuco. O sr. Oliveira Martins na sua obra "O Brasil e as Colônias Portuguesas", tratando deste herói, ainda que de modo diverso do que lhe sucedeu, porque ele morreu valorosamente em luta e não pelo suicídio, escreve corretamente Zambi. Em diversas obras e documentos o nome do chefe palmar aparece escrito Zombi *Zomby* e *Zumby*.

PÉ DE GARRAFA – Ente fantástico, que habita nas matas do Piauí, grita como o homem e deixa nas estradas as suas enormes pegadas, que por se assemelharem ao pé da garrafa tomou-lhe o nome.

CABEÇA DE CUIA – No Piauí intimidam-se as crianças com este nome. É um sujeito que vive dentro do rio Parnaíba. É alto, magro, de grande cabelo que lhe cai pela testa e quando nada o sacode, faz as suas excursões na enchente do rio e poucas vezes durante a seca. Come de 7 em 7 anos uma moça de nome Maria; às vezes porém também devora os meninos quando nadam no rio, e por isso as mães proíbem que seus filhos aí se banhem. Há homens que deixam de se lavar no rio, sobretudo nas enchentes, com medo de serem seguros pelo tal sujeito encantado. Originou-se de um rapaz que não obedecendo à sua mãe, maltratando-a e abandonando sua família, foi pela mãe amaldiçoado e condenado a viver durante 49 anos nas águas do Parnaíba. Depois que ele comer as sete Marias tornará ao estado natural, desencantando-se. Conta-se que sua mãe existirá enquanto ele viver nas águas do rio.

MÃE DO OURO – Mulher sem cabeça que habita debaixo da serra de Itupava, entre Morretes e Antonina, província do Paraná. Tem a seu cargo guardar as minas de ouro e por isso tomou o nome. Há poucas pessoas da localidade que afirmam a ter visto.

MÃO DE CABELO – Entidade de forma humana e esguia, tendo as mãos constituídas de fachos de cabelo. Anda envolta em roupagem branca. É o espantalho das crianças no Sul da província de Minas Gerais. Aos meninos que costumam mijar na cama é muito empregada esta frase caipira: "Óia, si nênêm mijá na cama, Mão de Cabelo vem ti pegá e cortá minhoquinha de nênhêm!..."

CHIBAMBA – Fantasma do Sul da província de Minas Gerais. Serve para amedrontar as crianças que choram. Anda, envolto em longa esteira de bananeira, ronca como porco e dança compassadamente. "Êvem o Chibamba, nênêm, ele pápa minino, cála a boca!..."

BARBA RUIVA – Homem encantado que vive na lagoa de Paranaguá, da vila do mesmo nome, ao sul da província do Piauí. É alvo, de estatura regular, de cabelos avermelhados, de tempos a tempos sai a aquecer-se ao sol e deita-se na areia à margem da lagoa. Quando ele sai d'água mostra as barbas, as unhas e os peitos cobertos de lodo e limo. Em outro tempo ele costumava aparecer frequentemente e muitas pessoas tiveram ocasião de se encontrarem frente a frente com ele, o que era logo sabido por todos os habitantes da Vila, que, cheios de assombro, narravam o fato de boca em boca. Todos temem o Barba Ruiva, como um ente encantado, mas é inofensivo pois não consta que ele fizesse mal a alguém, apesar dos constantes encontros em terra.

Muitas vezes algumas pessoas que iam tomar banho ou simplesmente passear nas margens da lagoa, encontravam-se com o Barba Ruiva e tomando-o por outra pessoa, dirigiam-lhe a palavra: se era homem o Barba Ruiva não dava resposta; dirigia-se lentamente para a lagoa e desaparecia nas suas águas: compreendiam então que falavam com um ente encantado; aqueles que tinham um pouco de coragem corriam para a Vila a noticiar o caso, e os que eram medrosos aí mesmo caíam sem sentidos. Se era porém mulher, que se dirigia para a lagoa, o Barba Ruiva ocultava-se para que ela se aproximasse sem receio e logo que ela estava perto, atirava-se sobre ela, não com o fim de ofendê-la mas de abraçá-la e beijá-la. Por isso não há mulher que queria ir sozinha à beira da lagoa.

A história da origem do Barba Ruiva é conhecida em quase todo o sul do Piauí. O meu amigo sr. João Lustosa Paranaguá, natural da localidade, que ouviu falar por muitas pessoas nessa origem, porém, mais minuciosamente por uma velha de nome Damiana, escreve-me a narração que dela ouviu:

"Não está vendo esta lagoa? Pois bem; é encantada e algum dia ela há de crescer tanto, que encobrirá toda esta Vila e todos nós morreremos afogados. Antigamente não havia esta lagoa, em seu lugar era uma imensa mata de carnaubeiras, cortada por um ranchinho. A água que a gente daqui bebia era tirada de cacimbas, cavadas à beira do riacho. Numa ocasião uma moça, tendo ido buscar água nas cacimbas, inesperadamente dá à luz a um menino, que, por não lhe convir que sua mãe soubesse e não conhecendo o amor materno, atira desapiedadamente a pobre criança em uma cacimba cheia d'água. Isto foi bastante para tornar aquele lugar encantado; logo no outro dia, as águas do riacho tinham crescido tanto que já encobriam todas as cacimbas. Em menos de uma semana aquela mata de carnaubeiras tinha sido substituída por aquela lagoa, que ameaçava de uma hora para outra engolir toda a Vila, assim como já a tinha engolido uma parte. Logo nos primeiros tempos era horrível a vida naquele lugar, principalmente para quem vivia perto da lagoa, porque durante a noite ouvia-se um barulho infernal saído do fundo do lago; ora era o ruído de pratos, uns contra os outros, ora o relinchar de cavalo e tudo isto acompanhado do choro de uma criança. Muitos anos depois, apareceu pela primeira vez um homem saído da lagoa, que pela cor avermelhada de seus cabelos, apelidaram-lhe o Barba Ruiva. Conheceu-se então que é o filho daquela mãe desnaturada, que o atirou na cacimba e que foi ele o gerador daquela lagoa encantada."

O dr. Gustavo Dodt na sua descrição dos rios Parnaíba e Gurupi publicado no Maranhão em 1873, tratando da lagoa de Paranaguá diz que ela ganha todos os anos mais terreno e que segundo dizem, antigamente se achava uma vargem, onde atualmente ela se encontra; e depois de descrever o fenômeno que deu origem à fama de ser a lagoa encantada, fenômeno que é conhecido na África e Ásia sob o nome de FATAMORGANA, acrescenta: "Explica-se deste modo facilmente, que se tem visto a lagoa e a Vila longe do seu lugar no meio de uma chapada, ou em outras ocasiões a lagoa no lugar da Vila, ou esta na lagoa, etc. A propensão do povo para o milagroso e a falta de conhecimento para poder achar uma explicação satisfatória do fenômeno fizeram pô-lo em relação com uma tradição antiga, que se refere a um infanticídio, e faz vagar pela lagoa a criança assassinada na forma de um velho com barbas brancas e assentado em uma vasilha de ouro. Já estava quase caída em esquecimento essa tradição, que uma vez tinha produzido tanto medo que grande parte da população se retirou da Vila, quando ela reviveu no ânimo do povo e causou um susto extraordinário por um fato que se deu em 1854, e que me seja lícito relatar em poucas palavras. João de tal, conhecido como homem sério e incapaz de mentir, foi tomar banho na lagoa pelas duas horas da tarde de um dia, em que um sol abrasador e a falta de toda a viração tornava o calor insuportável. Escolheu um lugar onde uma gameleira frondosa oferecia uma sombra densa na margem da lagoa e assentou-se onde a água mal lhe chegou até o peito. Como logo começou a deitar água na cabeça, abaixou ele esta e não viu o que estava diante de si. Tanto maior foi o susto, quando erguendo a cabeça viu em sua frente um homem assentado como ele na água com os cabelos e barbas brancas que o olhava. Levantou-se e correu para a Vila sem lembrar-se que estava sem roupa alguma, pois veio-lhe à mente aquela tradição antiga, a que já aludi, e embora que não visse senão a miragem de si mesmo como em um espelho, deu sua fantasia a esta e todos os traços que a lenda exige e isso com tanto mais facilidade como a miragem naturalmente se mostrava pálida e esbranquecida."

GAZETA LITERÁRIA, Rio de Janeiro, 1884, pp. 345-352.

PEREIRA DA COSTA

1851-1923

Francisco Augusto Pereira da Costa nasceu no Recife, Pernambuco, a 16 de dezembro de 1851, falecendo na mesma cidade a 21 de novembro de 1923. Em 1871 deixou o comércio, entrando para o funcionalismo público, aposentando-se como Diretor da Secretaria da Câmara dos Deputados Estaduais. Em 1872 publicou seu primeiro artigo no "Diário de Pernambuco", sobre o "Número Sete". Eleito deputado estadual em 1901 foi sempre reeleito. Pertencia a muitos Institutos Históricos, sendo a principal figura do Instituto Arqueológico Pernambucano. Foi o maior pesquisador da História pernambucana. Sua bibliografia é vasta, constando de livros, ensaios, longos artigos, espalhados em jornais e revistas. Entusiasta do Folclore, é o autor do melhor e maior volume documental referente ao nordeste. Sua bibliografia compreende 180 trabalhos.

Bibliografia:

FOLK-LORE PERNAMBUCANO — *in* "Revista do Instituto Histórico e Geográfico Brasileiro", tomo LXX, parte II, p. 641, Rio de Janeiro, 1908. Estuda superstições populares, poesia popular, romanceiro, cancioneiro, pastoris, parlendas e brinquedos infantis, miscelânea e quadras populares.

VOCABULÁRIO PERNAMBUCANO — *in* "Revista do Instituto Arqueológico Histórico e Geográfico Pernambucano". Vol. XXXIV, ns. 159-162. Recife, 1937, p. 763. Os verbetes, com abundante documentação popular, são de interesse folclórico.

– Noite de São João.

Sobre a origem das festas e cantos da noite de S. João – que existiam nos costumes góticos, e se reforçaram em presença dos árabes – na península hispânica, detidamente escreve Teófilo Braga, nas suas "Epopeias da Raça Moçarabe", e sobre cujo particular não nos é dado atender para não nos desviarmos da feição toda local deste nosso estudo.

"No nosso Pernambuco, como escreve Lopes Gama, em 1837, no seu interessante periódico *O Carapuceiro*, a véspera e dia de S. João são de regozijo e grandes folgares do povo. Todo o mundo arma a sua fogueira; por toda a parte arranjam-se bolos, tiram-se sortes e soltam-se foguetes... A gente do miuçalho não deixa de festejar o S. João a seu modo. Ornam-se de capelas de flores e folhas, soltam bombas e disparam ronqueiras e bacamartes, e ao som de certas cantarolas dançam toda a santa noite, e no outro dia ainda estão prontos para dançar e gritar: Viva S. João!"

De par com os festejos religiosos nas igrejas e casas particulares, precedidos de um novenário especial, a popular festa de S. João, iniciada na véspera do seu dia, tem um cunho de particular característico pelas suas superstições e sortes, seus combates e suas fogueiras, e suas ceias especiais, – em que figuram, particularmente, a indefectível canjica de milho verde e os clássicos bolos de S. João, indispensáveis à ortodoxia da festa.

É o dia das expansões e alegrias, de ruidosos folgares, de animadíssimas danças, e enfim, das adivinhações, em que figuram, geralmente, as que fazem as moças solteiras para o santo revelar o seu futuro, e cujos prodígios são imensos, graças aos poderes do precursor.

De todas essas adivinhações, tem, porém, muita voga, pelo maravilhoso dos seus proclamados prodígios, a do ovo feita à tardinha, e que consiste em deitar-se a clara dentro de um copo com água até o meio, coberto com um lenço branco, tendo sobre o mesmo uma tesoura aberta, em forma de cruz e um rosário bento, para ver-se depois da meia-noite a sorte da pessoa, segundo a imagem que a clara representar no fundo do copo.

Por exemplo: se for um navio, viagem próxima; e se for uma igreja, o suspirado casamento!

Precede sempre a esta, bem como as demais adivinhações, a recitação de um *Pater* oferecido ao santo.

O alho plantado na véspera de S. João amanhece germinado; a arruda floresce à meia-noite, mas o Diabo vem e arranca-lhe as flores todas; quem se mirar n'água e não divisar a cabeça, não chega ao fim do ano; e as fogueiras, segundo a crendice popular, têm variadas virtudes: são um oráculo... as suas brasas não queimam... são sagradas!

Palmeirim na sua bela poesia *A Alcachofra*, canta:

> Tenho fé nesta fogueira
> Acesa por minha mão,
> Que falará a verdade
> Em noite de São João.

Os festejos de S. João entre nós, remontam-se, acaso, aos primórdios da nossa colonização, na primeira metade do século XVI.

Como data mais remota e averiguada da sua prática, encontramos o ano de 1603, porquanto, narrando Frei Vicente do Salvador as ocorrências da nossa vida histórica naquele ano, refere que os índios acudiam a todos os festejos dos portugueses, "com muita vontade, porque são muito amigos de novidades, como no dia de S. João Batista, por causa das fogueiras e capelas."

Essas capelas têm ainda muita voga entre nós nos festejos do campo, principalmente, e constituem-nas ranchos de homens e mulheres, coroados de flores e folhas, percorrendo alegres as estradas e ruas dos povoados, quando

> Na abençoada noite vão devotos
> Ao milagroso banho

cantando uma toada que tem por estribilho os conhecidíssimos versos:

> Capelinha de melão
> É de São João;
> É de cravo, é de rosas,
> É de manjericão.

Estes versos são, talvez, reminiscências de uns outros do velho romance português *Dom Pedro Menino*, ainda hoje cantado na ilha de S. Jorge, e cujos versos são assim lançados:

> Já os linhos enflorescem,
> Entre os trigos em pendão,
> Ajuntem-se as moças todas
> No dia de São João.
>
> Umas com cravos e rosas,
> Outras com manjericão.
> Aquelas que o não tiverem
> Tragam um verde limão.

Outrora, quando esses bandos de capelistas percorriam alegres as ruas do Recife, encaminhavam-se, de preferência, para o banho na Cruz do Patrão no istmo de Olinda, cujas águas, quer as do mar, de um lado, quer as do rio Beberibe, de outro, gozavam na noite de S. João da particular virtude de dar felicidade e venturas, porque, segundo a trova portuguesa, desvendando-nos o tradicional costume:

Nessa noite é benta a água,
Para tudo tem virtudes.

A praia de Fora de Portas era também um dos lugares preferidos para esses banhos sanjoaneiros, e a trova popular dos capelistas a ele se referia, cantando:

Em Fora de Portas
Eu vou me lavar.
Se eu cair no fundo
Mandai-me tirar.

Na ida para o banho cantavam esses *troupes* de foliões:

Meu São João,
Eu vou me lavar,
E as minhas mazelas
Irei lá deixar.

E na volta:

Oh meu São João,
Eu já me lavei:
E as minhas mazelas
No rio deixei.

Desta toada da ida e volta do banho encontramos ainda esta variante:

Vamos, vamos.
Toca a marchar.
N'água de São João
Nós vamos lavar.

N'água de S. João me lavei.
Toda a mazela que tinha, deixei.

Esses banhos, ainda hoje muito usados nos festejos do campo, são ao nosso ver, uns reflexos do batismo de Cristo ministrado pelo santo nas águas do Jordão.

Segundo uma legenda popular, vulgaríssima entre nós, São João nutre o mais ardente desejo de descer à terra no seu dia, a cujos intentos, porém, Deus se opõe, fazendo-o dormir profundamente durante todo esse dia. Consoantemente com essa legenda cantam os capelistas:

Se o Batista soubesse
Quando era o seu dia.

Desceria do céu à terra
Com prazer e alegria.

E é por isso que a divina vontade oculta ao santo o seu dia, baixando ele à terra, conclui a legenda, se ensoberbeceria por tal modo com as festas celebradas em seu louvor que se perderia!...

E em vão clamam e suplicam os capelistas ao santo a despertar, cantando:

Acordei, acordai.
Acordai João;
Ele está dormindo,
Não acorda não.

A cena que se passa no dia seguinte entre o santo e sua mãe, Santa Isabel, ao despertar ele, canta assim a trova popular:

Minha mãe, quando é o meu dia.
– Meu filho já se passou.
E para tão grande alegria
Minha mãe não me acordou?

As toadas dos versos dos capelistas constituem ainda a música alegre e de uma solfa particular das danças populares da festa de S. João, com as suas cadências marcadas ao rufar de pandeiros e maracá, e acompanhadas à viola; e

Retumbam por toda a parte
Os folguedos d'alegria.

....

Dança a donzela cantando
Canta e dança o namorado.
Na viola suspirando.

O nome de S. João Batista é de um grande misticismo, porquanto, na sua origem hebraica quer dizer: *o que batiza cheio de graça*; – e o seu dia, que é santificado de guarda, é de grande festa eclesiástica.

Quando rompeu a campanha emancipacionista de 1645, foi o santo proclamado seu patrono, como

... general e capitão
Nesta empresa de nossa liberdade.

como refere Calado, cronista coevo; e talvez venha desse fato tomarem-no os militares por seu padroeiro, e erigindo a Confraria de São Batista logo após a restauração de Pernambuco, na sua igreja de Olinda.

– A Festa do Deus Baco em Pernambuco.

Depois da festividade de Nossa Senhora dos Prazeres, celebrada na Dominga de Pascoela, na sua linda igreja dos montes Guararapes, erguida em memória dos dois grandes feitos de armas ali feridos em 1648 e 1649, contra o batavo invasor, seguia-se uma série de festas até o domingo imediato e no qual tinha lugar a festa do Deus Baco.

Para o lugar denominado "Batalha", onde passa o riacho Jordão, cujas águas são vermelhas, do sangue que ali correra em um combate parcial que se travou em uma das batalhas dos Guararapes, como reza a tradição popular, afluía pela manhã imensa multidão, e guardadas as solenidades das festas pagãs, tinha lugar o batismo de Baco nas águas do Jordão.

Terminado o ato, dispunha-se toda a gente em ordem de marcha para os prazeres, formando pelotões, conduzindo cada indivíduo um galho de árvore, e no fim vinha Baco com uma coroa de folhas na cabeça, montado sobre uma pipa que, disposta em forma de charola, era conduzida aos ombros dos circunstantes, revezadamente. Baco trazia uma garrafa com vinho na mão direita e um copo na esquerda, de cujo líquido vinha fazendo libações, e a representação do seu papel, na solenidade, cabia privativamente ao juiz da festa, anualmente eleito pelos foliões.

Desfilava então o préstito, entoando um cântico tirado por uns tantos e respondido em coro por toda a gente, cujos versos tinham por estribilho:

> Bebamos, companheiros.
> Bebamos, companheiros.
> O suco da uva.
> O vinho verdadeiro.

Em face dessa festividade, dir-se-ia que estávamos em pleno paganismo, e ao tempo do reinado de Nero, em que Roma se inebriava em suas danças báquicas, após a procissão da divindade. Entre nós, efetivamente, se guardava na sua festa a tradição mitológica, em que Baco é algumas vezes representado sobre um tonel, com um copo em uma das mãos e na outra um tirso, vara ornada de heras e de pâmpanos, da qual se servia para fazer brotar fontes de vinho.

Nas proximidades da igreja, ao fundo, se nota uma eminência por onde descia a procissão, e a sua passagem por aí, observada distintamente, era de um aspecto belíssimo e imponente, porquanto, em movimento o numeroso cortejo, conduzindo cada circunstante um galho de árvore, cortado na ocasião da sua organização, dir-se-ia um enorme e compacto arvoredo a descer pela colina, cuja verdura resplendia como esmeralda aos raios solares.

A procissão entrava por um dos flancos da capela, isoladamente construída no extremo do extenso pátio, dava uma volta sobre o mesmo, envolvendo o templo, e dissolvia-se depois, cantando sempre no trajeto o seu hino báquico.

Esta usança, que vinha aliás de longínquas eras, não podia continuar a ser tolerada em um país católico; e compenetradas dos seus deveres, por fim, as autoridades eclesiásticas reclamaram dos poderes públicos a sua interferência, no intuito de obstar a continuação de semelhante prática.

Houve tentativas pacíficas, mas infrutíferas, até que em 1869 expediu o Governo uma numerosa força de infantaria e cavalaria, que obstou a execução da tradicional festividade, e desde então nunca mais se tentou a sua celebração.

Pp. 179-183 e 200-202 do "FOLK-LORE PERNAMBUCANO".

Obras de Luís da Câmara Cascudo Publicadas pela Global Editora

Antologia da alimentação no Brasil
Antologia do folclore brasileiro – volume 1
Antologia do folclore brasileiro – volume 2
Câmara Cascudo e Mário de Andrade – Cartas 1924-1944
Canto de muro
Civilização e cultura
Coisas que o povo diz
Contos tradicionais do Brasil
Dicionário do folclore brasileiro
Folclore do Brasil
Geografia dos mitos brasileiros
História da alimentação no Brasil
História dos nossos gestos
Jangada – Uma pesquisa etnográfica
Lendas brasileiras
Literatura oral no Brasil
Locuções tradicionais no Brasil
Made in Africa
Mouros, franceses e judeus – Três presenças no Brasil
Prelúdio da cachaça
Prelúdio e fuga do real
Rede de dormir – Uma pesquisa etnográfica
Religião no povo
Sociologia do açúcar
Superstição no Brasil
Tradição, ciência do povo
Vaqueiros e cantadores
Viajando o sertão

Obras Juvenis

Contos de exemplo
Contos tradicionais do Brasil para jovens
Histórias de vaqueiros e cantadores para jovens
Lendas brasileiras para jovens
Vaqueiros e cantadores para jovens

Obras Infantis

A princesa de Bambuluá
Contos de animais
Couro de piolho
Facécias
Maria Gomes
O marido da Mãe D'Água – A princesa e o gigante
O papagaio real